D1180209

La pieuvre
de Julie Rivard
est le mille troisième ouvrage
publié chez
VLB ÉDITEUR.

VLB ÉDITEUR
Groupe Ville-Marie Littérature inc.
Une société de Québecor Média
1010, rue de La Gauchetière Est
Montréal (Québec) H2L 2N5
Tél.: 514 523-1182
Téléc.: 514 282-7530
Courriel: vml@groupevml.com

Vice-président à l'édition: Martin Balthazar

Éditeur: Stéphane Berthomet
Direction littéraire: Marie-Noëlle Gagnon
Design de la couverture: Julien Del Busso
Photo de l'auteure: Mathieu Rivard

Catalogage avant publication de Bibliothèque et Archives
nationales du Québec et Bibliothèque et Archives Canada
Rivard, Julie, 1977-
La pieuvre
ISBN 978-2-89649-466-8
I. Titre.
PS8635.I937P53 2013   C843'.6   C2013-940818-5
PS9635.I937P53 2013

DISTRIBUTEUR:

LES MESSAGERIES ADP*
2315, rue de la Province
Longueuil (Québec) J4G 1G4
Tél.: 450 640-1234
Téléc.: 450 674-6237
*filiale du Groupe Sogides inc.,
filiale de Québecor Média inc.

Pour en savoir davantage sur nos publications,
visitez notre site: editionsvlb.com
Autres sites à visiter: editionshexagone.com • editionstypo.com

Dépôt légal:
Bibliothèque et Archives nationales du Québec, 2013
Bibliothèque et Archives Canada
© VLB ÉDITEUR, 2013
ISBN 978-2-89649-466-8

VLB éditeur bénéficie du soutien de la Société de développement des entreprises
culturelles du Québec (SODEC) pour son programme d'édition.
Gouvernement du Québec – Programme de crédit d'impôt pour l'édition de livres –
Gestion SODEC.
Nous reconnaissons l'aide financière du gouvernement du Canada
par l'entremise du Fonds du livre du Canada pour nos activités d'édition.
Nous remercions le Conseil des Arts du Canada de l'aide accordée
à notre programme de publication.

LA PIEUVRE

De la même auteure

Mezza Morta, Montréal, Éditions de la francophonie, 2009.

Dramma, Montréal, Éditions de la francophonie, 2011.

Julie Rivard

LA PIEUVRE

roman

vlb éditeur
Une société de Québecor Média

Je remercie d'abord mes parents. Cela peut sembler une évidence. Mais j'y tiens.

Je remercie aussi les femmes qui sont dans ma vie. Elles s'appellent Isabelle, Annick, Julie, Mireille, Anne-Catherine, Véronique, Lisanne, Suzanne, et prennent, aussi, bien d'autres jolis prénoms.

J'embrasse également mes influences musicales, littéraires, cinématographiques, mes joies, mes douleurs, mes introspections et tout ce qui me motive à façonner un second univers dans mes romans, bref, un refuge fort palpitant.

Merci à Steve et à Nancy pour leurs précieuses précisions quant à l'investigation policière. Vous étiez toujours rapides sur la détente!

Un remerciement classique mais senti à mon éditeur Stéphane Berthomet, qui a su déceler ce petit je-ne-sais-quoi de distinctif dans mes écrits. Remerciements chaleureux, également, à toute l'équipe de VLB Éditeur. Merci d'être là.

Je dédie ce livre à mes deux garçons, Léo et Tom,
qui, un jour, auront l'âge pour enfin lire maman!

UN

Bien sûr, ce n'était pas la chambre d'Henrik Hansen. Il y avait trop d'accessoires décoratifs, comme cet abat-jour de velours pourpre et ce buste en bronze qui semblait le fixer droit dans les yeux depuis la petite table de chevet où il trônait. Henrik essayait de ne pas le regarder, question de rester concentré sur la femme nue qui s'agrippait à sa taille et gémissait sous son corps en mouvement. Dans un soupir, la femme demanda à Henrik de lui caresser les seins. Ce qu'il fit. Il était attentif à ses désirs. Là n'était pas le problème. Le problème, c'était ses pensées, si lointaines malgré son corps bien présent…

La brunette s'accrocha alors à sa nuque. Elle le mordit à la base du cou, lui suçant presque la peau. Il lui enserra les hanches de ses deux bras noués au bas de son dos et la souleva pour inverser leur position. Dans un même élan, elle se mit à califourchon sur Henrik pour mieux s'offrir à son regard. Elle se fit plus ardente, plus concupiscente. D'ordinaire bon spectateur, Henrik ne put s'empêcher de se laisser à nouveau entraîner par ses songes. C'est alors qu'elle planta ses ongles dans son torse, lui signifiant qu'elle était au bord de l'extase. Il la suivit dans son escalade jusqu'au point culminant. Vannés, ils retombèrent côte à côte sur les draps frais. Henrik se passa une main sur le front. La sueur y perlait. Souriante et épanouie, la femme se tourna sur le flanc pour se coller davantage à son corps moite. Elle posa un baiser reconnaissant sur son épaule.

Henrik ne réagit pas. Dans la pénombre, elle cherchait à sonder son regard, mais il le détourna.

— T'as les yeux de quelle couleur exactement ?

— Je sais pas trop.

Un rire vif anima la brunette.

— Comment ça, tu sais pas trop ?

— Je me regarde pas souvent.

Elle lui quémanda un baiser. Il le lui accorda, sans toutefois y mettre du cœur ou même en savourer la douceur.

— Moi, je pense que tu te regardes souvent, mais pas amoureusement comme je le fais en ce moment.

— Amoureusement ?

Henrik secoua la tête et se redressa aussitôt pour s'asseoir sur le bord du lit. Elle ne put s'empêcher de le questionner sur ce brusque changement d'humeur. Pour toute réponse, il ne lui offrit qu'un silence. Il enfila ses vêtements, passa sa montre au poignet et attrapa ses clés avant de se retourner vers sa fréquentation des dernières semaines.

— Je suis vraiment désolé. Vraiment.

Puis il quitta les lieux, laissant en plan la jeune femme légèrement abasourdie, les sourcils froncés par l'incompréhension.

Le voile de brume se levait tranquillement sur le village de Cap-à-Nipi. Les premiers rayons de soleil tentaient tant bien que mal de s'infiltrer entre les épais conifères et les maisons de bois dispersées à flanc de montagne et sur le roc. Le Cap, tel que l'appelaient affectueusement ses résidents, avait été bâti en hauteur afin de respecter la géographie unique du lieu. Le village était scindé en deux parties par une longue et étroite rivière en cascade qui se jetait dans un petit lac en bordure de la route. Le restaurant le plus fréquenté de la place, le Pub Nipi, était érigé sur pilotis au milieu de ce bassin d'eau. Sa dénomination rendait hommage aux premiers habitants, *nipi* signifiant « eau » en langue montagnaise. La terrasse qui ceinturait le restaurant offrait une vue à couper le souffle… et l'alcool qu'on y servait redonnait à ses inconditionnels un peu de souffle afin de braver les aléas du quotidien.

— Il reste à peine dix minutes avant l'ouverture, dit Henrik en frappant à la porte. Est-ce que tu pourrais débarrer ?

De l'autre côté de la vitre, la serveuse continuait à placer ses napperons de papier blanc et sa coutellerie encore brûlante d'un récent lavage. Henrik s'efforça de sourire le plus affablement possible. La fille ne broncha pas. Elle poursuivit sa routine, bien qu'elle sût qu'il insisterait. L'horloge affichait maintenant 5 h 52 du matin.

— Je viens de vivre trois jours épouvantables. J'arrive de la ville. J'ai à peine dormi cette nuit. Il faut que tu m'accordes cinq petites minutes tout seul dans le resto, avec ton meilleur café noir.

— Si je commence à ouvrir avant le temps pour te faire plaisir, tout le monde va vouloir la même chose. Je pense pas que le proprio apprécierait que je transforme son beau pub en dépanneur 24 heures.

— Y'a un gars qui t'implore, ici. Mais si tu veux être à cheval sur les principes…

Henrik s'appuya contre la rambarde de la passerelle qui reliait le restaurant à la terre ferme. Il se croisa les bras et fit mine d'observer très sérieusement des chardonnerets qui batifolaient à la cime d'une épinette bleue. La serveuse cessa de trancher ses fraises et ses kiwis. Elle s'essuya les mains en bougonnant, puis déverrouilla la porte principale à un Henrik ravi.

— Si je t'ouvre, c'est ben juste parce que j'ai peur que tu me refiles un *ticket*.

— Pour quoi ?

— Pour ma vieille minoune qui clignote plus à gauche pis qui sonne comme un tracteur.

— Hey, je suis un flic honnête, moi. Je ferais jamais d'abus d'autorité pour un café. Ou pour quoi que ce soit d'autre. C'est mal me connaître, de penser le contraire.

— Essaie pas. Je te vois regarder mon char, sur la route.

Henrik ne répondit pas à cette légère provocation. Il abrégea plutôt l'échange en se dirigeant vers sa table favorite, dans l'encoignure du pub où étaient suspendues de fascinantes esquisses algonquines au fusain. Au bout de quelques minutes de contemplation, il se releva pour aller chercher un menu. De toute évidence, la serveuse avait «omis» de lui en offrir un. Il osa une riposte:

— C'est pas à cause de l'état de ta voiture que je te regarde. C'est parce que tu te mets du mascara pis que t'envoies des textos en conduisant.

Il attrapa le menu et remercia la fille d'un hochement de tête sarcastique. De retour à sa table, il profita de ses dernières minutes en solitaire pour lire les grands titres du journal local. Il avait trop sommeil pour s'adonner à une lecture exhaustive. Sa tête était légère et ses mains tremblaient, mais la simple vue de la montagne le réconfortait. Le panorama ressemblait aux îles Féroé, au Danemark, où il avait grandi. Il y avait quelques décennies déjà. Avant l'abandon de ses parents alors qu'il n'avait que douze ans. Avant son déménagement précipité au Québec, chez un oncle et une tante étrangers… et étranges. Henrik n'avait jamais su le fond de cette singulière histoire, mais il avait réussi à assembler diverses pièces du casse-tête, par exemple l'invalidité de son père, les multiples congédiements de sa mère et une fraude à l'aide sociale. Déraciné et catapulté dans un nouvel environnement hostile, Henrik avait connu une adolescence pénible qui lui avait paru infinie.

Ce matin, il se sentait exténué et n'avait aucunement envie de se replonger dans de mornes réminiscences. Il chassa donc ces pensées en regardant l'heure à sa montre. Il engloutit son déjeuner et laissa un généreux pourboire sous la soucoupe de sa tasse avant de filer au poste de police. Celui-ci était situé en bordure de la route principale, au pied du village, à deux pas du petit pont aux réverbères.

Le poste en soi n'était pas aussi vaste que ceux des grands centres, mais l'équipe qui y bossait était allumée et efficace. Elle servait les communautés de tout le comté. Henrik était fier d'en faire partie. Son métier prenait beaucoup de place dans sa vie. Trop, peut-être ? L'anxiété était un élément inévitable dans ce travail, en particulier pour Henrik parce qu'il était aussi l'un des six plongeurs qui couvraient toute la province. À cause de cela, il avait travaillé sur treize noyades d'enfants consécutives. Chaque mort est un événement particulier pour les policiers, mais la noyade infantile, elle, reste gravée dans la tête comme une marque indélébile.

— Salut, *buddy*. Le briefing va commencer plus tôt que prévu. As-tu vu mon frère ?

C'était l'un des jumeaux blonds. C'est ainsi qu'ils étaient connus et désignés de tous. Leurs vrais noms : Denis et Danny Dupuis.

— Je viens de le croiser dans le parking, répondit Henrik en finissant d'enfiler son uniforme. Tiens, parlant du loup…

L'autre jumeau se pointa dans le vestiaire, six canettes de boisson gazeuse lui pendouillant au bout des doigts. Son frère lui en vola une, comme il avait coutume de le faire, pour en caler la moitié d'un trait. Tous deux étaient accros au cola. D'où leur joli renflement abdominal et leur personnalité énergique.

— Fafard est déjà installé. Il nous attend. Ça sent pas bon, un patron aussi prompt que ça le lundi matin. Votre affaire en ville a foiré ou quoi ?

Henrik referma son casier et suivit ses compères jusqu'à la salle de réunion. Il leur apprit que les choses s'étaient déroulées comme il s'y attendait et que le corps du petit noyé avait été rendu à ses parents. Pour ces derniers, ce n'était pas une fin heureuse, mais pour l'équipe de plongeurs, c'était le seul résultat possible, même si, avec le fort débit du cours d'eau, les policiers avaient craint un moment que le cadavre de l'enfant ne dérive jusqu'aux rapides et ne se perde, ce qui n'aurait pas permis aux parents éplorés de faire réellement leur deuil.

L'étroite salle de réunion était déjà bien remplie. De forte stature, le lieutenant Fafard se tenait derrière son siège habituel, soit à l'extrémité de la table ovale. En arrière-plan, un écran blanc, ainsi qu'un projecteur. Tout autour étaient assis les autres membres du corps policier de Cap-à-Nipi : il y avait là une dizaine d'agents, dont une jeune recrue. À trente-neuf ans, avec son grade avancé et ses diverses spécialisations, Henrik Hansen se distinguait du lot. En outre, c'était un homme sagace, habile physiquement et qui avait vécu ailleurs et vu autre chose. Seulement, le stress lui pesait. Plus jamais il ne retournerait en ville. Il y avait trop de tout : trop d'autoroutes congestionnées, trop de collègues *workaholics* et trop de stimuli qui, bien que revigorants pour certains, s'avéraient nocifs pour lui. Les cent cinquante et quelques kilomètres qui le tenaient à distance, au nord, de la métropole lui faisaient le plus grand bien… quoiqu'il ne fût pas si bien que cela.

— Avez-vous croisé un Italien sur le chemin du bureau ? *No signore!* lança Fafard sans préambule et avec un piètre accent latin. Avez-vous déjeuné avec un motard avant de vous pointer ici ? Pas pantoute ! C'est normal, ils sont tous en dedans. Du maudit beau travail de nettoyage du SPVM[1], de la SQ[2] pis de la GRC[3]. Hé, viarge !

Le lieutenant était parfois dur à suivre. Les agents de police se regardèrent tour à tour. Ils ne savaient pas s'il était heureux ou furieux. Allez savoir. La suite le leur dirait sûrement. Le suspense ne durait jamais bien longtemps avec cet extraverti de calibre supérieur.

---

1. Service de Police de la Ville de Montréal.
2. Sûreté du Québec.
3. Gendarmerie royale du Canada.

— Qu'est-ce qui se passe quand tous nos gentils mottés sont derrière les barreaux? D'autres gentils mottés débarquent pour s'approprier le territoire. C'est une roue qui tourne. Sans fin. Je me pose la question: est-ce que c'est nous qui poussons la roue ou c'est la roue qui nous pousse dans le derrière? Étant donné que la réponse est pas trouvable, je vais dire comme les Cajuns: «Laissez les bons temps rrrouler!»

Les policiers ne savaient toujours pas où Fafard voulait en venir, mais se montraient fort divertis par le spectacle! Décidément, les réunions se suivaient mais ne se ressemblaient pas.

— Vous savez quoi? On va démarrer la semaine avec un beau diaporama.

Le lieutenant tenta d'allumer l'ordinateur portable et le projecteur. Comme toujours, cela ne se fit pas facilement. Il appuya à répétition sur la même touche, secoua les fils de connexion USB et envoya paître plusieurs saints de l'Église catholique avant d'appeler en renfort une de ses subordonnées. Henrik, amusé, cachait sa bouche derrière sa main d'un air faussement songeur. Les jumeaux s'échangeaient des coups de coude. Enfin, le projecteur s'alluma.

— Vous me le direz si vous avez besoin d'aide pour programmer votre micro-ondes, boss, laissa tomber la policière, pince-sans-rire, en regagnant sa place.

Toute l'équipe se mit à rire à l'unisson.

— Mangez donc d'la marde! lança Fafard en réprimant un sourire. Pis toi, la p'tite nouvelle, laisse pas le mauvais sens de l'humour des vieux singes ici présents déteindre sur toi.

Les policiers continuèrent à se payer – respectueusement – la tête du grand patron pendant un instant. Cependant, la rigolade s'estompa dès que les premières informations parurent à l'écran: «Mise sur pied d'une escouade mixte. Groupe ciblé: La Pieuvre.» Henrik redressa les épaules. Ces simples mots avaient su capter son attention. Les diapositives défilèrent. Le lieutenant demeura muet afin de permettre à ses hommes de prendre connaissance du texte. Il s'agissait d'informations concernant la formation de la nouvelle escouade : philosophie, valeurs, visées, effectifs. Fafard ne fit retentir sa grosse voix à nouveau que lorsque la phrase «Nouvelle organisation criminelle» apparut en larges majuscules noires.

— On assiste à une première. On fait face à un nouveau phénomène criminel. Comme je vous l'ai rappelé tantôt, les gars sont en prison. Qui est-ce qui reste à l'extérieur? Leurs blondes.

Henrik venait de perdre son enthousiasme naissant. Des femmes? Pour ce policier expérimenté au parcours sinueux, cela ne semblait pas très menaçant.

— Je vais vous l'avouer bien honnêtement, on n'a rien vu venir, continua Fafard. Pis aujourd'hui, La Pieuvre nous crache son encre en pleine face! C'est nos collègues de Montréal qui ont trouvé ce surnom-là : La Pieuvre. C'est peut-être cliché comme métaphore, mais reste que l'organisation a réussi à étendre ses tentacules partout, je dis bien partout, sans qu'on entende le moindre p'tit bruit.

Le lieutenant donna davantage de détails sur le positionnement et le fonctionnement des autres équipes semblables à celle du Cap ailleurs en province. Pour une raison quelconque, seuls l'Outaouais et la Beauce semblaient avoir été épargnés par les criminelles. Sans doute une guerre de territoires.

— La seule condition pour entrer dans le groupe : être une femme. Le seul but : reprendre la sale job laissée par les gars qui ont été arrêtés ou abattus. Ça fait que là, on a un bâtard de problème!

Henrik était songeur. Il savait les femmes capables de commettre les pires délits tout comme les hommes, mais fallait-il réellement mobiliser des équipes spéciales pour contrer leurs actions? Si elles étaient si dangereuses, pourquoi ne les avait-on pas alertés auparavant? Henrik se demandait s'il n'y avait pas là une volonté politique sous-jacente de faire un coup d'éclat pour un gang qui, somme toute, ne méritait pas tant d'attention, le précieux argent des contribuables se trouvant ainsi envoyé à la déchiqueteuse. Mais, en bon garçon qu'il était devenu au fil des ans, il resta bien sagement sur son siège, la bouche close. Il était évident que son patron attendait une réplique passionnée de sa part, réplique qu'il avait préféré taire.

— On a des bonnes raisons de croire que les filles se sont infiltrées dans certains milieux sur la Côte. Peut-être même ici. Les vols à domicile ont recommencé. La circulation de drogue a augmenté. Tout ça pour dire que c'est fini, la bonne vieille tranquillité.

Autour de la table, les murmures s'intensifiaient. Les policiers se posaient mutuellement des questions, sollicitaient l'opinion de tout un chacun. Henrik semblait le seul à faire preuve d'indifférence. Il avait quasiment hâte de reprendre le volant de son autopatrouille afin de distribuer des contraventions routières ou de se rendre au domicile de maris jaloux en boisson. Quasiment.

— Les photos que vous allez voir sont peut-être celles de membres de l'organisation. Peut-être, insista Fafard. On les soupçonne fortement en ville, mais on est sûr de rien. Gardez l'œil ouvert.

Des visages féminins, certains souriants, d'autres renfrognés, se succédèrent sur le grand écran. Une véritable myriade de genres : filles ordinaires, garçons manqués, femmes fatales et autres demoiselles, disons… moins gâtées par la nature. Si l'on comparait leur apparence, il sautait aux yeux qu'elles provenaient de différentes couches de la société. Les jumeaux Dupuis semblaient médusés. Ils sirotaient le fond de leur canette, les yeux rivés sur les photographies.

— J'ai besoin de trois hommes – ou femmes, excusez-moi pardon – sur ce dossier-là. Hansen, je te mets en charge. Choisis ton bras droit. Pis ton bras gauche.

Henrik était estomaqué. Comment se sortirait-il, avec diplomatie, de ce cul-de-sac ? Il n'était pas emballé par l'idée de commander cette équipe. Cela représenterait des mois d'enquête. Des tonnes et des tonnes de rapports à rédiger, sans compter les heures de présence en cour pour témoigner devant des juges souvent austères. Tout cela alors que l'objet même de l'enquête ne l'enthousiasmait nullement, contrairement à celles qu'il avait eues dans le passé. Mais il y avait autre chose. Quelque chose d'imperceptible. Était-ce une infime trace de machisme ? Une forte impression que La Pieuvre générait beaucoup de bruit pour rien ? Ou quelque chose d'autre, encore ?

— Hansen ? le pressa son patron.

Henrik réfléchit à chacune de ses paroles avant de les prononcer.

— C'est un peu… soudain.

— Soudain ? répéta Fafard. Qu'est-ce que t'es en train de me dire là ?

— Que ça arrive vite.

Le lieutenant s'ancra les deux poings aux hanches, les yeux écarquillés.

— C'est pas un mariage, Hansen. T'attendais-tu à recevoir un faire-part en papier rose de *scrapbooking* ? Des criminels, ça s'annonce pas. Y'a du monde influent au-dessus de moi qui me demande d'agir avant que ça devienne trop grave. Agir. Pas réagir, bout de bonyeu !

Voyant que son sergent n'était pas près de renchérir, le lieutenant changea l'ambiance du tout au tout. Il ferma le portable dans un claquement, ralluma les lumières et attribua les tâches de la semaine au reste de son équipe : accueil, circulation et plaintes. Puis il envoya tout le monde au boulot. Lorsque Fafard et Henrik se retrouvèrent enfin seuls dans la salle de réunion, le plus haut gradé des deux tenta d'aller au fond des choses.

— Ça fait, quoi, dix ans qu'on travaille ensemble ?

— Oui, en décembre prochain.

— En dix ans, rappelle-moi combien de fois t'as eu la chance d'être à la tête d'une unité spéciale ?

— Une seule fois.

— C'était comment déjà ?

— Je passe à l'interrogatoire ou quoi? s'impatienta Henrik. Tu sais très bien que c'était impeccable, un succès sur toute la ligne pis un des points forts de ma carrière.

— Donc...?

Henrik savait très bien ce que ce «donc» sous-entendait. Qui pouvait blâmer le lieutenant? Son hésitation à accepter cette nouvelle affectation manquait de cohérence, sinon de gros bon sens. N'importe quel policier – particulièrement dans un patelin montagnard comme Cap-à-Nipi – aurait sauté sur l'inhabituelle et prestigieuse nomination. En tant que sergent-détective, Henrik n'aurait même pas dû assumer les tâches de patrouilleur, mais puisque les enquêtes palpitantes se faisaient rares, il s'y confinait. Alors, pourquoi l'ombre même d'une hésitation?

— Ça serait bon pour toi, affirma le patron en prenant un ton plus amical. Y'a eu beaucoup de noyades dans la province depuis le printemps. Je te vois te démener à gauche pis à droite. Je me demande si t'es pas en train de brûler la chandelle par les deux bouts.

— Ostie, je le savais! réagit Henrik. C'est pas une promotion, cette escouade-là. Tu me donnes les filles parce que tu penses que j'ai besoin d'un *break*? De quelque chose de moins épuisant?

— Non, non, non! Essaie pas de revirer ça contre moi. Je me disais juste que ça serait bon pour toi de briser la routine. C'est quand même *big*, cette histoire-là. Coudonc, es-tu rendu parano en plus de...

— En plus de quoi?

Fafard soupira. Henrik fit un geste péremptoire de la main lui signifiant de ne pas s'aventurer plus loin. Afin de se soustraire à l'insistance de son patron, il tourna les talons et amorça sa journée de patrouille comme si de rien n'était. Mais Fafard n'en avait pas fini avec son meilleur sergent. S'il lui avait permis de partir, c'était pour le laisser «décanter» sa proposition. Sans se tourmenter avec son refus, il vaqua plutôt à ses occupations.

Hansen connut une matinée chargée. D'abord, il y eut une fuite de gaz naturel dans l'une des rares demeures cossues du versant ouest. Puis, un accrochage entre deux camionnettes sur la route principale, et enfin, la disparition d'une personne âgée. Par chance, celle-ci fut retrouvée à moins de dix minutes de marche de son foyer, désorientée et en robe de nuit, mais sans aucune égratignure.

Dans le but de couper la journée en deux, Henrik eut l'idée d'aller dîner chez quelqu'un qu'il affectionnait tout particulièrement. Ce n'était pas la fille de la nuit précédente, mais plutôt une belle châtaine au visage lumineux. Il gara son véhicule dans l'entrée de gravelle et enjamba les trois marches du perron en pin noueux. Lorsqu'il frappa, la femme ouvrit et, l'apercevant, lui sourit à pleines dents. Elle battit joyeusement des mains et lui fit signe d'entrer, avant de lui attraper le poignet, empressée.
— Viens voir ça !
Elle virevolta jusqu'à une grande pièce adjacente au salon. Son pantalon de yoga et sa camisole courte dévoilaient un corps fin et ferme, un beau ventre basané et une jolie poitrine. Mais Henrik ne s'en souciait guère. Il suivait la demoiselle sans même regarder un millimètre de sa jolie chair. Il ne portait attention qu'au nouveau décor qui avait métamorphosé cette spacieuse section de la maison. Des tons de vert lime, de corail et de jaune vanillé enjolivaient les murs. Les bibliothèques et autres meubles de rangement avaient été peints en blanc et ornés d'adorables petits pois.
— T'as fait ça toute seule ? dit Henrik, surpris.
— Comme une grande.
— Quand ? T'as emménagé avant-hier.
— J'ai fait ça cette nuit.
— T'es folle.
— Folle de joie, oui !
Elle sautillait tout en rigolant, dansa au milieu de la carpette en forme de chenille et termina sa prestation en

balançant dans les airs deux crochets dignes d'une boxeuse professionnelle. Henrik n'eut d'autre choix que de rire de son caractère enjoué.

— Ça avance vite, s'exclama-t-il en souriant. Toutes mes félicitations.

— Je pense pouvoir ouvrir la garderie dans un mois. Gros max.

— Oublie pas de dormir à travers tout ça, lui suggéra Henrik. Au fait, je suis pas venu ici pour parler de tes beaux projets de vie. Je suis venu me quêter un dîner.

— Ah, va donc! s'indigna-t-elle en lui tirant l'oreille.

Il éclata de rire tout en lui repoussant la main, comme s'il s'agissait d'une vulgaire mouche.

— J'imagine que je pourrais préparer un lunch au seul frère que j'ai sur cette terre. Comme si j'avais le choix.

— Le choix de me faire à manger?

— Non. Le choix du frère.

Astrid s'esclaffa à son tour, mais avec une pointe de moquerie. Oh, ce qu'elle était fière de sa répartie! Elle se rendit à la cuisine, précédée de ses propres éclats de rire. Au grand dam d'Henrik, ceux-ci résonnaient dans les pièces encore vides de meubles qui bordaient le corridor.

— Toutes mes places sont prises, annonça Astrid, plus sérieuse. Je vais avoir deux poupons pis trois petits garçons de dix-huit mois.

— Ayoye!

— Tu viendras m'aider à changer les couches de mes bébés entre deux arrestations de tes grands bébés, lui envoya-t-elle avec sarcasme. Si je te fais un sandwich sur bagel, ça te va?

— Bien correct. Pour te remercier, je vais aller mettre tes poubelles au chemin.

— Ah! Qu'est-ce que je ferais sans toi, l'homme de la maison à l'ancienne?

Frère et sœur partagèrent le seul coin du comptoir qui n'était pas encombré et mangèrent un bon petit casse-croûte improvisé, arrosé de thé glacé.

— Je suis vraiment content que t'aies déménagé ici. Je vais pouvoir m'occuper de toi.

— Me contrôler, tu veux dire, blagua-t-elle.

— Pourquoi me priver de l'un ou de l'autre ? dit-il, un mince sourire en coin. J'ai pas de blonde. Je vais pouvoir être ton chaperon, vingt-quatre heures sur vingt-quatre.

— Justement, va falloir que je parle à mon chaperon de son « j'ai pas de blonde ».

— Une autre fois, une autre fois, trop pressé ! se défila Henrik en déposant son assiette dans l'évier et en se dirigeant vers la porte principale.

Astrid réussit à le rattraper pour lui soutirer un bisou d'au revoir. C'est alors qu'elle remarqua des rougeurs sur sa joue droite. Rapidement, elles s'étendaient à d'autres endroits de son visage, se transformant immédiatement en boursouflures.

— T'es tout enflé ! Qu'est-ce qui se passe ? s'affola-t-elle en vérifiant l'intérieur de ses avant-bras.

L'urticaire était présente sur ses membres supérieurs. Elle lui releva la chemise. Sur l'abdomen, aussi.

— Astrid, je…

Son teint était rougeâtre. Il se palpait la gorge. Il n'en fallut pas plus pour que sa sœur comprenne qu'il était en difficulté respiratoire. Elle se jeta sur le téléphone et composa le 911. Quoique affolée, elle suivit les directives de son interlocutrice jusqu'à ce que les ambulanciers arrivent sur place. Ceux-ci injectèrent une première dose d'adrénaline à Henrik, qui subissait un choc anaphylactique, avant de l'amener à toute vitesse au centre hospitalier du village voisin. Astrid suivait derrière, dans la voiture de police de son frère. Elle savait qu'elle commettait une erreur majeure en empruntant l'autopatrouille, mais puisque son propre véhicule était au garage et qu'elle était paniquée… Et tant qu'à être en tort, elle décida d'y aller à fond en allumant les gyrophares. Elle enfonça la pédale dans le tapis et arriva à l'hôpital comme un membre d'une équipe tactique débarquant sur les lieux d'une prise d'otages.

— Est-ce qu'il va mieux ? lança-t-elle aux ambulanciers. Dites-moi que ça s'améliore !

Ils le transportèrent à l'intérieur du bâtiment sans perdre de temps. Une infirmière et un médecin accoururent aussitôt. Henrik dut recevoir une seconde dose d'épinéphrine. Cette entrée fracassante créa toute une commotion dans la salle d'attente. Après tout, il n'y avait là que quelques dames grippées et un vieillard aux prises avec un vilain ongle incarné. Au bout d'une heure, Astrid put enfin voir son frère aîné. Les auxiliaires l'avaient transféré des urgences à une chambre semi-privée.

— Oh, mon Dieu, mon Dieu, mon Dieu ! s'exclama-t-elle en lui prenant la main. Je suis tellement désolée.

— Pourquoi ? murmura-t-il.

— Je sais pas.

— Les filles pis leur culpabilité…

— C'est pas le temps de faire ton fin finaud, se fâcha-t-elle. T'as failli mourir sous mes yeux. Veux-tu bien me dire ce qui est arrivé ?!

Henrik lui expliqua qu'il s'agissait d'une allergie alimentaire. Laquelle ? Encore trop tôt pour le déterminer. Il faudrait passer des tests auprès d'un allergologue, lorsqu'il y en aurait un de passage dans la région. Les spécialistes se faisaient rares.

— Le médecin m'a demandé de dresser la liste de tous les ingrédients de mon sandwich. Même ceux qui ont pu toucher aux ingrédients que t'as choisis, soit sur le comptoir ou dans le réfrigérateur.

— Je te fais ça pour hier, lança promptement Astrid.

Il la regarda avec un sourire narquois.

— Les docteurs m'ont donné de l'adrénaline, mais ils pourraient peut-être te donner des calmants, à toi ?

— Ah, va donc !

— Tu me dis tout le temps ça. Tu veux que j'aille où, exactement ?

— Au plus profond du cul d'un...

Une infirmière vint interrompre cette riposte vulgaire. Mal à l'aise, Astrid baragouina une fausse fin de blague, tandis que l'infirmière se mordait l'intérieur de la lèvre pour ne pas céder à un fou rire peu professionnel. Elle s'approcha du patient. Elle se mordit à nouveau la lèvre, cette fois pour retenir un compliment. Elle le trouvait si beau, avec ses traits bien définis et son hâle de fin d'été! L'infirmière ravala ses commentaires appréciatifs et se mit en mode visite médicale. Elle lut le rapport de l'urgentologue, déposa le dossier, puis vérifia les signes vitaux du patient.

— Henrik Hansen, c'est un nom qui sonne international, ça. Êtes-vous en vacances dans la région?

— Non, j'habite au Cap depuis... une éternité. Je suis d'origine danoise. Ça explique le nom.

— Mais pourtant, vous n'avez pas les fameux cheveux blonds qu'on voit dans tous les films, dit-elle gaiement.

— Je pense que vous faites référence aux Suédois, bafouilla-t-il, un thermomètre sous la langue.

Rougissante, la jeune femme s'excusa de son manque de culture et s'empressa de lui retirer l'instrument de la bouche. L'homme ne faisait pas de fièvre et c'était fort heureux puisqu'elle n'avait qu'une seule envie: se sauver gracieusement, mais précipitamment, de la chambre. Ce qu'elle fit. Avec brio.

— Cœur brisé à l'hosto! dit Astrid d'une voix théâtrale, ses mains encadrant le titre imaginaire dans les airs. Comédie romantique pour les seize ans et plus, diffusée sans pauses publicitaires et sous-titrée pour les malentendants.

Henrik lui répéta à quel point elle était cinglée. Il y avait cependant un fond de tendresse dans ce cruel diagnostic.

— Je suis pas si folle que tu crois, dit-elle en déballant une gomme. Je pense que ton charme scandinave, malgré ta grave absence de blondeur, a opéré sur la coquette infirmière. Tu devrais creuser davantage.

— Je vais mettre Fafard là-dessus.

Soudain, un homme entra en coup de vent dans la chambre et tira le rideau séparateur comme on déchire une large feuille de papier. C'était Fafard, justement.

— Hé, de la belle visite patronale! se moqua Henrik.

— Je devrais-tu m'inquiéter de mon sergent plus que je le fais déjà?

— On a failli le perdre, avoua Astrid, la gorge nouée.

Henrik indiqua par signes au lieutenant qu'elle exagérait.

— Mais c'est vrai, se fâcha-t-elle. T'as arrêté de respirer sur mon plancher. Ça fait que ta modestie…

Fafard émit un sifflement épaté. Ces deux-là avaient la même combinaison chromosomique. Voilà qui expliquait d'où venait l'aplomb de son subordonné: une histoire de filiation.

— Je suis venu voir comment mon meilleur homme se portait.

— Pas si mal, pas si mal.

— Je suis aussi venu récupérer ton autopatrouille, dit-il en zieutant Astrid.

Henrik fit comprendre du regard à Astrid qu'il serait sage qu'elle se retire. Elle respecta son désir et colla un baiser d'au revoir bienveillant sur sa tempe fraîche.

— Pis y'a un autre patient que je tenais à voir, reprit le lieutenant.

— Quelqu'un que je connais?

— Non, mais j'espère que tu vas accepter de le connaître.

Henrik était perplexe. Son patron se dépêcha de préciser.

— Un revendeur de poudre s'est fait faire le coup du «je t'aime à la folie», lui dit-il en mimant un étranglement. Le chanceux s'en est tiré de justesse. Tu devineras que la fille a foutu le camp. On pense que c'est relié à tu-sais-quoi. Disons que ça décolle plus vite qu'on l'aurait souhaité.

C'était prévisible, cette deuxième tentative de séduction. Henrik n'en était pas étonné. Malgré ses manières parfois bouffonnes, le lieutenant était un pitbull qui ne lâchait jamais le morceau.

— Avant d'accepter ou non le mandat, avança Henrik, j'aurais une question à te poser. C'est essentiel pour moi.

— D'accord. *Shoot!*

— Qu'est-ce que tu penses du syndrome de choc post-traumatique? Honnêtement?

Dans la police, il existait deux camps bien distincts : les machos qui banalisaient le syndrome et ceux qui y croyaient dur comme fer, car ils devaient composer avec cette problématique au quotidien. Restait à savoir de quel bord était le lieutenant.

— T'as devant toi quelqu'un qui, dans sa première vie, était militaire. Un homme qui a ramassé des corps en décomposition sur le bord du chemin, à Port-au-Prince, par une chaleur suffocante. Un homme qui pouvait pas dormir tranquille le soir tant qu'y était pas assommé par six ou sept bières. Est-ce que ça répond à ta question?

Enfin! Quelqu'un le comprenait. Même si Henrik consultait une psychologue depuis le printemps, l'aveu de son patron s'avéra l'approbation qu'il recherchait. Il lui confirma que, si Fafard le voulait à la tête de son escouade, c'était pour travailler avec lui sur une base de respect, de confiance et même de solidarité, et non pour alléger ses tâches et pour qu'il se repose. Le désintérêt qu'il avait initialement éprouvé pour cette enquête fut balayé. Son lieutenant, qu'il respectait et qui, manifestement, le respectait aussi, croyait en l'importance du démantèlement de cette nouvelle organisation. Henrik devait donc mettre de côté ses propres doutes et remplir l'important mandat qu'on lui confiait. Dès lors, il ne devrait plus y avoir de lassitude, de machisme, voire de snobisme envers ces nouveaux gangsters en jupons. Sur ce constat, il tendit une main ferme à son supérieur, main qui fut secouée avec tout autant d'assurance. À présent, La Pieuvre avait un rival : Henrik se dévouerait corps et âme afin de combattre ce nouvel ennemi.

DEUX

Les filles se faufilaient avec difficulté entre des pyramides de boîtes venant d'être livrées et les présentoirs garnis de sous-vêtements. Le sous-sol, qui servait d'entrepôt à la boutique de lingerie, abritait également quelques-unes des criminelles québécoises les plus actives de l'heure.

La boutique Vahiné offrait des modèles aguichants mais sophistiqués en provenance du Brésil et de l'Europe. Les clientes venaient de partout sur la Côte pour se payer le luxe d'un sous-vêtement digne des belles du grand écran, et c'était un endroit où les plus savoureux potins côtoyaient les plus soyeuses dentelles. Les femmes adoraient y faire du shopping, car en plus de se gâter, elles en apprenaient à tout coup sur les nouveaux couples, les mâles cocufiés, les convoités… Qui aurait pu imaginer que le quartier général de trafiqueuses et d'extorqueuses puisse bourdonner aussi joyeusement dans la journée ? Mais, le soir venu, l'agressivité reprenait ses droits.

À l'opposé des motards, les membres actifs de La Pieuvre ne sortaient pas de club-écoles. Le mouvement était né spontanément, dans une désorganisation qui, par la force des choses, s'était transformée pour que le groupe réponde à des règles strictes et claires. Au départ, ce n'était que quelques femmes insultées par les rafles policières qui leur avaient arraché leurs amoureux. Une frustration sentimentale mêlée à une révolte anti-système judiciaire et à l'appât du gain, voilà ce qui avait fait basculer dans le crime les premières représentantes de La Pieuvre.

Il avait été relativement facile pour les fondatrices de recruter de nouvelles filles, car entre elles, le premier contact était toujours doux, amical, persuasif. Elles étaient des tentatrices! Leur meilleur coup avait été de décider, dès l'éclosion de l'association, qu'il ne faudrait jamais user de la force pour convaincre les recrues potentielles. Contrairement à leurs homologues masculins, elles ne devraient en aucun cas avoir recours aux voies de fait, viols ou séquestrations pour attirer et retenir leurs recrues. Il faudrait user de formes indirectes de coercition avec les jeunes femmes. Les assujettir par le biais de menaces psychologiques. Comment s'y prendre? En décidant de leur métier, de leur adresse, en contrôlant leurs fréquentations, en les menaçant de rompre à jamais de profondes amitiés, en faisant en sorte que certaines filles tombent enceintes. Tout cela renforcerait l'appartenance à la «famille». C'est ce que les fondatrices s'étaient engagées à réaliser. Et elles avaient réussi à s'implanter dans plusieurs coins de la province. Leur chef se promenait de secteur en secteur, les supervisant un peu à la manière d'une directrice de succursales de fournitures de bureau ou de produits saisonniers.

— Je suis obligée de partir une semaine à l'avance, déclara la leader. Je vais être honnête avec vous, j'ai raté mon coup la nuit passée. Du moins, en partie. Le gars osera pas me dénoncer. Ça le mettrait dans le trouble lui aussi. Mais vous pouvez être sûres qu'il va me chercher. C'est pour ça que je vais disparaître pendant une couple de jours. Le temps que la poussière retombe. Si vous avez des problèmes, vous savez qui joindre.

Une certaine agitation secoua la salle. Des murmures, soupirs et jurons s'entremêlèrent. La déception de voir leur dirigeante les quitter précipitamment était ressentie intensément par chacune. Même si elle estimait avoir bâclé son dernier coup, la chef n'en demeurait pas moins la plus solide et la plus charismatique du groupe. Elle n'avait pas volé le trône. Impossible, lorsqu'on était membre de La Pieuvre, de ne pas être admirative devant cette femme envoûtante, mais d'une redoutable férocité.

— Maintenant, il suffit juste de faire prospérer ce qu'on a mis en place. Tout va bien. Tout va très bien, même. Les danseuses, continuez de vider les poches d'une main pendant que vous tenez votre poteau de l'autre. Les courtières, un peu plus de subtilité dans vos chiffres. J'ai pas envie d'avoir l'Autorité des marchés financiers sur le dos. Ils sont durs à amadouer, nos p'tits fonctionnaires beiges. Pour ce qui est des collectrices, une seule chose : trompez-vous pas de dentier à casser.

Les filles se laissèrent aller à un accès d'hilarité, malgré la tristesse de voir leur supérieure plier bagage.

— Une note à Lili, notre précieuse représentante pharmaceutique : garde l'œil ouvert. Un contact m'a dit que la GRC planifiait un raid dans le marché noir des antidépresseurs. On va en profiter pour se tourner vers les antidouleur : Dilaudid, Oxycontin, Vicodin. Je te mets le dossier entre les mains. Niaise pas. Je me fie à toi.

Après avoir émis cet avertissement, la sensuelle brunette versa dans l'humour burlesque en passant un soutien-gorge rouge à cristaux Swarovski par-dessus son blouson de cuir.

— Pour les autres, continuez de vendre de la lingerie. Ça garde le village détendu et satisfait au lit.

Seconde crise d'hilarité. Ces filles jouaient avec le feu. Ces filles contrevenaient aux lois. Mais elles savaient aussi s'éclater quand le moment était venu. Auraient-elles profité autant de ce joyeux happening si elles avaient su que, sous peu, elles deviendraient un objectif prioritaire de la police ? Dans le monde interlope, le péril ne guette pas le plus audacieux, ni même le plus violent. Il guette le confortable et le complaisant.

Le soir était tombé. Henrik avait obtenu son congé de l'hôpital. Il devrait cependant se montrer très vigilant à l'avenir et traînait désormais un auto-injecteur EpiPen. Puisqu'elle avait récupéré sa voiture chez le garagiste avant le souper, Astrid avait insisté pour reconduire son frère jusqu'à son domicile, en amont de la rivière. Mais Henrik avait préféré marcher. Il souhaitait se replacer les idées. Une vingtaine de minutes de marche séparaient leurs deux résidences. Et le Cap était incomparable en soirée. Sur fond de conifères et de rochers anthracite, les lumières dorées des maisons étincelaient comme des centaines de lampions. On entendait des loups au loin et, plus près, des adolescents fêtards sur le pont aux réverbères. Pour le reste, l'atmosphère était calme et paisible.

Juste avant de quitter l'hôpital, Henrik s'était payé une petite visite au patient qui se remettait d'une tentative d'étranglement. Il l'avait interrogé, mais celui-ci s'était montré réticent. Rien d'étonnant. Henrik n'avait pas l'habitude d'avoir du succès en jouant à *Janette Veut Savoir*[1] avec les vendeurs de cocaïne. Du moins, pas dans un établissement public tel un hôpital où les témoins abondaient. Ailleurs, il aurait pu sortir des techniques de persuasion un peu moins conventionnelles… La seule information qu'Henrik avait pu soutirer à l'homme était la suivante : c'est avec une femme de l'extérieur, une étrangère, qu'il avait tissé la relation d'amour-haine qui l'avait mené à ce lit d'hôpital. Évidemment, l'individu ne voulait déposer aucune plainte. Fin de l'histoire. Mais Henrik le cuisinerait davantage en cas de besoin.

Arrivé à son domicile, il ne sortit pas tout de suite ses clés pour déverrouiller la porte. Il empoigna plutôt son cellulaire et s'assit au coin de la galerie. La lune était

---

1. Magazine télévisé à caractère social animé par Janette Bertrand, à Télé-Métropole (1978-1982).

blanche et quasi pleine. La brise soulevait les branches, produisant un sifflement à peine audible. Henrik défit le col de sa chemise d'uniforme tout en composant un numéro sur son téléphone. Il parla aux jumeaux blonds, à tour de rôle, et n'eut aucune difficulté à convaincre l'un et l'autre de se joindre à son équipe d'enquête. Comme Henrik était assourdi par les exclamations des deux frères, il n'entendit pas les bruissements dans les buissons le long du terrain et ne vit pas l'indésirable visiteur s'avancer furtivement. Il se redressa pour cueillir son trousseau de clés dans la poche de son pantalon. Tout en dialoguant avec Denis Dupuis, il fit dos à l'étroit sentier de pierres qui menait à la rue. Il fouilla pour trouver la bonne clé à insérer dans la serrure. Le bruissement se rapprocha. Avec habileté, Henrik déverrouilla et se retrouva à l'abri derrière la porte close. Sa rapidité avait déjoué le visiteur.

— Bon, écoute, je raccroche. Je suis brûlé. Oui, je serai là demain. Fafard voulait que je prenne une journée de maladie, mais je vois pas pourquoi. C'est une allergie alimentaire. Que je sache, y'a pas d'arachides au poste. Y'a une couple de mollusques, mais ça c'est une autre histoire. Je travaille pas directement avec eux étant donné qu'ils sont à l'administration.

Henrik sourit à sa propre remarque et surtout à la réplique cinglante de son collègue. Puis il replia son cellulaire et le déposa sur la console dans l'entrée. Il eut à peine le temps de troquer son uniforme contre un chandail gris et un bas de pyjama qu'on frappait à sa porte. Il ne se méfia pas et ne regarda pas entre les rideaux du séjour avant de répondre. L'épuisement lui faisait perdre ses bonnes habitudes. Lorsqu'il ouvrit, il constata tout de suite qu'il lui était impossible de s'esquiver. La femme s'introduisit dans la demeure en se glissant sous son bras.

— T'aurais pas dû te déplacer, dit-il d'une voix lasse.

— Toutes les raisons étaient bonnes. D'abord, m'informer de ta santé. Ensuite, obtenir des excuses de ta part, sinon des explications.

Henrik était sorti avec cette femme, lui avait fait à manger, l'avait accompagnée au cinéma, l'avait prise dans son lit en quelques folles occasions. Assez de fois, en fait, pour avoir l'image de l'abat-jour de velours pourpre et du buste en bronze imprimée sur la rétine. Elle avait raison. Une justification était de mise.

— Je peux pas être ton chum. C'est impossible. Je voulais pas que tu m'inclues dans tes plans. T'es quelqu'un de bien. Je voulais m'en aller avant de déconstruire ta vie.

Elle se croisa les bras, ce qui lui conféra un air plus autoritaire, mais qui accentua aussi son décolleté. Que portait-elle, au fait, sous cet imper beige cintré ? Henrik avait entraperçu un ourlet de satin noir.

— Je t'entends, avoua la femme. Je t'entends très bien. Mais je comprends toujours rien.

C'était si compliqué… Henrik ne savait pas quelle explication supplémentaire lui fournir pour la contenter, se faire pardonner et ainsi pouvoir tourner la page sur cette autre relation avortée. Tandis qu'il faisait travailler sa matière grise, la femme se redressa sur ses talons de cuir vernis et s'avança vers lui. Elle lui enlaça langoureusement la taille. Il opposa une faible résistance. Elle entrouvrit son manteau pour dévoiler un sublime bustier ajouré de chez Vahiné. Henrik était à deux doigts de succomber et, franchement, son manque de contrôle le décevait. La brunette profita de son inaction pour l'embrasser avec avidité. Il se laissa étourdir un moment. Elle lui prit les mains et les dirigea sous son imper, les posant sur ses fesses nues. Henrik les flatta, les pressa dans ses paumes et les caressa à nouveau. Puis il s'arrêta net.

— Veux-tu vraiment coucher avec moi en sachant que je te laisse ? En tout cas, moi, je veux pas être ce gars-là.

La femme recula d'un pas, bouche bée. Henrik tâcha de s'en tenir éloigné. Elle était attirante, aucun doute à ce sujet. N'importe quel homme se serait considéré chanceux d'être courtisé avec autant d'ardeur par une femme de cette trempe. Toutefois, Henrik ne voulait pas s'engager en sachant pertinemment qu'elle n'était pas... qu'elle n'était pas *la* femme. Il réussit l'exploit de la congédier, non sans avoir eu d'abord à endurer le baratin classique de la vamp offensée avant qu'elle tourne les talons, lui signifiant : « Regarde-moi bien partir pour te rappeler chaque détail qui va te manquer ! » Cette fois, il prit la peine de jeter un coup d'œil par la fente des draperies. Elle avait bel et bien fui les lieux. Henrik n'avait aucune idée d'où il avait puisé la force de repousser ses avances. À présent, il était seul, planté au beau milieu de son séjour et bouillant comme un geyser avant éruption. Trois choix s'offraient à lui : 1) caler un dix onces de gin de piètre qualité ; 2) s'assommer lui-même contre un mur pour perdre conscience ; 3) passer sous la douche et se libérer de toute cette tension sexuelle. N'étant pas masochiste de nature, il choisit la moins dommageable des options.

Pendant ce temps, sa « fréquentation » tout juste larguée retournait à la boutique de lingerie d'une démarche hâtive. L'heure de fermeture étant passée, elle dut se faire ouvrir la porte par la seule employée encore présente sur place. La brunette pénétra dans le commerce en faisant tinter bruyamment le carillon. Pleine de dépit, elle fonça vers le comptoir-caisse. L'employée réactiva le système d'alarme et réduisit l'éclairage.

— C'est bien la première fois qu'un déshabillé fonctionne pas pour moi, lança la brunette, blessée dans son orgueil. On va oublier ça avec monsieur le sergent-détective !

La vendeuse contourna rapidement sa caisse, excitée à l'idée d'être au cœur des ragots.

— T'as rien découvert ? demanda cette dernière. Aucun renseignement, aucune piste, rien ?

— C'est juste des rumeurs, ces histoires d'escouade. Faudrait pas oublier qu'on est à Cap-à-Nipi. Pas dans une télésérie à gros budget. Mon cher sergent travaille pas sur notre cas. Pis il travaillera plus sur moi, ça c'est assez évident, ajouta-t-elle avec un sourire sarcastique tout en se remontant la poitrine.

Le chez-soi d'Astrid prenait forme au fil des heures qui passaient. Dès son retour du centre hospitalier, elle s'était affairée à dresser la fameuse liste des ingrédients qu'avait pu ingurgiter son frère, pour ensuite s'attaquer à quelques boîtes de déménagement. En fin de soirée, elle put se féliciter d'avoir arrangé les principales pièces de la maison. L'endroit était charmant et plein de personnalité, à l'image de sa propriétaire. Néanmoins, il y avait une limite à son bon vouloir et à son savoir-faire. Les rénovations extérieures, comme la réfection du perron et le remplacement de la gouttière, devraient être réalisées par des mains expertes. Puisqu'elle n'osait pas demander à son frère, elle rassembla clous, planches et pinceau pour se bricoler une pancarte. Elle ne se cassa pas la tête. Elle écrivit : « Homme à tout faire recherché. Venez frapper ! » Il était près de minuit quand elle sortit sur le terrain avant, marteau à la main, pieds nus dans l'herbe humide et petite robe de nuit blanche dans la brise. « Une vraie demeurée », devaient penser ses nouveaux voisins. Féminine mais pleine de cran, elle planta la pancarte dans le sol et l'enfonça résolument à grands coups de marteau.

Avant de rentrer, elle remarqua que sa poubelle avait roulé jusqu'au milieu du chemin. Avançant sur la pointe des pieds dans le sable mélangé de gravelle, elle alla la récupérer. C'est alors qu'un vrombissement de mobylette se rapprocha. Elle eut à peine le temps de se retourner que, déjà, l'engin était presque sur elle. On lui cria bêtement : « Tasse-toi ! » Après avoir failli la faucher, la mobylette pétarada jusqu'au panneau d'arrêt et disparut dans le boisé. Haletante, Astrid s'inclina pour récupérer sa poubelle, qu'elle avait lâchée. Elle ne vit pas arriver la personne qui courait à vive allure derrière le conducteur du deux-roues. Astrid se fit percuter de plein fouet tel un footballeur protégeant sa ligne de touche. La personne fautive ne songea même pas à s'excuser. Elle laissa Astrid allongée sur le gazon, sonnée, pour s'enfuir à son tour vers le boisé. Astrid roula sur le côté afin de constater l'ampleur des dégâts. Sa robe de nuit était tachée de brun et de vert, ses omoplates étaient en compote et son coude saignait légèrement. En somme, plus de peur que de mal. Elle claudiqua jusqu'à son domicile. Quelle journée de m… Elle n'avait qu'une seule envie: raconter le fâcheux incident à son aîné. Ce dernier laissa sonner cinq ou six fois avant de répondre à l'appel. Son timbre de voix était grave et rauque.

— Je te réveille?

— Presque, balbutia-t-il.

— Comment ça va, toi?

— Ça va, à moitié endormi.

Astrid le réveilla totalement en lui détaillant ses péripéties. Il lui posa des questions dignes de l'enquêteur qu'il était devenu: heure précise de l'événement, couleur de la mobylette, type de casque, sexe du malfaiteur, etc. Astrid n'avait que très peu de renseignements à lui fournir.

— Le scooter était noir. Il faisait noir. Je sais pas trop… Mais je suis pas mal sûre que la personne qui m'a renversée était une fille.

— Pourquoi?

— Parce qu'elle sentait la noix de coco. Comme une sorte de crème solaire.

— Bonne déduction. Écoute, t'as juste à te présenter au poste demain matin. Un de mes collègues va noter tout ça.

— Ça peut pas être toi?

— Non. Je serais pas impartial. C'est une question de conflit d'intérêts.

Astrid acquiesça. Henrik dévia alors la discussion vers sa propre soirée, plus particulièrement sa rupture avec sa soi-disant copine. Astrid était découragée. Cette pauvre femme était, quoi, la millionième? Son frère n'était pas un baiseur en série. Bien au contraire! Il était l'incarnation du respect. Mais dans ses relations avec les femmes, il ressemblait davantage à un sprinter accumulant les faux départs. À vos marques? Prêt? Pas prêt… Fin de l'analogie sportive.

— Inquiète-toi pas, la rassura Henrik. Je l'ai laissée correctement.

— Correctement ? J'espère au moins que t'es rendu un vrai pro entre les draps après autant d'essais et d'erreurs. Ça serait le seul point positif.

— Je t'interdis, ma sœur, de faire des commentaires de ce genre.

Astrid fit retentir un grand rire en cascade. Henrik reprit le fil de la conversation sur un ton plus sérieux.

— T'as sûrement déjà vécu ça, en amitié ou en amour, quand tu sens que la personne est seulement une pâle copie d'une autre.

— Ferais-tu allusion à Eva, par hasard ?

Il y eut un lourd silence dans le téléphone. Le simple fait d'entendre ce nom provoquait chez Henrik un typhon émotionnel. Bien plus qu'un premier grand amour, cette fille avait jadis été sa raison d'être. Ils s'étaient aimés passionnément, viscéralement, de l'adolescence jusqu'à l'âge adulte. À cette époque, tous deux vivaient à cent milles à l'heure. Leur amour était comme un brasier. Ils se laissaient, reprenaient, se laissaient à nouveau. Ils ne pouvaient vivre avec ou sans l'autre. Issus de milieux instables, ils se comprenaient, tant dans leurs excès que dans leurs carences. Ils s'étaient rencontrés adolescents, lors d'une célébration de la fête nationale de leur pays d'origine, organisée par la communauté danoise à Montréal. Astrid connaissait Eva depuis qu'elle était petite puisqu'elle avait eu la chance de l'avoir comme gardienne. Au milieu de la vingtaine, Eva avait quitté Henrik pour un autre homme et s'était lancée avec lui dans un périple de style bohémien à travers le Royaume-Uni et la Scandinavie. Le monde tel qu'il le connaissait alors Henrik s'était écroulé. Cette peine d'amour avait vite pris des allures de descente aux enfers. Il avait échoué lamentablement à l'école policière de Nicolet. Sa remontée à la surface avait été tortueuse, pénible, mais il était heureusement parvenu à se sortir de sa torpeur et à être admis une seconde fois à l'école. Bref, cette fille avait eu un impact monumental sur lui, et ce, à bien des égards. Malgré leurs folies communes (qui n'étaient pas toujours très catholiques), le seul tort d'Eva aux yeux d'Henrik avait été de le laisser pour une amourette sans doute éphémère. Du moins, il s'était accroché à cette idée pour se réconforter dans sa détresse puisqu'il n'avait pratiquement plus jamais entendu parler d'elle après son départ. En dépit de cela, elle demeurait une fille unique, intense, exceptionnelle… et, à regarder le parcours amoureux d'Henrik, irremplaçable.

— T'as raison. Je pensais à Eva en disant ça.

— Bah! répliqua Astrid. C'est pas comme si tu venais de me révéler le plus grand des secrets. Y'a longtemps que j'ai compris ton *pattern* amoureux, mon cher frère. Si tu veux rester accroché aux vestiges du passé, libre à toi. Mais il me semble que tu pourrais essayer d'arrêter ton manège, non? Permets-toi donc enfin un peu de stabilité.

— De stabilité? s'exclama Henrik. Je fais la même job depuis des siècles. J'habite la même maison au toit de tôle mauve ridicule. J'écoute la même mus…

— Tu sais très bien ce que je veux dire par stabilité.

Henrik pesta contre l'entêtement de sa sœur à le vouloir heureux en amour. Astrid coupa court à ses bougonnements en lui offrant un «ouin, ouin, ouin» de circonstance. Et lui, en guise d'au revoir, se contenta de lui rappeler de se rendre au poste de police le lendemain matin. Conclusion de la candide discussion entre frère et sœur. De mauvaise humeur, Henrik se dit qu'il en prendrait bien, de ce fameux gin de piètre qualité, après tout. Il quitta son lit et alla s'en verser trois verres, qu'il enfila sans hésiter. Juste assez engourdi pour chasser les sombres pensées qui tentaient d'envahir son esprit, il s'affala dans le premier fauteuil venu et sombra dans un sommeil agité.

Il était déjà 9 h 37 du matin. À la centrale, l'équipe se demandait où était passé Hansen et, surtout, s'il avait des séquelles de son choc anaphylactique. Danny Dupuis avait tenté de le joindre à deux reprises, sans succès. Lorsque Astrid poussa la porte vitrée avec un radieux sourire aux lèvres, l'agent à l'accueil sut d'emblée que quelque chose clochait. Avant de recevoir sa plainte, il s'excusa un instant et alla avertir les jumeaux Dupuis. Ceux-ci jetèrent leurs restes de pâtisseries et se mirent immédiatement en branle. Henrik ne ratait jamais une journée de travail. Les seules occasions où on ne le voyait pas étaient lors de ses séances de psychothérapie. La prochaine n'était prévue que le lendemain.

Les jumeaux décélérèrent brusquement, arrivant à destination sur les chapeaux de roues. Ils descendirent de leur automobile, laissant les portières ouvertes. Ils se hâtèrent vers la galerie, appuyèrent sur la sonnette à plusieurs reprises, mais celle-ci semblait défectueuse. Denis tambourina sur la porte tandis que Danny faisait le tour de la résidence. Il frappa aux carreaux d'une des fenêtres se trouvant à sa hauteur, sans résultat. Son frère le rejoignit à l'arrière du cottage, puis tenta une nouvelle fois d'appeler Henrik.

— Toujours pas de réponse, dit Denis en refermant son cellulaire.

— J'aime pas ça.

— OK, fini le niaisage, on défonce!

Denis administra un puissant coup de botte dans la porte en chêne massif. Elle ne céda pas.

— C'est plein de serrures, remarqua Danny, hébété.

Son frère enleva alors sa veste, se l'enroula autour de l'avant-bras et fracassa une fenêtre. Puis il retira les morceaux coupants avant de se glisser dans l'ouverture. Danny l'imita. Ils investirent les lieux comme s'il s'agissait d'une scène de crime, avec ordre et précaution.

— Hansen?

Les jumeaux perçurent un bruit en provenance de la cuisine. Ils s'y rendirent prestement, bien qu'à pas feutrés. Armes pointées, ils effectuèrent un rapide balayage visuel, en position semi-accroupie. En apercevant l'homme qu'ils recherchaient, ils se redressèrent comme des ressorts.

— Henrik, calvaire !

Ce dernier avait le front étampé sur un napperon, à côté d'un bol de céréales gorgées de lait. Réveillé en sursaut, il tomba de son tabouret. Il avait dû s'endormir en déjeunant, tout juste après être sorti de la douche, puisque seule une serviette de ratine lui couvrait le corps. Les jumeaux l'aidèrent à se relever. Il paraissait étourdi. Les cernes sous ses yeux… sautaient aux yeux.

— Qu'est-ce que vous faites ici ? marmonna-t-il en se grattant la tête, puis la clavicule.

— Ça fait une heure et demie qu'on t'attend au poste. Ta première journée en charge, bougonna Denis. C'est pas aujourd'hui qu'on va te *shiner* une médaille, en tout cas.

Danny servit à son frère une taloche bien méritée.

— Tu parles à notre nouveau boss, quand même. Regarde-le. Tu vois bien qu'y est pas dans son état normal.

Ils accompagnèrent Henrik jusqu'au canapé.

— Est-ce que les docteurs t'ont donné des médicaments ?

— Juste des antihistaminiques.

— Comme du Reactine ou du Claritin ?

Henrik répondit par l'affirmative.

— Est-ce qu'on peut être affecté par des antihistaminiques ? réfléchit Danny.

— Pas au point d'avoir la trace entière d'une cuillère dans le visage, grommela Denis.

Agacé, Henrik se frotta la joue pour faire disparaître l'empreinte. C'est alors que Danny remarqua la bouteille de DeKuyper débouchée près de l'évier. Il la désigna d'un hochement de tête. Son jumeau saisit la corrélation.

— Tu devrais demander un congé. Moi, c'est ce que je ferais si j'avais ton allure.

— Merci quand même, ronchonna Henrik en tentant d'aligner un pas derrière l'autre.

Il lui fallut une éternité pour grimper l'échelle qui menait à la mezzanine. Celle-ci tenait lieu de chambre principale.

Une fois rendu à l'étage, Henrik se mit à fouiller maladroitement dans ses affaires.

— Oublie pas que tu portes plus d'uniforme, là !

Bien sûr, il avait oublié. Lorsqu'on passe de la patrouille à l'escouade d'enquête, il n'y a pas que l'attitude qui doit changer. Un changement de costume s'impose. C'est pourquoi Henrik dut retirer le jeans usé qu'il était en train d'enfiler afin de passer une paire de pantalons noirs et une chemise décontractée de la même teinte. Il inséra son badge dans son portefeuille, descendit au rez-de-chaussée pour se brosser les dents et s'appliquer de l'après-rasage, même s'il ne s'était pas rasé.

— Je m'excuse pour ta fenêtre, mais fallait ce qu'il fallait, dit Denis.

— On va t'arranger ça en fin de journée, promit Danny.

Henrik eut la présence d'esprit de boucher l'ouverture avec une boîte de carton pliée et du ruban adhésif. Il le fit au prix de vertiges et d'envahissantes bouffées de chaleur. Il ne se sentait pas bien du tout. Mais il devait se racheter auprès de son lieutenant. C'est pour cette raison qu'il s'obstinait à retourner au travail. Quelle ne fut pas sa honte lorsqu'il passa le seuil de la salle de réunion et que tous les yeux se braquèrent sur lui ! Il y avait là le responsable des ressources humaines, la personne en charge des ressources matérielles, ses homologues de la GRC et du SPVM, sans compter Fafard, qui était plus bourgogne qu'à l'accoutumée.

— Mesdames et messieurs, veuillez accueillir mon sergent-vedette !

La vedette en question leur décocha un semblant de sourire, la mâchoire serrée, question de ne pas vomir sur leurs porte-documents en cuir.

— On va enchaîner, hein ? Pour montrer qu'on prend notre ouvrage à cœur.

Fafard transpirait l'ironie, ce matin. Que pouvait riposter Henrik qui ne l'enliserait pas davantage dans son bourbier ? Toute tentative de justification ne passerait-elle pas pour de l'effronterie? Contre toute attente, les jumeaux prirent sa défense.

— Hansen était pris avec le brigadier scolaire, inventa Denis.

— Pour les fameuses bornes, ajouta Danny.

Il est vrai que les bornes étaient plus que nécessaires pour ralentir la circulation devant l'école primaire. Le débat avait d'ailleurs été soulevé au conseil municipal. Bref, l'excuse était plausible. Le visage de Fafard retrouva peu à peu sa teinte beige naturelle.

— Bon, ton implication communautaire est faite pour la semaine, Hansen. Astheure, tu vas pouvoir nous montrer comment tu *drives* ça, une équipe. Je te présente tes partenaires des autres corps policiers.

Le trio de Cap-à-Nipi s'avança pour offrir une poignée de main aux sergents de la GRC et du SPVM. Ils n'échangèrent que deux ou trois mots puisque Fafard se montra pressé de parler chiffres. Ce qui tombait bien, car Henrik avait quelques questions en banque à ce sujet.

— Justement, lieutenant, qu'est-ce qu'on a comme matériel? dit-il, la voix encore enrouée. Est-ce qu'on a juste nos tasses à café pis nos cerveaux?

— En tout cas, je peux te confirmer les tasses à café, répliqua Fafard, impétueux.

— D'accord, d'accord, j'arrête le sarcasme. C'est juste que je préfère savoir vers où m'enligner dès le départ. Les surprises, j'aime mieux les avoir au party de Noël.

Le représentant du SPVM, qui répondait au nom de Derek Miller, saisit l'occasion de faire bonne impression en plongeant aussitôt dans le concret. Henrik l'apprécia au premier coup d'œil. Il était robuste et s'exprimait sans abus de qualificatifs inutiles. Mais surtout, il semblait prêt à s'extirper de sa chemise empesée en un claquement de doigts pour enfiler un t-shirt et courir après quelques mauvais garçons récalcitrants.

— On a le budget pour infiltrer le milieu. Je serai donc votre pas-trop-humble serviteur! se moqua Derek. Le

Cap est pas un village assez grand pour que ce soit un policier d'ici. Il perdrait son *cover* deux secondes après avoir commandé sa première bière au bar. Même votre bar le plus miteux.

— Où ça, un bar miteux? envoya à la blague l'un des jumeaux blonds. Es-tu en train de nous dire que notre taverne Chez Toutoune ressemble pas au Beaver Club?

Le policier montréalais s'esclaffa. Le lieutenant Fafard, lui, demeura aussi rigide qu'un sympathique bloc de béton. Une fois les procédures de base établies, un tout dernier collaborateur – ou plutôt une collaboratrice – fit son apparition dans la salle blanche éclairée aux néons. Il s'agissait de la procureure de la Couronne qu'on avait greffée à l'équipe et qui était descendue de la grande ville afin de mettre des visages sur des noms. Essentielle à l'enquête, elle ferait en sorte qu'aucune technique d'investigation ne dépasse le cadre légal et qu'aucune preuve recueillie ne soit jugée irrecevable lorsque viendrait le procès. En d'autres mots, exit les tours de passe-passe abracadabrants d'aspirants James Bond en uniformes bruns un peu trop serrés à la bedaine! Il y avait une méthodologie archi-rigoureuse du côté des juristes et, bien que ce fût contraignant, il fallait s'y conformer si l'on ne souhaitait pas mettre en jeu d'importantes sommes d'argent. Et faire perdre des causes majeures. Ce qui se traduirait par la remise en liberté de crapules qui ensuite s'estimeraient au-dessus des lois. C'est ce que l'avocate expliqua aux hommes dans la pièce.

— Je pense que ça fait le tour de mon implication, dit-elle en terminant sa présentation. Avez-vous des questions? Autres que celles concernant les mandats de perquisition ou d'écoute électronique?

Denis et Danny baissèrent l'index.

— On s'entend que les autorisations n'arriveront jamais aussi vite que vous le souhaiteriez, lança l'avocate tout en bouclant sa serviette. J'aimerais produire des mandats à la vitesse des briques de Velveeta, mais dans le monde réel, ils arrivent comme des Stilton vieillis dix ans. Un à un. Précieusement.

— Dans le jargon de tous les jours, rétorqua Henrik, irrité, ça veut-tu dire « Appelez-moi juste quand c'est foutrement important » ?

Le lieutenant Fafard poussa un grognement d'exaspération.

— C'est en plein ça, sergent, répliqua l'avocate. Dérangez-moi pas le samedi matin de bonne heure pour fouiller la sacoche d'une de vos madames.

Alors qu'il avait apprécié le franc-parler de son collègue du SPVM, Henrik ne se montrait pas friand des remarques condescendantes de la procureure. Il repoussa sa chaise, se redressa rapidement, combattit un étourdissement, puis lança un regard de braise à son patron. Personne n'osait rien ajouter. Un silence chargé d'orgueil planait sur la salle. On n'entendait que le tic-tac de l'horloge murale et la sonnerie d'un téléphone, assourdie par d'épaisses portes closes. Ce furent les responsables des ressources humaines et matérielles qui brisèrent enfin le silence, mais ils ne firent que remplacer le malaise par un autre. Ils avaient le don de jeter un froid sur une assistance, ces deux-là. Comment ? En réduisant le nombre de véhicules au strict minimum, en limitant les appareils électroniques à de simples cellulaires et en louant le plus petit appartement du village pour l'agent d'infiltration. Le gros luxe, quoi. Henrik s'était rassis pendant leur laïus.

— Est-ce que notre castration est bientôt terminée que j'applique un peu de glace ? chuchota-t-il à son lieutenant en s'agrippant l'entrejambe sous la table.

Sans l'ombre d'un sourire, Fafard grommela. Après tout, il devait maintenir son autorité et défendre dignement son titre. Il remercia toutes les personnes présentes de s'être déplacées pour permettre cette rencontre et laissa ses hommes se réunir seuls, afin qu'ils élaborent un plan d'action. Pour leur première semaine d'investigation, ils convinrent de se concentrer sur les lieux les plus suspects, soit ceux qui attiraient prostituées, danseuses ou toxicomanes notoires. Toute fille louche, nouvellement débarquée ou frayant avec la criminalité devait être suspectée. Henrik était sûr de clore le dossier à la vitesse grand V. Après tout, c'était un groupe ciblé, distinctif, facilement identifiable. Dès qu'une femme ferait un faux pas ou tremperait dans une magouille orchestrée par l'agent d'infiltration, le réseau serait débusqué. Une ou deux arrestations clés, et puis *finito*. On passerait à un autre appel. Mais en réalité, était-ce aussi simple que cela ? Non. Fallait-il se méfier de ces filles ? Certainement. Henrik l'apprendrait à ses dépens.

TROIS

La grande majorité des filles au sein de La Pieuvre avaient fait leurs classes. Elles étaient des criminelles aguerries, contrairement à ce que prétendaient quelques beaux parleurs du milieu clandestin. Issues pour la plupart de familles dysfonctionnelles, elles avaient modelé leur comportement sur celui d'un père minable ou d'un conjoint accro aux séjours en prison. En langage populaire, on les disait *streetwise*, c'est-à-dire que, dans la rue, elles savaient protéger leurs arrières. D'ailleurs, leur tête dirigeante tâchait d'être constamment un pas en avant sur les autorités policières. Pour que ses filles puissent agir à leur guise, loin des regards scrutateurs, la leader avait eu la brillante idée de déléguer toutes les besognes routinières à… des jeunes hommes! C'était le monde à l'envers. Et cela allait se révéler fort trompeur pour les enquêteurs qui venaient de pointer leurs radars sur la gent féminine.

— Des tampons? Je peux pas croire que tu m'as bourré la van de tampons. On pourrait-tu être plus stéréotypées?

La «grosse Toutoune», telle qu'elle se surnommait elle-même, était bien sûr la tenancière de la taverne Chez Toutoune. Ses longs cheveux blond-roux étaient permanentés et son maquillage, tout droit sorti d'un défilé de mode de centre commercial des années 1980. Perchée sur des bottillons à talons hauts et boudinée dans un legging blanc, elle inspectait la cargaison de son camion de livraison. D'ordinaire, ce camion aurait contenu des tabourets, des décorations de Noël, de la nourriture achetée dans un magasin à grande surface ou tout autre item utile à un commerce comme le sien. Mais aujourd'hui, exception ! Il était rempli de milliers de boîtes de tampons. Tout ce qu'il y a de plus banal, sauf qu'une boîte sur cinq cachait de la drogue de synthèse.

— Je t'ai mis l'adresse dans le coffre à gants, l'avisa sa consœur. Là, essaie pas de te prendre pour une espionne émérite des services secrets en faisant des grands détours complexes pour brouiller les pistes. Tu transportes des Kotex d'une pharmacie québécoise à une pharmacie ontarienne. Ça intéresse personne. Contente-toi de conduire pis ça va se faire les doigts dans le nez, cette transaction-là.

La femme qui parlait était loin de se douter que la chef suprême de son organisation se tenait derrière son dos. Même si celle-ci avait annoncé son départ précipité la veille, elle était restée tapie dans l'ombre à guetter. Prête à surprendre. Elle avait donc tout entendu et n'était pas enchantée par l'insolence d'une de ses subalternes. S'agissait-il d'un signe précurseur d'insubordination ? L'important était d'intervenir avant que cette mauvaise graine ne germe. Tirant violemment la fille par le bras pour la retourner, elle resserra les doigts sur son visage inquiet puis le lui écrasa contre le pare-brise de la camionnette. La femme expulsa un soupir plaintif.

— Désolée de ruiner ton quinze minutes de gloire, ma chère, mais tu vas m'expliquer ce qui te donne le droit de donner des instructions à une de tes égales avec autant de nonchalance.

Elle lui ramena les bras sur la vitre, les comprimant pour l'immobiliser davantage. Se sentant comme de la vermine coincée dans une trappe, la femme n'osa pas se retourner. Elle ne fit que couiner. La leader n'en resterait pas là. Agréable la plupart du temps, elle possédait un côté dangereux qui, lorsqu'il surgissait, parvenait même à faire frémir les plus durs bandits masculins du Québec. Elle n'avait pas développé son caractère revêche par choix, mais bien pour ne pas se faire anéantir. Quelques-unes de ses subor-données – souvent les nonchalantes, justement – avaient déjà subi ses réparties cinglantes, voire corrosives. Elles en avaient été réduites en miettes.

— Pendant ton absence, des tonnes de tâches emmer-dantes vont sûrement s'accumuler à la taverne, non ? dit la chef en s'adressant à la grosse Toutoune.

Son silence embêté lui servit d'assentiment.

— Il me semble que notre chère amie ici présente pour-rait profiter d'une belle leçon d'humilité. Je sais pas, moi, des tuyaux à décrasser ou des centaines de conserves à empiler dans ta chambre froide.

La grosse Toutoune savait qu'elle marchait sur des œufs. D'abord réticente, elle finit par flancher devant l'autorité et accepta de déléguer une tâche ingrate, quitte à se mettre une « amie » à dos. Et, aussi abruptement que cela, la va-peur fut renversée. Et l'impertinence, cassée pour de bon. La dirigeante put tourner les talons. Elle se fondit dans le paysage, tout en savourant son coup.

Astrid Hansen faisait le piquet dans la salle d'attente du poste de police, bien déterminée à déposer sa plainte au sujet de la bousculade musclée qui avait perturbé sa fin de soirée. Ses souvenirs étaient plus nets après une bonne nuit de sommeil. Pendant son attente, elle vit arriver son frère, flanqué des jumeaux. Visiblement, lui n'avait pas eu une nuit reposante. Elle voulut lui parler, mais il l'ignora et fila dans une pièce close avec ses collègues. Quand vint le tour d'Astrid, elle fut en mesure de décrire le scooter avec plus de précision. S'ils retraçaient le conducteur, sans doute les mènerait-il à la fille qui courait derrière l'engin ? Le poli-cier prit des photos des éraflures et des ecchymoses qui coloraient le haut du dos d'Astrid. Fidèle au credo « Servir et Protéger », le policier lui dit de continuer sa journée sans s'inquiéter, que tout était entre ses mains à présent et qu'il se chargerait de faire suivre la plainte. Astrid sentit qu'il avait ses intérêts à cœur et que sa plainte n'accumulerait pas la poussière au fond d'une boîte, quelque part. Elle le remercia chaleureusement.

— En passant, es-tu sûre d'être apparentée à Hansen ? demanda le policier en souriant avant de la laisser filer.

— Oui, pourquoi ?

— Dans ce cas-là, c'est certain que vos parents t'ont tout donné à toi, à la naissance, dit-il, charmeur.

— Hey, la recrue, on arrête de *cruiser* la sœur d'un gradé !

Henrik venait d'émerger de la cage d'escalier. Le jeune homme se défendit avec humour, mais ne put empêcher son visage de prendre une teinte rosée, puis cramoisie. Astrid était ravie de démarrer sa matinée avec une flatterie aussi amusante. Son frère marcha droit sur elle et lui attrapa gentiment le bras pour l'entraîner dans sa trajectoire.

— Suis-moi, dit-il. Je te raccompagne à ta voiture. Je m'en allais bruncher aux danseuses.

— J'ai jamais été aussi fière de mon frère qu'en ce moment même…

Il la précéda jusqu'au stationnement tapissé de feuilles d'automne. Avant qu'ils ne se séparent, Astrid pensa à lui remettre la fameuse liste d'ingrédients à acheminer à l'allergologue. Il la plia et voulut l'insérer dans son portefeuille quand il constata qu'il ne se trouvait plus dans la poche arrière de son pantalon. Il avait dû l'oublier dans la salle de réunion. Il retourna à l'intérieur, passant à nouveau devant son jeune collègue à la réception.

— Henrik, viens donc ici deux secondes.

— Toi, le p'tit fringant, tu laisses ma sœur tranquille. Ça va être mieux pour ton espérance de vie.

— Bon, bon, bon, j'ai compris le message. Regarde ça.

Il désigna l'écran d'ordinateur.

— Je viens de téléphoner au bureau des plaques. Y'a seulement un conducteur de scooter noir à barres mauves dans les environs. C'est ce moineau-là.

Henrik prit le temps de lire la DPE[1] du moineau en question. Seulement trente-cinq ans et déjà quatre plaintes pour harcèlement sexuel. Principalement des appels obscènes et des attouchements sans consentement. La première plainte remontait à l'époque où il était âgé de quatorze ans. Un vrai de vrai.

— Ouin, dit Henrik, pensif, en se grattant la nuque. Son nom me dit rien. Toi?

— Sa dernière adresse de résidence était à Granby. Il vient de s'installer sur la rue du Réverbère, juste derrière le pont. Veux-tu que j'aille lui porter un p'tit panier de fruits pour lui souhaiter la bienvenue dans le quartier? demanda-t-il avec ironie.

Henrik opina et alla récupérer son portefeuille. Après quoi, il mit les voiles vers le plus populaire bar de danseuses nues de la région. Si on faisait fi de sa vocation, l'établissement était plutôt respectable. Le design était fraîchement repensé, la clientèle était relativement convenable et les filles qui s'y exhibaient, pas trop gênantes. Pas du genre bonnes à marier et à présenter à sa tendre maman, mais certains candidats les auraient bien présentées à leur nouveau matelas grand format.

Même s'il n'était pas en uniforme, Henrik savait qu'il se ferait repérer dès qu'il mettrait les pieds dans la place. Il n'était pas un habitué du bar Le Coureur de Jupons. Il pouvait compter ses visites sur les doigts d'une seule main. Mais, le village étant ce qu'il était, il lui arrivait fréquemment de croiser une danseuse à la station-service ou d'attendre dans la file à l'épicerie derrière la fille des *shooters*. C'était tantôt embêtant, tantôt amusant, puisqu'il prenait parfois plaisir à les faire angoisser en leur glissant une remarque futée ou une question incisive. Rien de bien malin. Ce midi, néanmoins, il ne prendrait rien à la légère. Il avait une job à faire.

---

1. Vérification au fichier des personnes.

— Tiens, si c'est pas notre beau sergent Hansen, s'exclama une serveuse à travers le tohu-bohu. Où est-ce que tu t'en vas avec tes culottes du dimanche? Dis-moi pas que je viens de rater ma chance d'aller à la confesse!

Il lui fit cadeau d'un sourire narquois tout en s'asseyant au bar. Il commanda une boisson sans alcool et salua une connaissance qui passait tout près. Puis il se retourna pour faire face à la scène. La serveuse qui l'avait apostrophé à son arrivée vint s'appuyer sur le comptoir lustré.

— T'es trop tannant? Tes patrons t'ont mis en punition? Vas-y, raconte à matante.

— Regarde-moi comme il faut. Est-ce que j'ai l'air d'un fauteur de troubles? Je suis juste en vacances bien méritées, mentit Henrik. Les policiers aussi ont le droit de voir du paysage ou de faire des belles promenades à vélo de temps en temps.

— Si t'es en vacances, pourquoi tu bois de l'eau pétillante?

Il se pinça un bourrelet imaginaire à la taille.

— Je suis le programme «Diète californienne». Je fais attention à mes glucides.

— J'ai mon voyage, soupira la serveuse. Pas un autre qui est en train de virer métrosexuel?

— Tiens, je vais aller faire un tour au buffet pour te faire plaisir.

Henrik se dirigea vers le coin repas avec son verre à la main. Il tenta de ne pas trop contempler la danseuse qui se donnait en spectacle à l'avant. Dans un premier temps, il devait remarquer si de nouvelles employées étaient en service. Si oui, elles devraient être identifiées en priorité. Dans un deuxième temps, il devait sonder le terrain afin de déterminer si certaines des employées qui avaient de l'ancienneté étaient vulnérables et pouvaient avoir été corrompues par une collaboratrice influente de La Pieuvre. Avaient-elles besoin de faire un coup d'argent rapide? Vivaient-elles une période difficile? Disons plus difficile que d'ordinaire, puisque être danseuse nue dans ce patelin

n'était pas aussi tranquille qu'être secrétaire de presbytère…
Même si Henrik ne se croyait pas investi de l'enquête du
siècle, reste qu'il faisait face à une tâche complexe, qui re-
quérait patience et subtilité. Le point positif : il n'était pas
désemparé à l'idée de revenir tester la qualité des spec-
tacles du Coureur de Jupons à plus d'une reprise.

De son côté de la rivière, Astrid extirpait des tonnes de
figurines, wagons, ballons et casse-têtes du coffre de sa
berline. Elle revenait de la ville, où elle avait fait une razzia
dans un magasin de jouets. Il était maintenant presque
4 heures de l'après-midi. Un homme traînait dans les parages. Astrid fit trois voyages entre son salon et sa voiture.
Lorsqu'elle ferma le hayon, le rôdeur surgit dans son dos,
la faisant sursauter avec sa voix virile.

— Il vous manque un superhéros.

Ébranlée, elle mit sa main sur son cœur, comme pour
l'empêcher de bondir dans sa poitrine. Elle sourcilla devant l'étrange visiteur. Celui-ci était sorti de nulle part.

— Vous l'avez échappé par terre.

L'homme lui remit une figurine de Batman encore
dans son emballage de plastique. La situation se clarifia
aussitôt et Astrid ne put faire autrement que d'en rire.
Son pouls reprit un rythme convenable. Elle accepta le
jouet des mains de l'inconnu. Celui-ci inclina la tête en direction de sa pancarte.

— Est-ce que je me trompe ou vous avez besoin d'un
superhéros grandeur nature ?

Mais oui ! Sa demande pour un homme à tout faire !
Astrid se ressaisit pour de bon et passa en mode recrute-
ment. Elle considéra le candidat d'un œil plus analytique.
Elle lui donnait la mi-trentaine. Chevelure noire, saine et
lustrée. Regard café. Une bonne grandeur et de solides
avant-bras dévoilés par une chemise à carreaux aux
manches roulées. Elle ne savait pas trop pourquoi, mais en

apercevant le tatouage à l'intérieur de son poignet, elle en déduisit qu'il savait planter un clou. Un peu idiot comme réflexion, mais elle aimait croire que caractère rebelle rimait avec habiletés manuelles.

— Avez-vous déjà touché au plâtre ? À la tuyauterie ?

— J'ai touché à plein de choses.

Rêvait-elle ou cet homme venait de se forcer pour conserver une expression sérieuse ?

— Je vous le dis tout de suite, je peux pas offrir plus que quinze piastres de l'heure. Je fais des méchants bons desserts, par contre.

— Hum, réfléchit l'étranger. Même du tiramisu ?

— Avec des vrais doigts de dame imbibés d'espresso.

Il considéra les pour et les contre, tout en fixant l'horizon ennuagé. Puis il regarda le toit abîmé et le décapage à terminer sur le perron. Pendant qu'il évaluait les travaux, Astrid n'avait d'yeux que pour ses épaules et l'entrebâillement de sa chemise. Elle n'en revenait pas de cette apparition masculine qui semblait sortie des confins fantasmatiques de toute imagination féminine, comme dans une publicité de Old Spice. Quelqu'un, quelque part, avait entendu ses prières. Louange à toi, ô grand dieu de la concupiscence !

— C'est bon. J'accepte. J'avais du temps libre, de toute façon. Aussi bien satisfaire ma dent sucrée tout en aidant une demoiselle en détresse.

Enchantée, elle lui tendit la main pour se présenter officiellement. Il la prit dans la sienne et la pressa sans toutefois la secouer.

— Moi, c'est Marc. Veux-tu que je revienne demain matin ?

Un peu intimidée, Astrid retira doucement sa main de sa poigne. Après quoi, elle lui demanda un numéro où le joindre. Il ne put lui en fournir, sous prétexte que sa ligne téléphonique n'était pas encore branchée.

— Tu restes dans quel coin ?

— Proche du pont.

L'inconnu lui parut soudain évasif. Elle plissa les yeux et il se rendit compte aussitôt de sa méfiance. Il s'empressa de chasser ses doutes avec un demi-sourire débordant de charme. Le genre de sourire à faire bégayer une jeune femme normalement constituée et à faire perdre tout tonus à ses pauvres genoux. La ruse fonctionna. Astrid fondit comme un carré de chocolat. L'homme la laissa pantoise, au beau milieu de son allée de gravier, et descendit la côte à pied.

De son côté, Henrik poursuivait sa première tournée d'investigation. Il faisait semblant d'admirer les environs, assis sur le vieux banc de parc à l'arrière du bar de danseuses. À part des seins siliconés et des bronzages en cabine, il n'avait rien noté de pertinent à l'intérieur de l'établissement. Sans doute serait-il plus chanceux à l'extérieur ? Un quart d'heure passa. Au moment où il songeait à retourner à la centrale, une demoiselle sortit par la porte réservée aux employés. Elle s'alluma une cigarette et retira ses vertigineux talons aiguilles. Il n'avait aucune idée de son identité. Elle avait l'air d'une jeune débutante. On faisait souvent danser les moins expérimentées en après-midi, devant des clients moins exigeants. Henrik s'avança pendant qu'elle tirait sur sa cigarette et expirait une colonne de fumée vers le ciel.

— Je peux t'en voler une ?

La fille hésita à ressortir son paquet. Il lui offrit de la monnaie en échange. Elle abandonna sa réticence et lui dit d'oublier l'argent. Henrik se coinça la cigarette entre les lèvres. Il n'était pas fumeur. Il n'espérait donc qu'une chose : ne pas s'étouffer avec sa première bouffée. C'est toute sa crédibilité qui en dépendait.

— C'était beau ce que tu faisais, tout à l'heure, sur la scène.

— Merci bien, souffla-t-elle d'une voix ralentie par une quelconque substance illicite.

— En tout cas, t'es plus souple que moi.

Henrik força un petit rire. Il avait déjà la nausée et la fumée lui piquait les yeux. Il se retenait pour ne pas la chasser d'un coup fouetté de l'avant-bras. Pour les besoins de la cause, il prit plutôt une seconde bouffée. Affreux. Mais qu'est-ce qu'elle fumait, cette danseuse? Les pires Gauloises de la planète?

— Faut que je rentre. J'ai un autre *set*. Salut.

Elle écrasa sa cigarette et disparut derrière la lourde porte couverte de graffitis. Frustré, Henrik se débarrassa aussitôt de sa clope, cracha un bon coup, puis eut l'inspiration soudaine de se suspendre à la seule fenêtre atteignable. C'est alors qu'il aperçut sa nouvelle amie en train de refiler quelques billets à une consœur pour ensuite se préparer une ligne de poudre blanche. Henrik avait deux options: ne rien faire et conserver cette future source d'informations pour l'avenir ou appeler un patrouilleur en renfort afin d'arrêter le duo revendeuse-acheteuse sur-le-champ. Il n'avait que dix secondes pour réagir. Que faire? Le temps filait.

— Code 129[2] au Coureur de Jupons, chuchota-t-il finalement dans son téléphone.

Il replia son cellulaire, ouvrit la fenêtre coulissante, prit son élan et se glissa dans l'immeuble comme un adolescent de retour d'une escapade nocturne interdite par ses parents. La jeune danseuse en resta bouche bée, les yeux ronds. Son seul réflexe fut de s'armer d'un talon haut qu'elle lui braqua en plein visage. Henrik extirpa un pistolet de la gaine qu'il portait à la cheville pour l'occasion.

— Qu'est-ce… qu'est-ce que tu veux, tabarnak? paniqua la fille. J'ai pas de cash sur moi!

Il pigea son badge au fond de sa poche, l'exhiba devant la danseuse et lui dit de ne faire aucun mouvement brusque et, surtout, de garder les mains bien en vue. Elle obéit sans joie.

---

2. Code opérationnel pour demande de renfort.

— Tourne-toi, maintenant.

— Qu'est-ce que j'ai fait? s'insurgea-t-elle. Câlice de police à marde!

Faisant fi de son langage ordurier qui, tout de même, le surprenait vu sa jeunesse et son joli minois, Henrik lui passa les menottes aux poignets. Au même moment, il vit le reflet des gyrophares dans la fenêtre et sut que les renforts étaient arrivés. Il força la fille à s'asseoir et fouilla pour découvrir sa planque de drogue. Il la trouva assez facilement et dégota même un accessoire incriminant: une pipe trafiquée. Un policier arriva sur ces entrefaites. Henrik lui décrivit la vendeuse et lui demanda de la coffrer également. Malheureusement, cette dernière avait déjà disparu dans la brume. Henrik sortit par la porte qui donnait sur la cour et guida la danseuse vers la banquette arrière du véhicule aux gyrophares allumés. Il avait hâte de cuisiner sa jeune prévenue. Mais il ne le ferait pas le jour même. Il voulait la laisser désespérer en cellule pendant une nuit entière afin de l'affaiblir et de la rendre plus malléable. Il l'interrogerait au petit matin. En attendant, il avait mieux à faire. Comme rapporter son arme au poste, se glisser dans un survêtement de sport et faire un peu de course en montagne.

C'était la saison idéale pour le cross-country. L'air était frais et sec, le feuillage des arbres prenait des teintes chaudes et la montagne était enfin désertée par les enfants surexcités par leur long congé scolaire. La paix. Ou presque. Henrik avait toujours du mal à faire le vide total. Plus il courait, plus son cerveau s'activait. C'était comme une locomotive à vapeur qui, une fois qu'elle avait pris sa vitesse de croisière, nécessitait bien plus qu'un simple frein à main pour s'arrêter. Les grandes bouffées d'oxygène réduisaient sa tension, certes, mais servaient aussi de carburant à sa machine à penser.

Henrik sauta par-dessus une souche à découvert, l'évitant de justesse, puis emprunta le sentier à sa gauche qui escaladait le mont jusqu'au belvédère. Des brindilles craquaient sous ses espadrilles et les écureuils, fébriles, détalaient en direction de leur nid haut perché dans les frênes. Henrik en était maintenant à son troisième kilomètre de course. Son plan était d'atteindre le belvédère afin de profiter d'un coup d'œil panoramique sur la région. Après quoi, il dévalerait l'autre versant, question de mettre son nez de frère aîné dans les affaires d'Astrid. Le ciel était saturé de nuages grisâtres. Un vent humide sifflait. Rendu à mi-chemin de sa descente, Henrik sentit les premières gouttelettes sur son front. Il releva son capuchon et accéléra la cadence. Il passa devant le domicile de sa psychologue. Il l'aperçut sur sa terrasse qui se dépêchait de mettre à l'abri les coussins des meubles d'extérieur. Il la salua succinctement, sans même ralentir.

— T'oublies pas notre rendez-vous de demain, hein ? lui lança-t-elle, entre ses mains jointes en porte-voix.

Il lui cria que ce rendez-vous était une priorité, même si en réalité il avait bien failli l'oublier… encore une fois ! Une pluie froide et drue s'abattit alors sur Cap-à-Nipi. Henrik fit un sprint final vers la maison de sa sœur. Celle-ci l'accueillit avec une épaisse serviette de ratine et une tasse de thé fumante. Il était doublement trempé : par l'orage et par la sueur.

— Tiens, enfile ça, dit Astrid en lui lançant un t-shirt. Je vais mettre ton linge dans la sécheuse.

Elle prit son survêtement du bout des doigts pour ne pas avoir les paumes mouillées de transpiration. Henrik resta en boxers noirs dans la cuisine.

— Ouin, belles cuisses, le frère.

— Je sais pas trop quoi répondre à ça…

— « Merci beaucoup », suggéra-t-elle avec ironie. Pourquoi t'enfiles pas mon t-shirt ? Celui qui est sur le bahut à côté de toi ?

— Parce que c'est écrit « *I'm a sexy chick* » dessus. Avec des paillettes jaunes scintillantes.

Taquine, elle tenta de lui passer le chandail de force. Il résista en lui saisissant les épaules. Ils firent semblant de lutter durant un instant. Astrid prenait un plaisir fou à narguer son frère, et vice versa d'ailleurs. Henrik dut abandonner la partie lorsque son cellulaire vibra au centre de la table. C'était les jumeaux blonds qui l'attendaient sous le porche de sa maison, avec un baril de poulet frit, des rondelles d'oignons et des cartes de bingo radio. Oh, et de la bière! prirent-ils la peine de spécifier. Henrik roula des yeux. Le bingo communautaire et la friture dégoulinante ne figuraient pas sur sa liste d'occupations préférées pour une fin de soirée. Mais puisque c'étaient ses copains…

— J'arrive dans une quinzaine de minutes. En attendant, rentrez donc par la fenêtre que vous avez défoncée et que vous avez toujours pas remplacée.

Il perçut le ronchonnement de Denis dans l'appareil, mêlé aux mille excuses de Danny. Typique des deux frères. Henrik raccrocha et demanda à sa sœur de lui rendre ses vêtements, bien qu'ils fussent encore humides. De toute manière, ceux-ci se mouilleraient à nouveau, puisqu'il lui restait deux kilomètres de course à faire sous l'orage.

— En passant, c'est pas aux arachides que je suis allergique, dit Henrik en mettant le nez dehors.

— Comment tu le sais?

— J'ai mangé du poulet *satay* aux danseuses.

— Ragoûtant…

Henrik réfrénait tant bien que mal un sourire caustique.

— Je l'ai pas mangé *sur* une danseuse. Je l'ai mangé *aux* danseuses.

— Merci pour la précision.

Astrid le regarda reprendre son parcours de jogging tout en réalisant qu'elle avait omis de lui mentionner que son homme à tout faire était déjà engagé. L'occasion de lui annoncer l'heureuse nouvelle se représenterait bien assez vite.

L'averse était vivifiante. Henrik se sentait bien, se sentait libre. Il contourna le lac Nipi et constata que le pub était quasi plein en raison d'une série de concerts blues qui s'amorcerait ce soir. Si son emploi du temps le lui permettait, il tâcherait d'assister à une ou deux de ces passionnantes soirées. Tout dépendrait de l'interrogatoire de sa jeune prévenue et du début de la filature de son homologue du SPVM. Dans une enquête, les choses bougent parfois plus vite que prévu et il arrive que l'horaire de 8 heures à 16 heures ne tienne plus la route. Les passetemps, la famille et le repos en prennent un dur coup.

C'est justement en songeant à sa vie trépidante qu'il entreprit son dernier virage. L'esprit occupé, il ne se souciait pas des éléments environnants, comme la pluie qui s'était apaisée et les branchages cassés par les bourrasques. Henrik ne voyait que le chemin qui menait à son adresse, où breuvage houblonné et discussions animées l'attendaient. Soudain, un bruit retentissant fendit l'air serein. Henrik sursauta. Le bruit se répéta. Il eut le réflexe de quitter le sentier battu et de s'accroupir. Ses pulsations cardiaques se transformèrent en véritables roulements de tambour. Puis il se rendit compte qu'il s'agissait simplement d'une scie mécanique. Le vrombissement l'avait sérieusement ébranlé et il était frustré de ne pas avoir réagi avec le sang-froid d'un sergent digne de ce grade. Mais frustré, d'abord et avant tout, d'avoir confondu le bruit d'une scie mécanique avec… avec quoi, au juste? Un moteur de zodiac, peut-être? Le même zodiac qu'il empruntait dans tous ses cas de noyades? Ainsi, son anxiété ne meublait plus uniquement ses nuits? Elle se manifestait de jour, à présent? Trop de questions. Beaucoup trop de questions. Henrik laisserait à sa psychologue le fardeau d'y répondre.

— T'as pris trop de temps, Hansen, déclara Denis en se léchant le pouce et l'index lorsque le sergent arriva chez lui. Il manque la moitié du poulet frit. Moi, je blâme les ratons laveurs.

— C'est aussi ma théorie, renchérit l'autre jumeau.

— Gang d'égoïstes, dit Henrik en leur volant une bouteille de bière.

Il la décapsula sans effort et la but avec autant de facilité.

— Deuxième ronde, dit-il en faisant signe à Danny de lui en déboucher une autre.

Les trois hommes passèrent à l'intérieur avec leurs bouteilles afin d'échapper à la moiteur ambiante. Les jumeaux n'avaient pas osé s'introduire par le carreau qu'ils avaient eux-mêmes pulvérisé... Henrik fit une attisée dans le poêle à bois et les jumeaux allumèrent la radio pour ne rien rater du bingo. Henrik en profita pour se doucher et se raser à la lame. Son réveil brutal, ce matin, ne lui avait pas permis une toilette adéquate. Dans le miroir, il remarqua des égratignures encore rougeâtres au bas de son dos et sur son postérieur. Elles le ramenèrent à ses plus récents ébats. Cette femme avait le feu sacré pour la « chose »... et de sacrés ongles. Henrik sentit une érection se profiler. Vite, il lui fallait se changer les idées. D'abord, il y avait ses collègues dans la pièce d'à côté. Et puis cette femme n'était pas assez significative pour qu'il lui accorde une autre érection. Le dossier était clos.

— Hansen, c'est toi qui as ramené un bébé au poste ?

Il sortit de la salle de bain vêtu d'un simple jeans. Il se mit à fouiller dans un amoncellement de vêtements propres sur le divan, qu'il négligeait de plier depuis quelques jours. Il pigea un t-shirt dans la pile, l'évalua un instant, puis jugeant qu'il n'était pas trop froissé, l'enfila.

— Le bébé, comme tu dis, est une danseuse du Coureur de Jupons. Je l'ai ramassée pour de la poudre. J'espère qu'elle va être payante pour notre affaire.

— Savais-tu qu'elle a juste seize ans ?

— Seize ans ?! s'exclama Henrik. Elle m'a menti sur son identité ?

— Oui, monsieur. Rien que des fausses cartes qu'elle avait. Même les cartes de crédit étaient volées. On a de la misère à localiser ses parents, ça fait qu'en attendant on l'a transférée au pavillon 13-16 ans du Centre Horizon.

— C'est un bébé pour de vrai, réalisa Henrik. Elle saura rien. Même si je la bardasse, elle nous mènera pas à La Pieuvre. Eh merde !

— Une perte de temps parmi tant d'autres, dit Denis. Va falloir s'habituer. Si tu veux mon avis, ça va branler dans le manche longtemps, cette enquête-là.

Henrik était réconforté de ne pas être le seul qui soit enclin au cynisme dans l'équipe. C'est alors qu'une voix nasillarde s'échappa de la radio, accompagnée d'un roulement de boules. Danny alluma le téléviseur et syntonisa le canal communautaire. De cette façon, ils ne rateraient rien. Ils entendraient et liraient les numéros à la fois. Les deux frères retirèrent le capuchon de leur marqueur à bingo. Ils testèrent l'encre liquide sur un coin de papier puis, satisfaits, déplièrent leurs nombreuses cartes achetées au dépanneur du coin.

— Je vais faire un peu d'internet pendant que…

— Chut ! fit Denis en tamponnant les chiffres annoncés.

— Bon. Dérangez-vous pas pour moi, dit Henrik en prenant un restant de pita *tzatziki* dans le frigo.

Il glissa l'ordinateur portable sous son bras et grimpa à la mezzanine, bien équipé pour boire, manger et consulter ses courriels. Il s'allongea à plat ventre sur son lit défait. Il prit une longue gorgée ambrée directement de la bouteille, tout en cliquant sur une icône. Il se mit au courant de l'actualité internationale, à la suite de quoi il acheta sur iTunes des chansons qui sauraient le motiver lors de sa prochaine course à pied. Il téléchargea aussi la série télé de l'heure, fit ensuite le tour des nouvelles du sport et se connecta à Facebook.

— Ah, ben viarge, c'est le pompiste !

— Qu'est-ce que tu dis ? cria Henrik par-dessus la balustrade de bois.

— Non, rien, c'est le pompiste du Eko qui vient de gagner la première ronde de bingo. Je l'ai reconnu à la radio. Mosus de Roger ! Il vient de faire deux mille piastres pareil, dit-il à son jumeau. Tu me feras penser à lui laisser moins de *tip* la prochaine fois. Il me beurre toujours le pare-brise avec son savon, de toute manière.

Henrik leva des yeux excédés au plafond. C'est alors qu'un petit signal rouge l'informa qu'une nouvelle demande d'amitié sur Facebook venait de lui être acheminée. Il cliqua pour découvrir qu'il s'agissait d'une femme. Henrik restreignait son profil aux amis seulement, vu la profession qu'il occupait : aucun inconnu ou copain de copain ne figurait parmi ses contacts. Ses cinquante amis étaient des gens proches, dignes de confiance, qui ne le bombardaient pas d'invitations à des jeux de zombies ou qui ne lui transmettaient pas des pensées du jour sur fond d'images de lapins qui se câlinent. C'est dire si cette demande d'amitié l'intriguait au plus haut point. Il cliqua donc sur la photo de profil de la femme, question de l'agrandir en mode plein écran. Il reconnut l'infirmière qui l'avait traité après son expérience de flirt avec la mort, celle-là même qui l'avait pris pour un Suédois à la chevelure brune. Elle avait un joli sourire. Henrik éplucha ses albums photos. Elle avait belle allure dans son bikini à la plage et paraissait heureuse entourée de copines autour d'un feu de camp. Quel mal pouvait-il y avoir à laisser cette adorable infirmière intégrer son cercle sélect ? Il accepta sa demande et lui envoya une question en message privé : « Bonsoir, Élodie. Merci pour l'amitié virtuelle. Étant donné ton travail, je prends une chance : connais-tu une certaine Marie Mongeau, psychologue ? Si oui, tes impressions, stp ? »

— Bon, ben, pas de nouvelle carabine pour la chasse cet automne ! bougonna Denis en déchirant ses cartes de bingo.

— Tu peux redescendre, Hansen, ajouta Danny. On va boire de la bière pour noyer notre peine.

Alors qu'il s'apprêtait à couper sa connexion internet, Henrik entendit un tintement. Une fenêtre de clavardage venait d'apparaître au bas de l'écran. C'était Élodie. Prompte, la petite, pensa-t-il. Henrik ne savait pas trop quoi lui écrire, il lui laissa donc une longueur d'avance. Elle sauta sur l'occasion : « Pourquoi virtuelle ? J'aurais préféré un merci pour l'amitié, point. » Elle avait pris la peine d'insérer un bonhomme sourire faisant un clin d'œil. Henrik repensa à ce qu'il avait écrit pour mieux rectifier le tir. « D'accord. Je retire tous mes adjectifs. Ce sera plus prudent. » Elle lui répondit par un jovial « Ha ! Ha ! Ha ! ». Rafraîchissant. Elle enchaîna : « Je connais ta psychologue. Une personne compétente. Un peu originale, mais correcte. Pourquoi ? » Henrik se raidit.

— On t'en débouche une autre ou quoi ? Qu'est-ce que tu fous en haut ? lança Denis depuis la cuisine.

Henrik lui demanda de patienter. Il devait réfléchir. Il n'allait tout de même pas révéler à cette fille qu'il suivait une thérapie intensive pour s'empêcher de devenir fou. Bon, en réalité, c'était pour apprendre à gérer son syndrome de choc post-traumatique, mais « fou » était le terme qui faisait *pop* dans sa tête lorsqu'il se réveillait d'un cauchemar, couvert de sueur, accroupi entre la table de chevet et le coin du mur. Il se contenta d'écrire : « C'est pour une expertise à la cour. » Ce à quoi elle répondit : « Es-tu en service demain soir ? Je vais au Pub Nipi avec une cousine. Je pourrais te payer un verre. Tu le mérites bien, après ta rocambolesque aventure à l'hôpital. »

Un verre ! Que feraient les gens sans ce prétexte pour entrer en relation avec les autres ? Une petite broue pour décompresser, mon ami ? Un rosé au soleil, ma jolie ? Une caisse de douze pour fêter le retour de l'excitant bingo radio ? Henrik avait-il vraiment le choix ? Il se contenta de frapper les huit lettres : « Peut-être. » Puis il éteignit son ordinateur et descendit l'échelle qui le mena à ses copains.

— Tu placotais avec une p'tite mère ou quoi ? s'enquit Denis.

Henrik garda le silence. Il passa plutôt sa vaisselle sale sous le jet du robinet.

— En tout cas, nous autres, on préfère se méfier de tout le monde, avec la foutue Pieuvre. C'est pour ça qu'on fréquente aucune fille depuis quelque temps.

— Ouin, ajouta naïvement Danny.

— C'est pas pour ça ! les confronta Henrik. C'est parce que vous avez des moustaches d'acteurs pornos pis que vous vous promenez toujours ensemble, comme deux frères siamois soudés à la hanche.

— As-tu déjà mangé une bonne beurrée de purin du fermier Meloche, toi ? s'emporta Denis en brandissant le poing.

Henrik éclata de rire. Puis son regard se fit de plus en plus grave derrière le goulot de la bouteille qu'il amenait à ses lèvres. Prenait-il cette organisation criminelle féminine trop à la légère ? Une affable infirmière pouvait-elle entretenir des liens avec des filles de fond de ruelle ? Qu'en était-il de l'esthéticienne du coin, tant qu'à se lancer dans de futiles spéculations ? Et pourquoi pas la vieille enseignante d'Éthique et Culture religieuse de l'école primaire ? Ou encore l'employée du bureau de poste aux ongles trop manucurés ? Étourdissant. Henrik ne savait plus que penser.

QUATRE

La conductrice éteignit ses phares trois coins de rue avant son point d'arrivée. Elle roula tranquillement sur le pavé et gara son camion à côté des conteneurs rouillés dans lesquels les rebuts de la taverne étaient déversés. Elle ouvrit la porte arrière du véhicule et en sortit deux valises à roulettes. Elle se dépêcha ensuite de marcher vers son établissement.

— La route a été bonne, Toutoune? lui lança le barman en chef lorsqu'elle entra.

La femme au maquillage défraîchi avait l'air exténuée. Le front luisant et les mains moites, elle offrit un maigre «oui» au barman et s'empressa de descendre ses lourds bagages à la cave. Une fois assurée d'être seule, elle contacta sa supérieure afin de lui confirmer qu'elle avait mené à bien la transaction. Les «tampons» à l'amphétamine étaient rendus à bon port et l'argent, compté par une trieuse électronique.

— Reste sur place, lui ordonna une voix féminine au téléphone. Je t'envoie un gars. Ta job est faite. Bien faite à part de ça. Tu sais quelle part te garder?

La grosse Toutoune avança un montant. Elle y alla d'un chiffre élevé, mais qui restait dans les limites de l'acceptable. Elle souhaitait établir sa valeur, sans toutefois se tirer dans le pied. Sa supérieure lui concéda la prime et conclut l'appel. Ravie, la tenancière de bar exécuta une danse de joie (plutôt disgracieuse) au milieu de son sous-sol poussiéreux.

Dix minutes plus tard, un jeune voyou se pointait au bas de l'escalier. C'était la marionnette de service. Elle lui remit les valises verrouillées. Le garçon revint sur ses pas, avec le déhanchement d'un rappeur, puis sauta dans sa voiture. Il conduisit, peinard, dans les rues sombres et parfois désertes du Cap, et termina sa course chez Vahiné. Quatre blondes l'attendaient dans l'arrière-boutique. Elles étaient pomponnées de la tête aux pieds. Le jeune homme retira sa casquette pour se gratter le crâne, puis il se coiffa à nouveau de son accessoire fétiche en tournant la palette sur le côté. Pourquoi ces filles étaient-elles aussi bichonnées pour réceptionner deux valises ? Le messager ne souffla mot. Il leur remit la marchandise et accepta son dû tout en les remerciant d'un signe des doigts qui signifiait « *Peace out!* » avant de s'éloigner de la boutique d'une démarche désinvolte.

— OK, les filles. On se sépare. Toi, tu vas au casino de Montréal, toi, au casino mohawk, toi, à Gatineau, pis moi, dans Charlevoix. Pas le droit de perdre plus que deux mille piastres en deux jours. Vous changez tout votre argent en arrivant, vous jouez à différentes tables, différentes machines, vous mangez au restaurant, vous pouvez même voir un spectacle si vous voulez. À la fin, vous rechangez vos jetons en argent pis c'est réglé. Lessivé ! On se retrouve ici ensuite.

Pendant ce temps, à l'extérieur, un vieil homme promenait son compagnon canin le long du boisé pour une dernière pause pipi avant le dodo. C'était un carlin beige et noir, avec un museau aplati qui reniflait le sol tel un cochon qui s'empiffre. Tout en laissant son chien faire ses besoins, le septuagénaire fouillait les herbes longues à la recherche de quelques canettes abandonnées dont il pourrait récupérer la consigne. Il avait bien aperçu le jeune homme à casquette entrer chez Vahiné avec ses deux valises bleu marine. Il avait trouvé la situation plutôt louche, vu le sexe de l'individu, le type de boutique et le fait qu'elle était fermée depuis plus d'une heure. Lorsque le jeune homme repassa, les mains vides, pour se diriger vers sa voiture stationnée plus loin, il ne put s'empêcher de l'apostropher.

— T'étais pas en train d'acheter des bas-culottes à ta mère, toujours ? Ha ! Ha !

Le jeune homme le dévisagea.

— J'espère que c'est pas pour toi, la lingerie. On aura tout vu, astheure, avec les jeunes pis leurs goûts dérangés. Viens-t'en, Pompon ! dit-il en donnant un coup sec sur la laisse du chien. Je veux pas rater mes résultats du tirage de Loto-Québec.

Le vieillard regagna sa maisonnette au toit vert menthe. Il ferma le loquet du tambour, ce petit sas d'hiver installé dans bon nombre d'habitations ancestrales. Puis il répéta le geste avec le verrou de la porte principale. Dehors, le jeune homme à casquette était agité par un mélange de colère et de nervosité. Il fixait la fenêtre du salon, avec ses rideaux de dentelle jaunie ; des flashes intermittents confirmaient qu'un téléviseur avait été allumé. Il n'appréciait pas du tout le fait d'avoir eu un témoin de son va-et-vient nocturne. Il réagit vite.

Quel merveilleux matin ! Frais, lumineux, enthousiasmant. Astrid savourait son cappuccino, assise en indien sur un large coussin de velours déposé sur le perron. Elle venait de se doucher et se repaissait de la chaleur de son peignoir de ratine et de ses gros bas molletonnés. Que demander de mieux ? C'est alors que son homme à tout faire apparut, bottes de travail aux pieds et coffre à outils à la main. Il était encore plus viril qu'à leur première rencontre.

— Savoureux déjeuner, chuchota-t-elle à travers un sourire, derrière son bol de café.

L'homme posa son coffre au sol et se couvrit d'un vieux chandail à capuchon gris. Astrid agita la main pour ne pas qu'il sursaute en constatant sa présence. Il lui retourna sa salutation. Elle prit les devants.

— Bon matin! Je vois que t'es un lève-tôt.

C'est après avoir fait cette remarque qu'elle réalisa qu'il n'était pas venu en automobile ou tout autre moyen de transport motorisé. De bonnes vieilles semelles lui avaient suffi pour se rendre du point A au point B. Mais pourquoi, au juste? Par souci écologique? Pour la forme physique? Par manque de moyens financiers?

— Si jamais t'as besoin, Marc, je peux te voyager.

— C'est gentil, mais si t'es pour me faire des desserts, comme tu l'as promis, je préfère marcher.

Il lui adressa un clin d'œil tout en nouant ses lacets plus serrés.

— Tu pensais commencer par quoi, ce matin? s'informa-t-elle.

En guise de réponse, il retira la pancarte « Recherche homme à tout faire » et la lui remit en mains propres. Puis il haussa un sourcil moqueur. Astrid aimait déjà son côté pince-sans-rire. Elle aimait aussi la barbe naissante qui ajoutait du caractère à son visage.

— Je t'offre un café?

— Non, merci. Peut-être un verre de jus?

Astrid l'invita à l'intérieur. De toute manière, elle devait lui remettre le bidon de décapant liquide qu'elle gardait au sous-sol. Elle lui sortit un verre, le jus et lui dit de faire comme chez lui. Pendant ce temps, elle descendit l'escalier. L'homme but à sa soif, plaça son verre dans le lave-vaisselle et allait passer la porte lorsqu'il se heurta à un autre homme.

— Astrid, je…

Henrik s'excusa auprès de l'inconnu de l'avoir bousculé. Il s'avança dans la pièce tout en le lorgnant d'un œil vif. Il était à peine 7 h 15. Qui était ce grand ténébreux? Une conquête d'un soir? Pas dans les habitudes de sa sœur.

— Qu'est-ce qui se trame, ici? demanda Henrik. On devrait se connaître?

— Es-tu le mari? répondit Marc en retirant son gant de travail pour lui tendre la main.

— Je suis le frère, dit Henrik en acceptant sa poigne. Mais disons que je suis aussi le père.

— Tellement pas! protesta Astrid qui arrivait dans la cuisine. Écoute-le pas, Marc. Il s'amuse à jouer le père comme passe-temps. C'est ce que ça donne, un homme qui travaille trop pis qu'a pas de vie sociale, l'agaça-t-elle en lui volant le muffin qu'il s'apprêtait à dévorer. Pourrais-tu faire l'épicerie une fois de temps en temps au lieu de manger tout ce qu'il y a dans mon réfrigérateur?

Henrik sortit un deuxième muffin de son autre main et l'engloutit avant qu'elle n'ait pu l'en empêcher. Astrid grommela quelques insultes qui ne se voulaient pas trop vilaines. Plutôt que de lui faire cadeau de son sens aiguisé de la répartie, Henrik commença à se tapoter le visage. Il déglutit plusieurs fois pour ensuite se regarder dans le métal déformant du grille-pain.

— Veux-tu bien me dire ce que tu fabriques?

Marc se retira en douce. D'une part, il avait plusieurs tâches à exécuter. D'autre part, il préférait ne pas s'immiscer dans les querelles d'un frère et d'une sœur.

— Est-ce que j'ai l'air normal? questionna Henrik.

— Faudrait préciser: normal dans le comportement ou...?

— La peau, Astrid, la peau, bougonna-t-il.

Elle s'approcha pour lui effleurer la mâchoire. Tout était lisse et d'une teinte adéquate. Seul un grain de beauté à la pommette attirait l'attention. Elle lui assura qu'il était «normal», selon ses standards à lui.

— Excellent. Je suis pas allergique aux noix.

Il lui montra la liste des ingrédients contenus dans les muffins. Astrid était loin de se réjouir de sa découverte.

— Tu vas arrêter de faire tes expérimentations maison. Je serai pas toujours là pour appeler le 911. Évite les allergènes connus pis attends qu'un spécialiste – j'ai nommé l'allergologue – fasse les tests lui-même.

— J'ai le temps de mourir cent fois sur la job avant que le médecin me fixe un rendez-vous.

Avant de partir, Henrik s'assura qu'elle n'avait besoin de rien, à la quincaillerie ou ailleurs. Après quoi, il sortit rejoindre l'homme à tout faire. Il avait envie d'en savoir davantage à son sujet. Déformation professionnelle. Un réflexe que certains trouvaient fort désagréable. Mais un réflexe... alors difficile à réprimer. Il le trouva juché en haut de son escabeau, devant la gouttière.

— Je m'excuse, j'ai pas retenu ton nom.

L'homme retira les clous pincés entre ses lèvres.

— Tu l'as peut-être pas retenu parce que je l'ai pas dit.

— Attentif aux petits détails. C'est bien, ça. Mon patron t'aimerait. Bon, le verbe « aimer » est peut-être un peu fort avec Fafard. En tout cas, il te paierait un gros steak.

Marc n'aurait pas gagé une fortune sur une telle présomption. Il se retourna pour planter trois clous d'affilée. Après quoi, il débarrassa cette section de la gouttière des débris accumulés. Henrik suivait ses moindres gestes.

— Elvis ? Jim Morrison ?

— Quoi ? fit l'inconnu, perplexe.

— Je veux juste savoir ton nom.

— Ahhhh, dit-il en glissant le marteau dans sa ceinture. C'est Marc. Marc Bertoll.

— Moi, c'est Henrik pis si ça te dérange pas, je te volerais bien à ma sœur pendant une heure ou deux.

L'homme plissa le front. Son hésitation était apparente. Une sonnerie se fit entendre. Henrik fouilla au fond de ses poches. Avant de trouver son cellulaire, il en sortit une boîte de menthes, ses clés de voiture, ainsi que son insigne. Il ne vit pas l'étranger se mordre l'intérieur de la lèvre à la vue de ce dernier.

— Écoute, c'est pas compliqué, dit Henrik en vérifiant qui venait de l'appeler. Mes chums ont cassé une de mes fenêtres. J'aurais vraiment besoin que tu la remplaces aujourd'hui. Je te paie le double de ce que ma sœur te donne. Elle va m'haïr. Ha ! Ha ! Tiens, je te laisse mon adresse.

Il prit un crayon de plomb dans le coffre à outils posé sur le perron et inscrivit ses coordonnées sur un vieux bout de bois. Il fit un petit salut militaire à l'homme à tout faire et sauta dans sa voiture. Il était en retard de dix minutes à son rendez-vous chez la psychologue. Elle venait de laisser un message sur sa boîte vocale. Henrik était toujours en retard aux activités non liées à sa carrière. C'était plus fort que lui.

Arrivé chez la psychologue, il se gara de travers et se hâta vers la clinique privée située au sous-sol de la résidence. Petit village, petite salle d'attente. Cela avait ses avantages. Henrik tâcha de masquer son souffle court lorsqu'il pénétra dans l'antre de la spécialiste.

— Tu cours aussi vite qu'avant, remarqua la psychologue. T'es juste moins essoufflé.

— C'est parce que je m'entraîne. Ça demande de l'effort d'être en retard avec style.

Il s'écrasa dans son fauteuil habituel et se croisa les bras. Puis les jambes. Malgré l'échange amusant de puérilités, il était clair que le «patient» aurait peu de «patience» au cours de cette séance. Son langage corporel était sans équivoque.

— Tu peux te détendre. Je te promets qu'on parlera pas de tes parents, de ta crise d'adolescence ou de grandes questions existentielles.

Elle gribouilla sur son carnet de notes. Henrik décroisa les bras. Elle continua de prendre de fausses notes pour créer une ambiance silencieuse. Il décroisa les jambes. Il alla même jusqu'à retirer ses souliers.

— Tiens, je peux pas être plus relaxe que ça, dit-il en se calant nonchalamment dans le fauteuil.

— Humm… j'hésite entre l'immaturité et le besoin de contrôle.

Il lui fit signe de développer sa théorie puisque, de toute manière, elle parvenait toujours à ses fins. Cette psychologue persistait à aller au bout de ses idées.

— Je t'ai suggéré de te détendre. Au lieu de le faire raisonnablement, t'es tout de suite tombé dans l'exagération.

C'est soit de l'immaturité ou, si tu préfères, un réflexe de p'tit gars qui se sent nargué, soit une façon de me déstabiliser pour me montrer que t'as repris le contrôle de la situation.

Henrik ne l'aurait pas dit tout haut, mais il était impressionné par l'analyse-minute qu'elle faisait de son caractère. Bien sûr, elle l'observait depuis des mois, mais c'était la première fois qu'il faisait preuve de culot à son endroit. Elle n'allait certainement pas poursuivre leur entretien sans souligner ce point. Depuis le début de leurs séances, Henrik avait trimé dur pour maintenir une façade de sagesse quasi inébranlable. Aujourd'hui, le « quasi » se matérialisait.

— OK, tu m'as eu. Touché.

— C'est pas une partie de *paintball*, dit la psychologue. C'est une relation d'aide.

— Je le sais, mais j'aime ça, maîtriser les éléments autour de moi. Qu'est-ce que tu veux ? J'ai de la misère à me laisser guider ou aider. Je pense que c'est assez évident.

— C'est exactement ça qui te trouble, Henrik. En ce moment, t'es à la merci de souvenirs négatifs. Tu ressens ton manque de contrôle sur les mauvais rêves et les *flashbacks*. C'est pas le fait d'avoir travaillé sur *x* cas de noyades qui te perturbe. C'est le fait que les images dramatiques réapparaissent dans ta tête à tout moment. C'est sournois, le syndrome de choc post-traumatique. C'est une longue accumulation de petits instants de stress. Ils s'empilent, ils s'empilent, ils s'enfouissent, ils s'enfouissent. C'est même pas un mécanisme de défense conscient. Un jour, le cerveau décide que c'en est trop. Des petites bombes à retardement se mettent à éclater ici et là: sommeil perturbé, impatience, hypersensibilité, relations interpersonnelles qui se détériorent, routine du quotidien qui pèse de plus en plus lourd, impression d'être blasé, erreurs de débutant.

Henrik réagit à cette dernière allégation.

— C'est pas encore arrivé, ça !

— Tu sauras m'en reparler.

Il se sentait piqué au vif. Pas touche à sa carrière, son grade et son degré de dévotion! Il était bien prêt à jaser de ses insomnies, de son ouïe surstimulée et même de ses péripéties amoureuses, mais pas de ses compétences professionnelles… La psychologue prit une bouteille d'eau de source et lui en offrit une. Elle rompit ainsi la tension. En partie, du moins.

— Es-tu toujours contre l'idée de prendre un médicament pour mieux dormir?

— Oui. Je veux le faire sans pilules.

— Vois-tu des améliorations, même minuscules, au quotidien?

Henrik prit le temps de réfléchir à différents aspects de sa vie. Il fut agréablement surpris de constater qu'il avait une réponse positive à lui fournir.

— Ça va bien avec ma sœur. On rit ensemble. J'ai le goût d'être là pour elle.

— Merveilleux! dit-elle en cessant de griffonner dans son calepin afin d'établir un contact visuel. C'est une bonne chose qu'elle soit proche. Ça te fait un modèle féminin sain.

— Je te vois venir, ronchonna Henrik.

— Est-ce que l'opinion que tu as de ta sœur t'aide à établir des meilleurs critères de sélection?

— Comment ça, des meilleurs critères de sélection? Je suis pas mal certain que, comme tout le reste du village, tu sais très bien quelles femmes j'ai fréquentées dans la dernière année. Côté critères, est-ce que c'était acceptable?

La psychologue adopta une position plus droite sur son siège. Elle ne voulait surtout pas se montrer intimidée par son patient. Elle devait respirer le calme et la lucidité. Elle fit donc exprès de remettre le bouchon sur sa bouteille d'eau et de noter quelques-unes de ses impressions d'un coup de stylo fluide avant de reprendre la conversation.

— Les femmes que t'as fréquentées étaient toutes très correctes en soi. Mais est-ce qu'elles étaient correctes pour toi?

Henrik se frotta le visage, au bord de l'exaspération.

— Je pense que je vais commencer à fumer, direct là.

— Le sujet esquive la problématique, dit-elle en aparté, comme si elle rédigeait un rapport de la plus haute importance.

— Je le sais pas, ce que tu veux entendre, s'emporta-t-il. Visiblement, c'était pas des filles pour moi si on n'est plus ensemble. Un plus un égale deux. Des mathématiques de base, non ?

— Des mathématiques ? le relança-t-elle.

— Argh ! Je sens que je m'enfonce. Non, en fait, je devrais changer ma formulation. Je m'enfonce pas, je suis juste à l'envers du monde.

— Explique.

— Demande à n'importe qui de faire le bilan de sa vie amoureuse. Il va te dire que de blonde en blonde, c'était toujours un peu mieux. Habituellement, on *upgrade* en amour. Théoriquement, on apprend de nos erreurs. On sait plus ce qu'on désire. On s'améliore de fois en fois.

— Habituellement, théoriquement...

— Moi, c'est le contraire. J'ai connu le summum dès le départ. J'ai commencé avec ma relation la plus intense pis là, je fais juste régresser.

De la main, il mima un avion qui pique du nez et qui termine sa chute dans une inéluctable explosion. À sa grande surprise, la psychologue salua sa prestation d'un large sourire.

— Puis ça te fait quoi de savoir, d'avance, que tu t'en vas tout droit vers un crash ?

— Ça fait que j'ai toujours le parachute sur le dos pis le doigt sur le bouton du siège éjectable.

Pour la toute première fois en de nombreuses semaines de traitement, la psychologue se mit à rire à gorge déployée. Henrik ne savait pas s'il devait se joindre à son hilarité ou s'interdire de rire de sa situation émotive, qui n'était pas si plaisante que ça. N'y a-t-il pas une limite à l'autodérision ? Puisque, en cas de doute, il avait toujours préféré s'abstenir, Henrik conserva son flegme. La séance se poursuivit d'agréable façon jusqu'à ce que le patient suivant avertisse de son arrivée.

— Bon, je te retiens pas plus longuement. D'ici notre prochain rendez-vous, j'aimerais que tu réfléchisses à des moyens de faire dévier la trajectoire de ton avion, d'accord? De mon côté, je vais continuer de parfaire une nouvelle méthode qui risque d'être bénéfique pour toi. As-tu déjà entendu parler du «Mouvement des yeux, désensibilisation et retraitement de l'information»?

— Non, mais ça s'annonce palpitant.

Pour tempérer le sarcasme qu'elle sentait dans sa voix, elle lui remit les conclusions d'une étude scientifique fort probante et lui fit promettre d'en prendre connaissance. Il plia le papier et l'inséra dans sa poche arrière de pantalon. Il se rendit ensuite au poste de police.

En posant le pied sur le linoléum, il fut assailli par un sentiment oppressant. L'activité était à son comble. Du jamais vu à la centrale. C'était à la fois grisant et déroutant d'être au cœur de ce branle-bas de combat généré par La Pieuvre. Il y avait tant à faire et si peu d'effectifs. Henrik notait toutefois une tension additionnelle qui, quoique subtile, faisait aller et venir ses collègues tels des rats de laboratoire dans un labyrinthe exigu.

— Hey, Hansen! dit l'un des jumeaux blonds en s'installant devant un ordinateur. As-tu questionné ta fille?

— Parle-moi pas de filles à matin! maugréa-t-il.

Denis siffla à la manière d'un travailleur de la construction devant une piétonne pourvue de rondeurs aguichantes. Henrik l'envoya paître d'un geste évocateur de l'avant-bras. À la suite de quoi il se dirigea vers la recrue qui assurait l'accueil, la veille. Il posa une main ferme sur la nuque du jeune agent qui se préparait à une patrouille solo.

— Je suis dans le jus, lui dit Henrik à voix basse. Peux-tu vérifier quelque chose pour moi? Peux-tu m'obtenir la photo de notre conducteur de scooter noir, le plus tôt possible ? J'aurais aussi besoin d'un *background check* sur un certain Marc Bertoll.

— Il me reste juste cinq minutes de lousse, mais… n'importe quoi pour ta sœur.

Henrik lui donna une taloche puis attrapa un stylo et un calepin de notes. C'est alors que le grand patron surgit de son bureau. Il se positionna dans l'embrasure de sa porte comme le gardien sur l'étiquette des bouteilles de gin Beefeater et demanda à Henrik de venir le voir. Ce dernier poussa son calepin vers la recrue qui effectuait des recherches informatiques. Il lui demanda de noter tout renseignement jugé pertinent, en d'autres mots, suspect ou carrément bizarre.

— Je suis pas sûr d'en ressortir vivant, chuchota Henrik en inclinant la tête vers les quartiers privés de Fafard.

Sans plus tarder, il alla à la rencontre du lieutenant. Celui-ci referma la porte et tira les vieux stores verticaux chamois. Il indiqua une chaise à son sergent.

— As-tu quelque chose à me donner, Hansen ?

— Déjà ?! s'exclama celui-ci.

— À part ta jeune fugueuse, qu'est-ce que t'as déterré de bon ? Une p'tite info, un *feeling*, n'importe quoi ?

— Ce que j'ai déterré de bon ? Euh, pas grand-chose. Quoi ? Tu trouves que c'est pas normal, toi, après deux jours d'enquête ? DEUX jours ! insista-t-il, les mâchoires serrées.

Fafard brassa quelques papiers pour évacuer un peu sa nervosité. Henrik était franchement déçu de l'attitude bureaucrate de son supérieur. Il avait toujours eu de l'estime pour son jugement. Les deux hommes n'avaient pas la même façon de procéder, mais leurs valeurs se rejoignaient. Même dans la confrontation, le respect mutuel prévalait. Si Fafard lui avait dit « Saute ! », Henrik n'aurait peut-être pas sauté d'emblée, mais il aurait sauté. Par précaution, il aurait d'abord vérifié de quelle hauteur on lui demandait de se lancer.

— C'est exceptionnel, ce qu'on est en train de vivre avec La Pieuvre, déclara Fafard. La supervision de la haute hiérarchie est mauditement plus serrée. J'ai des patrons à Montréal qui veulent suivre nos moindres faits et gestes. Ils me demandent des bilans quotidiens, bâtard !

— Est-ce qu'ils se souviennent qu'on est aux osties de crimes majeurs ? s'enflamma Henrik. Je vais la remplir, leur foutue paperasse, pour qu'ils la classent dans leurs foutus dossiers. Mais va falloir me laisser le temps de mettre mes culottes avant de parler de chemises de carton.

Au fond, le lieutenant était d'accord avec Henrik, mais il ne pouvait pas le montrer pour des raisons évidentes de hiérarchie. Il préféra s'éloigner de la querelle « terrain versus bureau » pour revenir sur le cas précis et concret qui les occupait.

— Tout ce que tu m'as donné, c'est une adolescente traumatisée dans un centre jeunesse.

— Traumatisée ? répliqua Henrik. Faudrait pas charrier. Quand je l'ai arrêtée, elle venait de danser nue, avec des paillettes scintillantes sur les fesses comme Ma Petite Pouliche pis elle était plus poudrée qu'une pâte à tarte !

Fafard croqua une *peppermint* verte, puis une rose. Il les broyait frénétiquement au lieu de les laisser fondre. Il exigeait des résultats rapides des membres de son unité spéciale même s'il savait au fond de lui-même que cette avidité ne lui attirerait que leur rogne. Et ce constat le rendait irritable.

— Ses parents vont finir par se manifester. Ils vont essayer de t'écorcher, de *nous* écorcher au passage pour l'avoir gardée inutilement en cellule.

— Je m'en allais justement régler ça en douce avec notre ma-de-moi-selle, bougonna Henrik en quittant son siège.

— Reviens ici, j'ai pas fini ! dit Fafard en tapant de l'index sur son bureau de noyer. C'est rendu qu'on a un cadavre dans le paysage pis je veux m'assurer que tu vas rien négliger dans cette affaire.

— C'est qui, le mort ?

— Fernand Malouin, soixante-dix-huit ans.

— C'est quoi le lien avec La Pieuvre ?

— Je sais pas, mais ça, je compte sur toi pour le découvrir.

Il lui donna l'adresse du lieu où se trouvait le mort et le pria de travailler de concert avec ses confrères des homicides. Le décès, de cause suspecte, venait tout juste d'être signalé par un livreur de pharmacie. Henrik aurait ainsi la chance d'analyser la scène avant que tous les éléments de preuve tangibles ne soient insérés dans de jolis contenants numérotés. Des sacs en papier étaient utilisés pour les preuves médico-légales. Le papier étant une matière naturelle, il permettait aux prélèvements de « respirer ». Des sacs en plastique étaient privilégiés pour tout autre objet utile à la reconstitution des faits.

— Sergent Hansen? l'intercepta une femme à la réception. Votre collègue vous a laissé une note. Tenez!

Il attrapa le papier au vol, alors qu'il se dirigeait d'un pas rapide vers la sortie. Il avait hâte de voir le cadavre et voulait s'extirper du champ de vision de sa « douce moitié », soit le lieutenant Fafard. Tout en marchant d'un pas énergique, il lut le commentaire inscrit à l'encre bleue par la jeune recrue : « Ton Marc Bertoll, soit c'est un maudit bon gars, soit c'est un personnage de téléroman. » Il n'en fallut pas plus pour qu'Henrik comprenne que cet homme ne figurait pas dans les fichiers du système de police. Aucun méfait, aucune contravention, rien? Était-il à ce point parfait? Ou n'était-il que du vent? Une belle bourrasque de vent avec une paire d'épaules à faire roucouler sa sœur? Henrik serait obligé de creuser davantage. En bon « père » de famille, il se devait de garder à l'œil ce potentiel prétendant. Sur cette constatation, il déverrouilla sa portière tout en s'assurant d'avoir son arme bien ancrée à la ceinture.

— On s'en va sur la Côte mettre de la pression sur les p'tits crottés, annoncèrent quasi en chœur les jumeaux Dupuis qui venaient de surgir dans le stationnement.

D'un geste de la main, il leur donna son aval. Il était ravi de les savoir proactifs, ce matin, après leur déconfiture au bingo communautaire et leur beuverie nocturne. Tous deux avaient titubé jusqu'à leur domicile et avaient bien failli tomber solidement endormis dans un fossé quelque part. Pas très chic pour deux officiers de police. Mais humain. Ce qui était rassurant. Avant de démarrer, Henrik s'immobilisa. Il posa un second regard sur ses copains. Il abaissa même sa vitre afin de s'assurer d'avoir une vision plus claire.

— Quoi ? ronchonna Denis. Qu'est-ce que tu regardes ?

— Vous avez passé la tondeuse ?

— On sait pas de quoi tu parles. Envoye, monte, Danny.

— Je parle de la pelouse en dessous de votre nez.

Eh oui ! Les jumeaux avaient perdu leur moustache dorée. Ils s'étaient rasés et paraissaient plus jeunes. Henrik savait pertinemment qu'ils avaient tondu leur amas de poils en réaction à sa remarque. Après tout, qui serait fier d'être comparé à un acteur porno passé date ? Pas les Dupuis, en tout cas. Ils étaient orgueilleux comme dix et commençaient à en avoir marre de ne pas avoir de compagnes. Tous deux s'étaient juré de se présenter accompagnés au prochain party de bureau. Restait à voir s'ils réussiraient leur défi.

C'est avec un sourire resplendissant qu'Henrik débarqua sur la scène de crime. Cette histoire de moustaches lui avait insufflé une bonne dose de gaieté. Quant au bungalow du défunt, il était en ordre, hormis les rubans jaunes et le matériel des experts éparpillé çà et là. Ce qui sautait aux yeux, c'est qu'il ne s'agissait pas d'un vol domiciliaire qui avait mal tourné. En quelques coups d'œil, Henrik avait localisé le téléviseur, la chaîne stéréo, les cartes de crédit dans le vide-poche et un vieux coffre à bijoux, certainement un souvenir d'une dame décédée depuis quelques années. Ainsi, tout était en place, sauf les cinq litres de sang de la victime, qui étaient répandus sur la céramique froide de la cuisine. Le vieillard était étendu sur le sol, peignoir brun sur le dos et plaie ouverte au cou. La façon dont sa jugulaire avait été coupée ne lui avait laissé aucune chance de survie

— Je doute qu'il y ait eu du brasse-camarade, mentionna un grand rouquin des homicides. Le bonhomme s'est même pas défendu. Regarde, y'a aucune traînée de sang et les meubles ont pas bougé d'un millimètre.

Il désigna la gorge de la victime du bout de son stylo à bille.

— Deux coups de couteau pis c'était réglé. Vite fait, bien fait. Aucun acharnement. Le meurtrier avait peut-être imaginé le scénario avant de se pointer ici.

Henrik fit le tour du cadavre, l'observant sous tous ses angles.

— Tu dirais qu'il regardait dans quelle direction avant d'être surpris par son tueur ?

Son collègue analysa mentalement les données de la scène de crime avant de rendre son verdict.

— Il devait être tourné en direction de l'évier.

— Ou de la fenêtre, renchérit Henrik.

— Oui. L'un ou l'autre. Les deux se trouvent sur le même mur.

Les enquêteurs se redressèrent. Ils se placèrent face au carreau.

— En passant, qu'est-ce que tu fais ici ? demanda le rouquin. Le bonhomme s'est pas noyé dans un verre d'eau…

— Fafard s'imagine des choses.

— Comme ?

— Un lien entre notre beau groupe de méchantes pis le meurtre de ton pauvre grand-père.

— *Oh boy.*

Inutile d'en rajouter. Les deux hommes avaient vite saisi leur sous-texte respectif. Le taux d'homicides était si peu élevé à Cap-à-Nipi qu'il était fort tentant d'établir des corrélations là où il n'y en avait probablement pas.

— Qu'est-ce qu'on voit de sa fenêtre, à part sa Sainte Vierge debout dans une vieille baignoire ? dit l'enquêteur avec un réel intérêt malgré son humour snobinard.

Henrik appuya ses paumes sur le comptoir en stratifié. Il fixa son regard sur le principal point focal qui se découpait sur l'horizon. Il poussa un profond soupir. Que faire d'autre lorsque notre première piste n'est qu'un cul-de-sac?

— On voit rien de bon. Juste la boutique Vahiné.

— Ouin, souffla le rouquin. À moins que le vieux ait été en train de se branler devant les kits sexy de la vitrine avant de se faire poignarder, on tirera pas grand-chose de cet élément, si tu veux mon avis.

Henrik émit un rire bref. Au milieu des sonneries de cellulaires, des flashes des appareils photo et des propos échangés par les brancardiers, Henrik et son confrère tentaient de réfléchir au comment du pourquoi. C'était la deuxième mort suspecte de toute l'année. Sans doute la dernière, vu qu'il ne restait que deux mois avant la fin de l'année. L'enquêteur interrompit alors son remue-méninges pour prendre une gomme. Il en offrit une à Hansen. Ce dernier allait la déballer quand une collègue arriva en trombe, une lueur d'excitation au milieu des prunelles.

— Je viens de trouver ça dans le salon, collé sur la télécommande de la télé.

Les hommes lurent les quelques phrases, inscrites au crayon de plomb sur le post-it jaune: « 1. Acheter des gâteries pour Pompon; 2. Faire livrer mes pilules; 3. Aller au poste de police pour le jeune homme de la boutique.» Les deux sergents se fixèrent, médusés. Ils tenaient leur piste.

CINQ

Astrid jubilait. Si tous les préparatifs continuaient de progresser à pareille vitesse, elle ouvrirait les portes de la garderie La Petite Danoise une ou deux semaines plus tôt que prévu. De l'intérieur, tout semblait prêt. Les différents jouets étaient rangés dans des bacs identifiés (ce qui ne durerait pas), le coin dodo était aménagé avec ses couchettes et ses matelas de sol, les petits gobelets côtoyaient les coupes à vin rouge dans une armoire de cuisine et les deux poubelles à couches trônaient fièrement entre une chic lampe torchère et un porte-manteau en forme de girafe. Nouveau style déco éclectique. Dernière tendance débarquée directement de Londres. Pourquoi pas ! Il ne manquait que l'extérieur à fignoler, et l'ouverture serait annoncée. Pour cela, il y avait l'homme à tout faire. Mais où était-il, cet homme, d'ailleurs ?

La matinée s'achevait lorsque Marc redonna signe de vie. Il semblait avoir sué dans sa chemise à carreaux et son visage préoccupé indiquait qu'il n'arrivait pas du joli café du coin. Où avait-il gaspillé tout ce temps ? Ne le payait-elle pas ? N'avait-elle pas un droit de regard sur ses heures de travail ? Astrid était mal à l'aise de lui faire des remontrances, mais craignait d'être flouée. Elle tenta de lui faire entendre son mécontentement sur un ton approprié.

— Fidèle à mes promesses, j'ai préparé un tiramisu pour ta première journée d'ouvrage, mais je vais être obligée de le garder pour plus tard. Pas d'ouvrage, pas de récompense.

Marc freina le pas. Il pivota et piégea son regard. Astrid perdit aussitôt sa hardiesse. Son excès d'audace l'avait surprise elle-même. Comment pouvait-elle agir avec autant de familiarité avec un individu qu'elle venait à peine de rencontrer ? On aurait juré qu'il avait toujours fait partie de sa vie. Exit la timidité des premiers moments ! L'homme la surprit à son tour.

— Tu sais quoi ? T'as tout à fait raison, déclara-t-il en grimpant sur son escabeau.

— Je voulais pas être raide, s'excusa-t-elle. C'est juste que…

— Que t'étais pas au courant que ton frère m'a fortement suggéré d'aller réparer sa fenêtre avant la fin de la journée ? Je sais pas pour toi, mais moi, je trouve ça embêtant de dire non à un agent de la paix. Même si c'est plus tentant de travailler pour une séduisante gardienne …

Astrid était furieuse. Son frère avait assez abusé ! Un instant : furieuse ou charmée ? Marc venait-il de lui faire le plus chavirant – et inattendu – des compliments ? Elle se sentit fondre, un tout petit peu, devant ses yeux. Elle avait le choix entre rentrer pour appeler son frère et lui faire subir sa colère ou réagir au compliment. Quelle attitude adopterait-elle ? Marc enfila ses gants de travail et se mit au sablage de l'avant-toit. Arc-bouté, il s'appliquait à l'ouvrage. Sa concentration était belle à voir. À moins que ce ne fût sa solide stature ? Astrid avait assez savouré la flatterie. Elle retint son souffle, puis se lança, suivant son intuition.

— Au lieu de commencer, arrêter, commencer, arrêter, tu pourrais manger tout de suite, non ? Tu feras tout en une fois, cet après-midi.

La jeune femme avait lancé son invitation puis avait regagné l'intérieur de la maison. Elle se sentait envahie d'une excitation irrépressible. Déstabilisée par sa propre spontanéité, elle ne savait pas quelle attitude adopter ensuite, ni quoi dire de plus. Astrid n'entendait que la voix de sa conscience lui demander : « Mais à quoi as-tu pensé ? » Puis la porte d'entrée grinça. Marc avait décidé de répondre à son invitation. Il se défit de sa veste à capuchon et déboutonna sa chemise, qu'il laissa entrouverte sur un t-shirt blanc.

— Mes mains.

Il se rendit à l'évier de la cuisine pour se les savonner. Astrid sentit sa chaleur corporelle irradier lorsqu'il passa près d'elle. Marc la fit légèrement sursauter en se retournant vers elle. Il cherchait un linge pour se sécher les mains. Elle lui ouvrit une armoire. Il la remercia. Son timbre de voix était bas et posé. Astrid nota un faible accent, peut-être des inflexions montréalaises ou d'ailleurs? Bien qu'il voulût l'aider à servir le repas, elle insista pour qu'il prenne place à la table. Elle glissa sur son napperon une assiette de poulet grillé à l'origan frais et aux légumes de saison. Il afficha un air d'homme comblé. Astrid mangea avec lui, quoique bien peu. Son excitation soudaine avait eu raison de sa faim. Ils devisèrent un moment à propos des villageois, sujet de prédilection, puis Astrid débarrassa la table.

— Et maintenant, le fameux dessert. J'espère qu'il sera à la hauteur. Sinon, ma réputation va aller rejoindre tes débris de rénovation à la poubelle.

Il avait au moins la qualité d'être superbe, ce dessert. Il avait une belle couleur café et une garniture de crème fouettée maison. Impossible d'y résister. Elle le posa au centre de la table, passant tout près de son invité, encore assis à sa place. Elle saisit la spatule à gâteau et l'inséra dans l'onctueux mascarpone. C'est alors qu'elle sentit une main sur sa jambe. Une grande main, réchauffée par la tasse de thé tout juste touchée. Astrid cessa de couper le tiramisu. Elle resta figée dans l'attente de ce qui allait suivre. Trop intimidée pour se retourner, elle attendait que Marc avance ou recule. Figurativement parlant. La main grimpa le long de sa jambe avant de redescendre. D'abord réconfortante, la caresse gagnait en intensité. La main de Marc remonta le long de son jeans, s'arrêtant enfin contre l'intérieur de sa cuisse. Il patienta. Astrid desserra les doigts, laissant tomber la spatule sur le dessus du gâteau. Elle se retourna. Marc la regardait avec intensité. Il respirait profondément. Elle le constata à son torse qui se gonflait et s'abaissait comme après un effort physique. La situation était insoutenable. Ils se fixaient, le regard chargé de désir, sachant tous deux qu'ils flancheraient dès la prochaine flammèche.

— T'es tellement masculin.

C'était bien ce qu'elle voulait lui dire, mais certainement pas de cette façon! Astrid craignait de s'être couverte de ridicule. Par chance, l'aveu murmuré eut l'effet recherché. L'homme enfouit les doigts dans sa chevelure châtaine et l'attira fermement contre lui sur la chaise. Astrid glissa les mains sous son chandail. Son ventre était plat et ferme. Cet homme embrassait avec énergie… et ne perdait pas son temps! Astrid était animée par une seule et unique intention: lui faire l'amour avec toute la fougue qu'elle pouvait déployer. Pendant qu'elle songeait à ce scénario, Marc lui ôta vitement son soutien-gorge sans même lui retirer son haut. Elle était impressionnée par son savoir-faire. Ils s'embrassèrent avec avidité sur la chaise de cuisine, se goûtèrent, se caressèrent, s'embrassèrent de plus belle. Prête à passer à l'étape suivante, Astrid se releva pour baisser la fermeture éclair de son jeans. Sa poitrine était gonflée de désir sous le mince textile qui la couvrait. Marc succomba à la tentation de coucher la fille sur la table pour l'explorer davantage. Il était électrisé par le jeu. Astrid gémit sous son toucher.

Dehors, Henrik garait sa voiture. Il revenait du Centre Horizon, où il avait eu une discussion des plus frustrantes avec sa jeune danseuse «exotique», et sentait qu'il avait les mains liées dans cette histoire. Il ne pouvait plus interroger la fille en espérant la mettre en boîte. Oui, elle s'était procuré une substance illicite, et oui, elle l'avait consommée dans un établissement réservé aux gens majeurs. Mais puisqu'elle n'avait aucun antécédent judiciaire et qu'elle était aux prises avec une situation familiale difficile, le juge avait fait preuve d'indulgence. C'est pourquoi elle s'évitait toute charge criminelle. En échange, elle obéirait au doigt et à l'œil aux éducateurs d'un centre jeunesse réputé pour sa rigueur. Henrik avait ainsi dit adieu à sa source *numero uno* de renseignements. Le temps était venu d'en dénicher une autre. Pour ce faire, il s'infligerait un charmant tour guidé du secteur malfamé de la région. Mais au préalable, il devait parler à sa sœur et s'entretenir avec son homme à tout faire. Par réflexe, il faillit pousser la porte et s'introduire sans avertir, mais il se ravisa. Sa sœur méritait plus de civisme de sa part. Déjà qu'il dévalisait ses réserves de nourriture… il pouvait au moins sonner avant d'entrer. *Ding. Dong.* Marc et Astrid se relevèrent tels deux chevreuils surpris par des phares. Seigneur, faites que le voilage de la porte d'entrée ne soit pas aussi translucide que le mentionne l'étiquette ! Astrid passa son chandail en vitesse et Marc enfila sa veste. Il songea vite à quelque chose d'ennuyeux pour perdre sa puissante envie. Le curling. Et… voilà.

— Le frère ! lança-t-elle en guise de mot de bienvenue.

Henrik s'essuya les semelles sur le paillasson. Il analysa rapidement la scène. Policier un jour, policier toujours. Son regard suspicieux lui fournit des éléments de preuve qu'il aurait préféré ne pas voir. Comme ce t-shirt sous la table et ce sous-vêtement mauve qui avait atterri sur la plante verte. Il se mordit l'intérieur de la bouche pour réfréner un commentaire.

— Justement l'homme que je voulais voir. Comment va mon châssis ?

Marc se racla la gorge. Il avait les joues rougies et le pantalon mal boutonné.

— C'est réglé. J'ai même repeinturé tes volets. Par contre, j'avais une question. Est-ce que c'est naturellement en désordre chez toi ou… ?

— Pourquoi ?

— J'ai trouvé que c'était le fouillis, je veux dire un fouillis plus inhabituel que celui qu'on voit dans une maison habitée par un gars.

— Comme si quelqu'un avait cherché quelque chose?

— Exactement. Bon, je retourne à mes outils, moi.

Marc se volatilisa, laissant frère et sœur derrière lui. Un bruit de sableuse électrique retentit peu après. Henrik fit quelques pas pour se planter devant sa cadette. Il ne rigolait pas.

— As-tu couché avec? T'as couché avec, hein!

— Ça te regarde pas.

Astrid préféra l'évitement. Elle coupa le tiramisu en six parts égales et en offrit une à son frère. Celui-ci accepta l'assiette tout en ajoutant de sa grosse voix:

— Qu'est-ce qui te prend de coucher avec des étrangers?

— Je couche avec qui, dans ce cas-là?

— Des gars connus, bredouilla-t-il en réalisant l'absurdité de ses propos.

— Comme tes collègues?

— Non.

— Comme tes amis?

— Surtout pas.

— Ah, bravo! maugréa-t-elle. Ça me laisse le curé pis le président des Chevaliers de Colomb.

Henrik ouvrit la bouche, mais la referma aussitôt. Il ravala sa réplique. Il ne pouvait tout de même pas lui dire qu'il attendait les résultats d'une recherche sur Marc Bertoll, car il voulait s'assurer qu'il n'était pas le conducteur du scooter et/ou le nouvel agresseur sexuel du village. En l'avouant, il créerait un raz-de-marée. Sa sœur lui en voudrait pour les siècles des siècles. Henrik savait qu'il dépassait les bornes en s'immisçant dans sa chambre à coucher. Mais c'était plus fort que lui. L'expression «mâle alpha» existant déjà, Henrik se demanda s'il pouvait inventer le terme «frère alpha».

— Est-ce que je peux faire autre chose pour toi? ajouta Astrid, de mauvaise humeur.

Henrik engloutit son gâteau italien.

— Merde, c'est bon, ça! dit-il avec un grand sérieux. Oui, tu peux faire autre chose pour moi. Quelque chose de crucial. Tu peux ramasser ça.

Il saisit la chemise à carreaux rouges qui pendait au bras de sa chaise et la lui lança au visage, non sans une pointe d'humour.

— J'étais venu t'inviter au pub ce soir. Mais t'as sûrement un *unfinished business* à régler avec ton Joe, dehors. Pas que j'approuve.

— Ça, c'est on ne peut plus clair. Maintenant, dégage !

Henrik se rendit à sa voiture d'un pas cadencé. Pas une minute à perdre. Il était curieux de voir l'état de son domicile. Qui avait bien pu mettre son refuge personnel en désordre ? Il était persuadé que le fouillis était une conséquence directe de son enquête sur La Pieuvre. Cette loi de cause à effet était évidente même pour un néophyte du domaine policier. Avant de mettre son automobile en marche arrière, Henrik klaxonna juste pour voir l'effet sur Marc Bertoll. Rien ne se produisit. Il klaxonna derechef. Marc tourna enfin la tête. Il n'avait pas été surpris par le bruit strident. Cet homme était le calme incarné. Henrik sortit la tête par la vitre.

— J'ai oublié de te payer. Demain, sans faute.

La jeep descendit la rive droite de la rivière, traversa le petit pont aux réverbères et fila devant le poste de la Sûreté. Elle escalada ensuite la rive gauche du sinueux cours d'eau. Avant même d'aller constater le désordre, Henrik se rendit chez sa voisine, une vieillarde rabougrie qui passait ses journées entières sur sa galerie avec ses deux chats à la robe écailles de tortue.

— Une visite de mon voisin, ronchonna-t-elle. Avoir su, je me serais mis du fard à joues, des perles, quelque chose.

Les deux félins miaulèrent à l'approche d'Henrik et se sauvèrent dans des directions opposées. Leur pelage était couvert de terre humide et de morceaux de feuilles d'automne. Henrik fit un effort pour se montrer sociable.

— Bonjour à vous quand même, madame Jeannine.

— Voudrais-tu une tisane à la racine de navet ?

Infect. Poser la question, c'était y répondre. Henrik dévia le cours de la conversation.

— Avez-vous remarqué de l'activité chez moi, ces dernières heures ?

— Oui.

D'un haussement de sourcils, il exigea plus de détails.

— Un ou deux hommes, il me semble.

— Un ou deux ? insista-t-il. C'est important que je le sache.

— Je sais pas. Mes doubles-foyers étaient pleins de buée. Regarde, ça le fait encore ! se fâcha-t-elle tout en retirant ses grandes lunettes pour les frotter contre son épais manteau de laine bouillie.

La vieille dame prit un temps fou à nettoyer ses verres et à les recadrer sur son visage. Henrik montra des signes d'impatience. Comme se frotter le sourcil avec insistance. Comme se faire craquer les jointures. Comme soupirer tout en mettant ses poings sur ses hanches.

— Si c'est deux, y'avaient la même stature pis le même genre de peignure. Ah ! pis je le sais pas ! grinça la vieillarde. Plus je parle, plus c'est flou. C'est trop relaxant, cette tisane de navet-là. Maudite tisane de maudite tisane de…

— Du calme, Jeannine, du calme. Je vous demande pas de témoigner contre un parrain de la mafia, quand même !

Aussi bien oublier ce témoin à demi aveugle et au discernement brouillé par une infusion de racine de plante potagère ! C'est à ce moment précis qu'Henrik sentit le goût acidulé de l'échec le prendre à la gorge. Rien n'allait. Son escouade était bidon. La Pieuvre semblait tirée d'un mauvais téléfilm allemand de style « fait vécu », avec de fausses brigandes au cœur tendre et des intrigues mal construites. Sa thérapie behavioriste avec Marie Mongeau était loin d'être concluante. Sa sœur s'envoyait en l'air avec un éventuel agresseur. Il ne manquait qu'une épidémie au village et une bonne tempête de verglas pour enfoncer le dernier clou dans son « cercueil » psycho-affectif et social. Oh ! Et une entrée par effraction. Il ne fallait pas oublier l'entrée par effraction dans le palmarès de ses infortunes. Sur ce, Henrik retourna chez lui, les épaules basses.

— Ostie de bordel, soupira-t-il en constatant l'ampleur des dégâts.

Le contrevenant avait fait les choses en règle. Papiers éparpillés, coussins renversés sur la carpette, tiroirs grands ouverts, lampe jetée par terre et autres surprises à découvrir ici et là. Comment voir si un objet ou un document manquait dans ce fouillis? Henrik n'avait pas envie d'y consacrer une seule once d'énergie. Il signala tout de même le délit à la centrale, puis loua les services d'une entreprise de nettoyage. Il en profiterait pour faire laver ses planchers, ses comptoirs et sa salle de bain par le fait même. Comment joindre l'utile au désagréable. Merci Ménage Express pour les bons soins et la facture acceptable. Quelques heures plus tard, le cottage était rangé et rafraîchi. Tout était nickel. Les employées de ménage n'avaient rien relevé de spécial, hormis un bout de chaînette cassée près du calorifère. Henrik put ainsi retourner au bureau, la conscience à moitié tranquille.

Pendant ce temps, Astrid ruminait dans sa cuisine. C'est la gêne pure et simple qui la retenait d'inviter Marc à terminer son repas. Il l'avait vue à moitié nue. Elle l'avait embrassé avec ferveur. Ce «coït sentimental interrompu» les avait laissés dans l'embarras. La visite impromptue de son frère avait jeté une douche froide sur le brasier qu'ils avaient allumé. Comment récupérer une telle émotion, à présent? Astrid ne se sentait pas assez sûre d'elle pour relancer cet homme, si attirant fût-il. Tandis qu'elle mettait son dessert au frigo et qu'elle rangeait les restants, une sorte de grattement attira son attention. Elle dénoua son tablier et sortit sur le perron. Marc ébaucha un sourire de gamin.

— J'ai pensé que ça te ferait plaisir. Ça paraît bien, non?

Il avait fixé l'enseigne de la garderie qu'Astrid avait fait peindre par un artisan local. Elle fut touchée par son élan de générosité. Après tout, accrocher cette pancarte ne figurait pas dans sa liste de tâches à réaliser. Il avait su voir à ses besoins.

— C'est trop gentil, dit-elle, pétillante de joie. J'arriverai pas à te remercier.

— Pas sûr de ça, moi.

Il l'empoigna par les épaules et l'adossa au mur de la maison, dans l'angle de la cheminée, à l'abri des regards. Ébahie, elle le laissa faire, ne pouvant qu'anticiper ses mouvements. C'est à cet instant qu'il enfouit son visage dans le vallon de son cou. Elle pouvait sentir son souffle chaud contre sa peau tout en respirant la brise automnale qui transportait des arômes d'herbe mouillée et de bois brûlé. Exaltant. La fraîcheur ambiante provoqua chez elle une agréable chair de poule et fit rosir la peau de son ventre que l'homme venait de dénuder. Astrid comprit alors qu'il ne s'arrêterait pas à de simples caresses. Ses baisers montèrent à sa joue, le long de son oreille, pour ensuite s'évanouir sur sa tempe recouverte d'une mèche dorée.

— T'es belle, susurra-t-il.

Même si la timidité s'empara d'elle un instant lorsque son jeans tomba sur ses chevilles, Astrid se sentait enveloppée par les bras de l'homme et entièrement cachée par sa silhouette imposante. Il lui fit l'amour contre la cheminée de briques. Elle fut prise d'une rare sensation d'irréalité. L'assurance de Marc l'avait médusée. Et son audace sexuelle, chavirée. Toutefois, lorsqu'elle rentra dans la maison, la froide réalité la rattrapa. Une maman au téléphone souhaitait discuter de l'entrée progressive de son garçon à la garderie. Astrid dut se secouer pour tenter de se remettre les idées en place. De bonnes idées. Pures et nobles. Elle n'avait jamais agi de la sorte avec un autre partenaire. Marc l'avait réellement décontenancée avec sa passion dévorante.

Il n'y avait toujours rien de nouveau sous le soleil. Sous le soleil du lieutenant Fafard, du moins. Les jumeaux avaient appris, lors de leur escapade sur la Côte, qu'un nouvel arrivage de cocaïne était en train de s'écouler, mais cela n'avait pas suffi à satisfaire le patron. Ce dernier misait gros sur « le jeune homme de la boutique » que leur avait légué en testament le septuagénaire assassiné. Il avait mis ses enquêteurs des homicides sur tous les jeunes hommes de moins de vingt-cinq ans du secteur et avait attribué les clients masculins de la boutique de lingerie à Henrik et aux Dupuis. Une fois toutes les tâches distribuées, Fafard avait lâché un tonitruant : « Du progrès, bâtard ! »

Pour décompresser après le travail, Henrik s'était poêlé un succulent morceau de foie gras, accompagné de deux verres de Gewurztraminer. Ensuite, il avait fait sa toilette, s'était rasé et s'était mis du baume après-rasage avant de filer au Pub Nipi. Le quatuor de blues avait déjà amorcé la première partie de son spectacle quand il posa le pied sur le pont suspendu menant au resto-bar. Il entendait leurs mélodies résonner contre les façades vitrées. L'endroit était plein à craquer. Il y avait des gens debout, assis, en mouvement, partout. Le volume de la musique était au maximum, mais il s'en dégageait tellement de soul que même les plus austères des clients avaient la mine détendue. Henrik se faufila jusqu'au bar, particulièrement séduisant dans son jeans de marque et sa veste vert armée savamment usée. Il sortait si peu souvent que, ce soir, il avait décidé de jouer la totale. Il faisait plus acteur de cinéma danois qu'agent de la paix nipois (le nom donné aux habitants du Cap). Si sa sœur avait été là, il aurait eu du mal à esquiver ses remarques, ou plutôt, sa grêle de remarques ! Une fois installé au bar, il se commanda un scotch.

— Qui a dit que Facebook était une perte de temps ?

Henrik tourna la tête. C'était son infirmière, Élodie. Elle était radieuse. D'abord heureuse de voir qu'il était venu, mais surtout à son meilleur physiquement.

— Grosse semaine ? demanda-t-elle.

— Ça bouge, ça bouge.

— Je voulais te dire que j'ai parlé à l'allergologue pour toi. Tu devrais recevoir un coup de fil de sa secrétaire bientôt.

— Un peu de *pushing*, ça fait pas de tort. Merci.

C'est alors qu'il réalisa qu'il n'avait pas son auto-injecteur d'adrénaline avec lui. Irresponsable de sa part. Son allergie, quelle qu'en soit la source, était des plus sévères. Était-il si habitué aux dangers qui guettaient les autres qu'il ne prêtait plus attention aux siens ? Quoi qu'il en soit, il devrait y voir.

— Ma cousine est juste là, avec le chandail orange, dit l'infirmière en la désignant parmi la foule. On reste proches de la scène pour danser. Viens-tu avec nous ?

— Ça me prend pas mal plus de scotch pour danser. On se reverra plus tard.

Élodie s'éloigna, suivie de son rire aux intonations enfantines, qui fut vite enterré par une entraînante chanson à la guitare très présente. Henrik adorait ce vieux succès de l'ère Motown. Il se trouva une place debout, accoudé à une haute table ronde. Il savoura sa consommation tout en échangeant des salutations avec certains clients qu'il connaissait personnellement ou, du moins, qu'il affectionnait plus que les autres. Bien que la plupart des villageois se connaissaient, certains d'entre eux ne faisaient que se tolérer. Civilité oblige. Par moments, il s'attardait à son infirmière qui riait, s'amusait et bougeait plutôt bien au son de la musique. Ses hanches se balançaient au rythme de la basse, son visage s'illuminait devant les envolées du chanteur. Henrik la trouvait de plus en plus intéressante. Il pouvait presque entendre le stylo de sa psychologue gratter les pages de son carnet de notes et un soupir s'échapper de sa bouche opiniâtre.

— Ah ben, si c'est pas mon sergent pressé de déjeuner avant tout le monde ! envoya la serveuse qui lui avait souvent ouvert avant l'heure.

— Voyons, se plaignit-il. Chaque fois que je me pointe quelque part, on m'accueille en disant : « Ah ben, si c'est pas… » Pas sûr que ce soit positif.

— Disons que c'est parce que t'es, euh, comment dire, unique ?

— Ouch !

— Beau comme dix, mais haïssable, s'interposa Élodie. C'est pas moi qui le dis. Je fais juste rapporter ce que j'ai entendu à travers les branches.

La serveuse félicita la fille pour sa franchise revigorante. Puis elle leur offrit une autre consommation. Élodie refusa poliment, tandis qu'Henrik accepta. Cet Aberlour vieilli à point se buvait tout seul. À ses côtés, la jeune infirmière se mit à agiter le bras. Elle invitait une personne à les rejoindre.

— Henrik, je voudrais te présenter ma cousine Mélodie. Je le sais, Élodie et Mélodie, nos parents ont pas fait preuve d'originalité. Ha ! Ha !

Il accepta l'unique baiser d'introduction de cette cousine à l'allure autoritaire. Cette bise fut sèche, dénuée d'amitié, protocolaire. Disons que cette Mélodie était le yin et sa cousine, le yang. Bien qu'il ne l'ait pas vue promenant son chien ou faisant ses courses dans un quelconque commerce, son attitude réfrigérante lui rappelait un vague souvenir.

— Mélodie travaille...

— C'est pas important, souffla la cousine.

— À la belle boutique de lingerie. C'est quoi son nom, déjà ? sourit l'infirmière, grisée par un cocktail d'allégresse et d'alcool.

C'en était trop. Même s'il n'avait pas été enquêteur de métier, il aurait trouvé agaçant qu'autant de gens lui parlent à répétition de ce magasin. Le nom « Vahiné » était vite devenu un irritant. Quelque chose dans ce mot ne lui revenait pas. L'exotisme ? Le ton sirupeux qu'on employait souvent pour le prononcer ? Mais bon, pour l'instant, il n'était pas de service et comptait bien se changer les idées. Il écouta quatre chansons avec attention et échangea quelques banalités avec l'un des échevins de la municipalité. Un type aimable, sans plus. Puis le naturel observateur d'Henrik revint au galop. Tout en trempant les lèvres dans son verre, il poursuivit son analyse visuelle du resto-bar. La présence de deux individus fit tout à coup grimper son enthousiasme. Dans un coin, il y avait l'homme à tout faire d'Astrid et, dans l'autre, l'agent du SPVM qui assurait la filature pour son équipe. Ça y est : la soirée passerait d'un simple divertissement à une partie de plaisir assurée !

— Préfères-tu que je te laisse seul ? s'enquit Élodie. De toute manière, t'as déjà l'air loin, sur ton île déserte. Ha ! Ha !

— Excuse-moi, j'étais complètement absorbé par le *band*, mentit Henrik.

— On garde contact par internet ou… ?

— Oui, oui, pas de problème.

Elle lui offrit une accolade empressée afin de ne pas laisser paraître sa déception. Bien entendu, elle aurait espéré davantage de sa part. Toutefois, elle était consciente qu'il ne s'agissait pas d'un rancart amoureux officiel. Elle lui avait lancé une invitation. Il n'avait rien promis en retour. Mais il s'était tout de même présenté. Trop de questions ! Et trop peu de réponses. La jeune infirmière était perplexe. Elle se sentait comme une adolescente étourdie devant le beau gars de la classe. De son côté, Henrik était à des lieues de ce genre de questionnements. Il la trouvait mignonne, mais n'avait d'yeux que pour ses deux hommes. Marc Bertoll était-il sans reproches ? L'agent du SPVM était-il sur une piste ? Henrik marcha en direction du premier, hypnotisé par sa quête de vérité.

— Je viens régler ma dette, dit-il en lui glissant trois billets.

Marc déposa le pichet de bière qu'il venait de soulever pour payer une tournée à de nouveaux copains. Il cueillit les billets et les rangea dans la poche arrière de son pantalon.

— Veux-tu une broue ? répliqua-t-il.

— Pourquoi pas ? Ça va nous donner une excuse pour jaser.

— C'est un commentaire de fille, ça.

Henrik rigola à travers le solo de batterie qui enflammait la salle. «Fabuleux, se dit-il. La fausse convivialité est déjà installée. Allons-y à pieds joints.»

— Tu trouves pas que le mot «fouillis» était un peu faible, tout à l'heure?

— Je voulais rester poli, dit Marc en inclinant sa chope afin d'éviter la formation d'écume.

— D'accord, mais selon toi, ça ressemblait à quoi?

— À quelqu'un qui cherche un objet bien précis.

— En plein ça, dit Henrik, un brin accusateur.

Astrid arriva sur ces entrefaites. Elle grelottait. Elle retira son manteau et son pashmina tout en soufflant dans ses mains pour les réchauffer. La chaleur humaine des fêtards entassés accéléra sa décongélation.

— Je pense que j'ai vu le premier flocon tomber. Ça va être un Halloween en *suit* d'hiver, comme dans notre jeunesse. Les enfants vont être frustrés. Ça paraît jamais bien, une licorne avec des culottes de neige ou un Capitaine America avec une grosse tuque à pompon.

— Merde, on est quelle date? s'exclama son aîné. J'ai même pas acheté de bonbons!

— Vieux grincheux. C'est demain soir, l'Halloween. Tu contribues jamais à la magie, rétorqua Astrid en s'appuyant affectueusement contre son épaule.

Il lui pinça le menton tout en lui recommandant de prendre soin d'elle, en l'occurrence de se faire raccompagner à la maison. Avant de tirer sa révérence, il leur demanda s'ils avaient brisé ou égaré une chaînette dorée. Ils répondirent par la négative. Henrik confia donc Astrid à son nouveau (et louche) *prospect* amoureux. Dans les circonstances, il avait mieux à faire. En priorité, entrer en contact avec son agent sous couverture. Il se décida donc à mettre fin à son amusement personnel, quittant le bar à la moitié de son breuvage houblonné et avant la finale de l'extraordinaire prestation musicale. Une fois seul, il alluma son téléphone intelligent et envoya un texto en langage codé. À la suite de quoi il roula à peine un kilomètre et s'immobilisa dans un recoin sombre. Il jogga en direction du point de rencontre proposé en SMS. Tout au long de son ascension, il ressentit le froid dont avait parlé sa sœur. Chacune de ses expirations créait un nuage de condensation. Ses membres étaient raidis par l'humidité. Par contre, ses poumons ne le brûlaient pas. À force de courir régulièrement en montagne, il avait retrouvé la forme physique qu'il avait à l'époque de sa formation à Nicolet. Il faut dire qu'il avait su résister à bien des invitations aux orgies de panure et de *gravy* des jumeaux Dupuis, aussi. Sa discipline portait ses fruits.

Sept minutes et quelques hululements de hiboux plus tard, un individu s'accroupit pour se faufiler sous les lourdes branches d'un conifère. Derek s'assit sur une souche à gauche de celle où patientait Henrik. Il le salua d'un air fort sympathique, malgré le tatouage temporaire qui colorait son cou, grimpait le long de sa nuque et se terminait sur son crâne fraîchement rasé. Le sergent avait changé du tout au tout. Exit les lunettes à monture dorée et les polos de style golfeur soigneusement repassés.

— Christie que ça fait du bien de te voir, lui confia Henrik.

— Moi aussi, chérie, je me suis ennuyé.

— Ha ! Ha ! On se le cachera pas, je vis pas mal de pression pis t'es mon élément-clé. Comment ça se passe de ton côté ?

— Mieux que je m'y attendais. Le territoire est petit. C'est plus facile pour moi de cerner des individus, de cibler des lieux.

— Dis-moi que t'as de la viande.

— De la belle côtelette de porc, mon homme, blagua l'agent. Je viens tout juste de placer des balises GPS sur le camion de livraison de la grosse Toutoune pis sur la Miata jaune de l'adjointe du directeur de la Caisse populaire. J'ai vu madame l'adjointe traîner, l'autre soir, avec des p'tits sales qui pourraient facilement être ses propres ados. Pas mal louche. Je vais aller au fond de ça.

Soudain, Henrik sentit sa désinvolture le quitter. Un changement dans sa perception des choses venait d'avoir lieu. L'angoisse d'une menace bien réelle enveloppa sa gorge d'une saveur amère. Tout bascula dans sa tête. Dès lors, les enjeux ne seraient plus les mêmes. Derek nota la métamorphose de la physionomie de son collègue et se reconnut en lui.

— Avoue que tu prenais La Pieuvre à la légère !

— Je te trouve éloquent, riposta Henrik. L'expression « Je m'en câlissais » collerait plus à la réalité.

— Même chose pour moi. Mais je commence à croire que c'est *heavy*. Je vais te faire parvenir un document au poste. Tu me donneras tes impressions.

L'agent quitta sa souche pour marcher vers la barrière de conifères qui le séparait d'un véritable sentier. Henrik l'apostropha.

— Garde donc un œil sur la boutique Vahiné. Dis-moi si une caméra extérieure est suffisante ou si je fais une demande pour faire installer des micros pis des caméras cachés.

L'agent opina de la tête et disparut derrière les arbres touffus. Henrik demeura assis, réfléchissant à la nouvelle tangente que prenait son enquête. C'était maintenant un cas de « tout ou rien ». Il ne pouvait plus y avoir de demi-mesures : Henrik devait défoncer les portes, plonger tête première dans les eaux troubles, prendre ces criminelles de front. Et espérer le meilleur. Sur ces pensées sombres, il se releva, frotta l'arrière de son jeans et marcha sur le sol inégal, jonché de feuilles mortes et de lichen. Une fois en bordure de la route, il ralentit le pas pour piger ses clés dans la poche intérieure de sa veste. Il vit un gros flocon de neige se poser sur sa manche et prendre tout son temps pour fondre. Non ! L'hiver était-il si près ? Déjà ? Henrik contempla sa jeep au pied de la pente et songea à ses pneus à clous qu'il n'avait pas encore posés. Il leva alors la tête vers le ciel. De noir de jais, il était passé au gris charbon. Les nuages étaient gorgés de neige. Lorsqu'il ramena son regard vers la route, Henrik fut pris de court par un puissant coup dans les reins, qui le saisit à un point tel que sa respiration en fut coupée pendant d'interminables secondes.

Abasourdi, il tenta de s'écarter de la trajectoire du bâton qui, malheureusement, atterrit sur son fémur gauche. Un élancement aigu parcourut sa jambe et il dut combattre une irrésistible envie de se laisser choir à genoux devant son assaillant. Son équilibre fut reconquis à grand-peine. Il parvint à balancer un crochet du droit dans les côtes de l'individu qui l'attaquait vicieusement, sans aucune raison apparente. Ce dernier accusa le coup en reculant de quatre ou cinq pas. Puis il chargea, plus furieux qu'avant. Il frappa Henrik à l'arcade sourcilière, à la mâchoire et au bas-ventre, quasi simultanément. Henrik était en meilleure forme que son adversaire, mais celui-ci profitait de l'avantage de la surprise. Henrik eut le réflexe de se baisser pour lui agripper le mollet afin de l'entraîner au sol. Il espérait lui arracher l'écharpe qui lui cachait la moitié inférieure du visage. L'assaillant réagit en abattant son bâton sur le dos de sa victime. La douleur se diffusa dans tout son corps, à retardement et de façon exponentielle. Cette fois, Henrik expulsa un long geignement qui perça le silence de la nuit. Après avoir roulé sur l'asphalte, se tordant pour chasser la souffrance physique, il rouvrit les yeux et aperçut, non loin, l'agent du SPVM sous couverture qui regardait la scène sans réagir. Henrik crispa le visage pour lui communiquer son impuissance. En guise de réplique, l'agent prit la fuite.

SIX

Astrid se couvrit en vitesse de la nuisette qu'elle avait envoyé valser dans les airs, quelques heures auparavant. Vacillante, elle faillit s'enfarger à deux reprises dans les chaussettes, sous-vêtements et souliers d'homme qui parsemaient son parcours. Elle dut en rigoler. Sans ses lentilles cornéennes, Astrid ne voyait pas plus loin que le bout de son nez.

— Vas-tu te rendre? marmonna Marc en se retournant sur le ventre pour mieux enfouir ses bras sous l'oreiller.

Astrid pouffa de rire. Elle était maintenant dans la cuisine. Quelqu'un tambourinait toujours à la porte. Elle regarda son micro-ondes au passage, les paupières plissées à l'excès. Il indiquait à peine 6 heures du matin. Devait-elle se méfier de ce visiteur? Après tout, cette heure indue n'annonçait rien qui vaille. Elle ouvrit sans tarder. Elle n'aima pas ce qu'elle vit: les jumeaux blonds affichant une mine revêche.

— Non, dites-moi pas que…

— Henrik est correct. Amoché, mais correct, lui assura Danny.

Astrid porta la main à sa poitrine, expulsant l'air qu'elle avait retenu prisonnier pendant un court mais pénible instant.

— On voulait pas que tu l'apprennes au bulletin de nouvelles. Avec l'assassinat d'un membre de l'âge d'or pis un cas de violence envers un policier, on s'attend à ce que Fafard, ou le maire Borduas, s'adresse à la population.

— Merci, j'apprécie que vous me le disiez avant.

— Ils viennent de le laisser partir de la clinique, précisa Denis. Un écœurant l'a *jumpé* pas longtemps après sa sortie du pub. As-tu remarqué, par hasard, si quelqu'un est parti en même temps que lui?

Elle fouilla les moindres compartiments de sa mémoire. Difficile de répondre avec précision. Il y avait un mouvement constant au resto-bar. Les clients allaient et venaient, certains pour prendre l'air en contemplant le lac miroitant, d'autres pour griller une cigarette. Elle se rappela tout à coup qu'elle avait envoyé Marc récupérer son appareil photo dans le coffre à gants de sa voiture. Cependant, il était revenu après un temps d'absence normal, ce qui fait qu'elle ne ressentit pas le besoin de le leur mentionner.

— J'ai vu personne en particulier. Désolée. Pensez-vous que mon frère est déjà à la maison?

Ils hochèrent la tête avec synchronisme.

— Imagine-toi donc qu'il voulait se changer de tenue avant de se présenter au poste pour faire sa journée, avoua Danny. Ton frère, c'est un bourreau de travail.

— Un bourreau plein de bleus pis de points de suture, renchérit Denis, aigri. Tu peux être sûre qu'il va passer au *cash* quand on va le pogner, le salaud qui a fait ça!

La jeune femme prit sa rancœur pour une démonstration d'amitié sincère et de solidarité policière. Les deux frères la laissèrent ensuite à sa routine matinale. Avant même de se faire une beauté, elle grimpa dans le lit pour secouer l'épaule de Marc. Celui-ci bredouilla quelques paroles inaudibles. Elle le brassa de nouveau. Il finit par se passer les mains sur le visage afin de se réveiller. Pince-sans-rire, il prononça:

— Tu me donnes même pas quelques heures pour récupérer? C'est mon corps en entier qui te supplie.

— Mon frère s'est fait battre.

L'homme changea d'expression.

— Faut que j'y aille, lança-t-elle.

Marc tenta de la retenir, mais le poignet délicat se glissa hors de sa poigne. Astrid fut prête à partir en un temps record. Elle lui permit de se recoucher, de fouiller dans le garde-manger à son réveil, de commencer ses travaux manuels quand bon lui semblerait. Exténué, Marc retomba sur les oreillers froissés. Astrid était déjà en route vers le cottage de son frère. Elle fut étonnée de se heurter à une porte fermée à clé. Stupéfiée, même. Son frère était-il déjà au boulot? Était-il insouciant à ce point? Son plein rétablissement serait une fois de plus ralenti par son excès de zèle. Comme elle le pensait, elle le trouva à la centrale. Elle eut du mal à tempérer son exaspération.

— J'ai juste un mot à dire: aberration!

— Moi, j'en ai trois: baisse le ton, chuchota-t-il en se frictionnant les tempes.

À sa grande surprise, Astrid l'étouffa dans une étreinte débordante d'affection. Il grimaça de douleur. Elle posa ensuite un baiser sur sa joue bleutée. Elle remarqua que son nez et sa lèvre supérieure étaient fendus. Son sourcil, recousu. Le reste relevait de la contusion et de l'endolorissement.

— Est-ce que je vais un jour arrêter de m'inquiéter? souffla-t-elle à son oreille.

— Je pourrais te poser la même question.

Elle tira sur sa manche de chemise, à la manière d'une fillette. Son regard était embué et ses traits, contrits. Henrik l'accueillit une seconde fois dans ses bras. Cette fois, il ajouta un peu plus d'émotion à son accolade.

— Toi, la recrue, regarde ailleurs! grogna Henrik, tout en flattant la chevelure de sa sœur.

Le jeune agent changea de point d'intérêt, non sans un sourire narquois. Il aurait tout donné pour prendre la place de son sergent.

— Qui t'a fait ça? dit-elle en effleurant le fil noir qui décorait l'entaille près de sa paupière.

Il lui éloigna les doigts. La porte du bureau de Fafard s'ouvrit à l'instant. Il s'adressa aux hommes concernés.

— Salle de conférence, déclara-t-il. Dans dix.

Au lieu de partir, Astrid amena une chaise à roulettes près d'Henrik et s'y assit confortablement. Il la questionna du regard. Elle hocha la tête vers le policier à l'accueil. Henrik priait pour qu'elle ne lui dévoile pas des sentiments d'attirance naissants envers ce Casanova à l'attitude désinvolte.

— J'ai réfléchi à mon affaire en venant ici, tout à l'heure. C'est pas un énorme poste que vous avez, ici. Le personnel est quand même limité. Y'a des crimes graves à résoudre. Je veux pas engorger le système pour rien.

Henrik fronça les sourcils.

— Je veux retirer ma plainte, avoua-t-elle. Avec le temps qui passe, je me rends compte que c'est pas si grave que ça. Un gars en scooter. Une fille qui me plaque contre le gazon. Je m'en suis remise. Y'a des choses pires.

Henrik serra les dents. Et si elle entretenait une liaison avec le conducteur du scooter en question, sans même être au courant de sa double personnalité ? Et si ce Marc Bertoll se donnait du plaisir solitaire en rêvassant à elle, développant ainsi une fascination malsaine et irréfrénable ? Et si une passion irraisonnée lui consumait le corps et l'esprit sans qu'Astrid ait aucun moyen de le ralentir ? Henrik se demandait comment la convaincre de ne pas retirer sa plainte, du moins, en attendant que l'identité de «l'agresseur à la mobylette» soit confirmée. Après tout, si sa sœur maintenait sa plainte, elle aurait déjà un pas de fait dans la bonne direction. Elle serait inscrite dans la base de données. Les huit à neuf mois d'attente pour passer en cour seraient déjà enclenchés.

— *Pronto!* lâcha le lieutenant Fafard en passant en coup de vent derrière Henrik.

Celui-ci se passa la langue sur la gerçure à sa lèvre. Que faire ?

— Pas de coup de tête, la sœur. D'accord ?

D'un pas incertain, il emprunta le couloir qui menait à la salle de conférence. Bien qu'il ne l'avouerait pas, Henrik se sentait aussi anxieux qu'endolori. Endolori, il l'était pour une simple et bonne raison, l'attaque nocturne. Anxieux, pour une tonne de raisons, certaines, même, insoupçonnées. Avant de s'engouffrer dans la morne pièce, il griffonna un mot sur une vieille facture qu'il trouva dans son portefeuille et le remit à une secrétaire qui venait en sens inverse. À la réception, le jeune policier lut la courte missive, arracha une page de son bloc-notes et y écrivit sa réponse. Il la fit acheminer à Henrik dans les minutes qui suivirent.

Cher sergent,

Oui, je me suis présenté à l'adresse de notre scooter boy *pour lui souhaiter la bienvenue dans notre pittoresque village.*

Non, je n'ai pas encore sa photo. J'ai pas eu une minute à moi. Fafard m'a tenu occupé sans bon sens.

De quoi il a l'air ?

D'un gars !!

Environ six pieds. Cheveux noirs. Plus d'épaules que toi. Moins de pecs que moi.

C'est signé : ta recrue préférée.

P.S. : Surveille ta job, je la veux d'ici quelques années.

Henrik dut reconnaître que son subordonné avait un sens de l'humour appréciable. Néanmoins, le demi-sourire qu'il arborait se voulait, justement, teinté d'amertume. Pourquoi ? Parce que les renseignements fournis par la recrue ne faisaient qu'épaissir le brouillard. Il devrait donc se rendre lui-même à l'adresse du nouveau résident de Cap-à-Nipi. Après sa réunion avec le grand patron. Après son briefing avec sa petite unité spéciale. Sans oublier sa séance impromptue chez la psychologue. Il avait tout de même subi une agression armée. Il y avait de quoi discuter, pendant un bon quart d'heure au moins, afin d'éviter que les souvenirs ne se fossilisent. Aussi bien converser un brin et passer ensuite à autre chose.

— Notre situation prend des proportions que j'aime pas du tout ! ragea le lieutenant, une veine saillant sur sa gorge.

Hansen, simplifie ma vie, veux-tu ? Dis-moi que t'as couché avec une femme mariée.

— Non, pas encore, répondit-il. C'est une recommandation ?

Fafard grommela derrière sa moustache bien taillée.

— Ça aurait expliqué tes points de suture. Un mari jaloux qui se venge. On l'embarque. C'est terminé. Mais non ! On a affaire à un crotté qui ressent aucune gêne, aucun remord à blesser intentionnellement un de mes sergents.

— Donne-moi quarante-huit heures pour le trouver, dit Henrik. Je m'en occupe. Tu vois ? Déjà un stress de réglé.

— Y'en est pas question ! C'est trop personnel. Voir si je vais te laisser courir après ton agresseur.

Le patron délégua l'investigation à une policière qui revenait d'un congé de maternité. Puis il se rendit au tableau blanc où il aimanta les portraits de la tenancière de la taverne Chez Toutoune, de l'adjointe du directeur de la Caisse populaire et du septuagénaire poignardé.

— La filature a débuté. Vous pouvez capter les indications de notre agent sur les ondes radio. Pour ce qui est des chars munis de balises de ces deux femmes-là, vous pourrez suivre leurs trajets sur vos ordinateurs. Hansen, tu pensais demander une caméra extérieure pour surveiller la boutique Vahiné ? Bonne idée. Si ça fait ton affaire, on va la poser aujourd'hui sur la maison de notre victime. Ça va nous donner son point de vue. Voulais-tu poursuivre à partir d'ici ou je laisse ça aux jumeaux ?

La mémoire d'Henrik lui envoya un flash photographique. L'image était celle de l'agent du SPVM, immobile dans la clairière, assistant à l'attaque sans oser sauter dans la mêlée. Le sentiment de frustration grandit en lui.

— Je vais continuer, affirma-t-il en s'appuyant sur les accoudoirs de sa chaise pour se relever.

Un policier le siffla après avoir fait une remarque caustique au sujet de l'œdème qui déformait ses lèvres. Il faisait allusion à une actrice américaine réputée pour sa moue pulpeuse. Ils s'offrirent tous quelques secondes de rire en groupe. Cela contribua à détendre l'atmosphère, chargée de tension. Ils étaient tous affectés par cet assaut barbare. Ils auraient du mal à ne pas appliquer la loi du talion dans l'exercice de leurs fonctions. Henrik décida d'enchaîner. Il s'adressa à son supérieur plutôt qu'à ses semblables.

— Derek Miller, qui l'a choisi déjà? Selon quels critères?

— Ah, c'est pas vrai! s'emporta Fafard en faisant claquer des dossiers sur la table. On a les deux pieds enfoncés dans la merde pis tu veux revenir à des questions de politique d'embauche? J'ai mon voyage!

Henrik ne recula pas. Il choisit de braver la tempête.

— J'ai le droit de soulever la question. La Pieuvre, c'est une affaire féminine. Pourquoi notre si précieuse filature est pas menée par une femme, justement?

— Rendu au point où on est, quelle différence ça ferait? demanda Denis Dupuis.

— Ça manque de crédibilité pis de logique en sacrifice, si tu veux mon avis!

Fafard fit le tour de la table et se plaça entre les deux hommes qui venaient tout juste de s'exprimer. Il appuya une main sur l'épaule à sa droite et une autre sur celle à sa gauche.

— Au lieu de revenir en arrière, est-ce qu'on pourrait focuser sur le bordel présent?

Denis se résigna, mais Henrik ne démordit pas. Il se redressa derechef pour dominer la petite assistance devant lui. Sa figure meurtrie commandait, à elle seule, toute l'attention.

— Si je vous disais que notre agent *undercover* m'a regardé me faire battre sans bouger d'un crisse de millimètre?

Un lourd silence, digne d'un columbarium, pesa sur la salle de réunion. Les jumeaux avaient cessé de siroter leur canette de cola, le téléphone avait arrêté de sonner et Fafard avait les traits encore plus crispés.

— Je vais m'arranger pour obtenir des explications, dit-il avec sévérité. Sandra, désolé de te voler le dossier que je viens de te donner, mais tu comprendras que j'ai intérêt à m'en charger personnellement. Hansen, tu viendras me voir après pour que je prenne ta déposition. Concernant La Pieuvre, as-tu autre chose à ajouter ?

— Les jumeaux ont rencontré leurs sources. Y'a un autre arrivage de drogue sur la Côte. Ils vont remonter tranquillement le courant pour arriver au gros poisson. Procédure habituelle. De mon côté, je prends quelques jours pour surveiller le Vahiné. Je veux aussi demander un mandat pour obtenir la liste de tous les nouveaux comptes ouverts depuis les six derniers mois à la Caisse populaire. On va se concentrer sur les grosses transactions. En même temps, ça va nous permettre de voir si l'adjointe du directeur se met à s'énerver.

Fafard était fier. Il venait de retrouver son sergent. Le petit coup de fouet qu'il lui avait asséné l'avait sans doute réveillé, à moins que ce ne soit les solides taloches reçues la veille ? Il préférait, de loin, la première supposition, mais saurait profiter de son meilleur joueur, peu importe la raison de son retour au jeu.

— On devrait recevoir le rapport d'autopsie du vieux Malouin d'ici la fin de l'après-midi. Hansen, tu demanderas aux gars des homicides leur avis sur l'arme du crime. Ça va te diriger dans tes recherches. Je continue à croire que c'est relié aux filles. Ah, pis avant que j'oublie, je vous donne congé dès 15 heures. Certains d'entre vous ont des jeunes enfants. Ça vous laissera le temps de les maquiller. Les patrouilleurs en service vont circuler toute la soirée.

Les maquiller ? Un congé ? Quelle était la raison de ce merveilleux cadeau, deux mois avant la naissance du petit Jésus ? Mais oui, l'Halloween. Henrik l'avait encore oubliée. C'était l'avantage d'habiter un bled montagnard. Trouvez une grande ville, quelque part dans le monde, où le lieutenant libère son personnel plus tôt pour que les enfants soient costumés à temps ! Fafard était un être paradoxal. Il exigeait des résultats probants – et il les exigeait pour

« hier » –, tout en s'assouplissant à l'occasion pour accorder des faveurs somme toute assez banales. Henrik n'avait pas d'enfants à transformer en personnage de Star Wars ou en princesse rose bonbon, mais il ne cracherait pas sur ce congé payé, si bref fût-il. Son plan pour la soirée, en quatre étapes faciles : s'enduire de crème analgésique, se bourrer de comprimés anti-inflammatoires, s'échouer sur son fauteuil et ne faire qu'un avec la télécommande du téléviseur.

— Je sais pas pour toi, mon homme, mais moi j'en ai rien à foutre de l'Halloween, dit Denis en rattrapant Henrik dans le corridor. Il me semble que je me sentirais plus utile si je courais après ton salopard.

Henrik lui tapota le dos en signe de remerciement. Bien que la maxime « œil pour œil, dent pour dent » leur ait furtivement traversé l'esprit, tous deux savaient qu'il y avait mieux à faire. Henrik reprit donc son rôle de chef et somma les jumeaux d'aller magasiner chez Vahiné. Ils devaient faire sentir leur présence.

— Vous rapporterez quelque chose à épingler sur le babillard. On va se faire un joli mur de trophées de chasse.

— Compte sur moi, dit Denis, réjoui. On va enfin remettre un peu de fun dans la place !

Personne ne réagit à sa soudaine déclaration. Les mêmes toussotements, bruits électroniques et claquements de souliers continuèrent à s'entremêler comme à l'accoutumée. Henrik vint pour taper à nouveau le dos de son ami quand une pensée l'arrêta net.

— Ça me revient ! dit-il avec empressement. Je savais que j'avais déjà vu cette fille-là quelque part. J'arrivais pas à mettre le doigt dessus.

— De quoi tu parles ?

— La cousine de mon infirmière.

— Une infirmière ? répéta Denis plus suavement.

— Longue histoire. Je te raconterai ça une autre fois. Quand tu te rendras à la boutique, reste à l'affût d'une certaine Mélodie. Je l'ai déjà aperçue au club de tir.

— Une vendeuse de froufrous qui sait dégainer, wow !

— Pas wow, Denis. Suspect. Prends ça au sérieux, s'il te plaît.

Le policier se frappa les talons, tel un soldat bien entraîné. Il ramassa ses effets et quitta le poste pour accomplir le boulot demandé. Henrik prit place à son bureau pour contacter la « sympathique » procureure de la Couronne jumelée à son unité. Ensemble, ils rédigèrent la paperasse nécessaire à l'obtention d'un mandat pour scruter à la loupe les ouvertures de comptes de la Caisse populaire. Rigoureusement guidé par l'avocate, il fut capable d'achever le document en solo. En frappant les touches de son clavier, Henrik réalisa qu'il avait même les jointures endolories. Toute une raclée qu'il avait reçue. Mécontent, il ferma sa session à l'ordinateur et attrapa ses clés. Il roula dans le village pendant un bon bout de temps. Après avoir revu en boucle les mêmes coins de rue, bancs de parcs et cabanons, il se résolut à faire une halte chez Marie Mongeau, sa psychologue.

— Henrik! s'exclama-t-elle en indiquant ses blessures. J'espère que c'est pas à cause d'un crash amoureux?

— Jamais! Le jour où je vais me faire tabasser par une femme…

— Franchement, y'a plus rien qui m'étonne avec toi. Tu devrais jamais dire jamais.

Il soupira tout en se grattant la nuque. Elle l'invita à entrer. Ils descendirent l'escalier recouvert de moquette crème. La psychologue alluma les différentes lampes. Henrik se dirigea vers son siège habituel, un fauteuil une place, bien rembourré et en forme de soucoupe. Kitsch mais rassurant.

— Qu'est-ce qui t'amène? Sans rendez-vous, je tiens à préciser.

— Je me reconnais plus.

— Pourquoi? C'est toi qui as provoqué ça? dit-elle en désignant de nouveau ses ecchymoses.

— Non, au contraire. Je suis pas plus agressif, je suis moins agressif.

Alors qu'il s'apprêtait à lui livrer son témoignage, un rictus déforma son visage : sa douleur était palpable. Il gigota sur son siège afin de contrer les pincements musculaires. La spécialiste lui offrit un coussin à glisser dans son dos, qu'il refusa d'emblée. Elle le força toutefois à l'accepter.

— C'est ça ou tu restes barré. Crois-moi, tu veux pas être ici quand mes ados vont commencer leur party costumé.

Avant de poursuivre, Henrik ouvrit un flacon et avala deux cachets. Puis il fit posément craquer son cou. La femme eut un frisson. Elle ne s'habituerait jamais au son d'une articulation qui craque. Henrik lui demanda si elle était prête. Ébahie, elle lui retourna l'interrogation, de plus en plus fascinée par les méandres de la psyché de son patient.

— Je voudrais pas te décevoir, mais depuis que je suis en thérapie, je ramollis. Si je m'étais fait planter par un imbécile y'a un an, j'aurais déjà été en train de lui défoncer le crâne. Façon de parler. Je sais pas si c'est pour moi, d'être calme et heureux. Je me demande même si le fait d'être posé, réfléchi pis d'être en paix avec moi-même est pas nuisible pour ma job.

La spécialiste posa son carnet et rapprocha son siège du sien. Elle entra ainsi dans son espace intime, perçant sa bulle. Elle adopta une posture plus masculine : jambes écartées, coudes sur les genoux, dos voûté, doigts joints en pyramide. Tout était intentionnel.

— Si je te disais que tes parents sont réapparus, que je les ai au bout du fil, ça te ferait quoi ? S'il fallait que tu plonges pour repêcher un corps et que la noyée soit la seule fille que tu prétends avoir aimée, tu te sentirais comment ?

Henrik sentit son front devenir chaud. Il transpirait. Ses gestes étaient plus nerveux. Un haut-le-cœur le guettait. Les changements physiologiques étaient apparents et irrépressibles.

— T'as pas fait la paix avec tes problèmes, Henrik. T'es pas calme à l'intérieur. Je me réjouis d'une chose, par contre. Tu te qualifies de réfléchi et c'est rassurant de savoir qu'un policier est réfléchi. Le contraire ferait peur. Je voudrais surtout pas contribuer à ça.

Avec subtilité, elle recula son siège et se croisa les jambes. Elle retrouva ses airs féminins apaisants. Henrik était tout aussi troublé par les constatations de la professionnelle que par ses propres pensées secrètes qui tournaient autour de la noyée imaginaire. Il était sans voix.

— Ce qui t'enlève ton mordant, ton intensité, ta rage de vivre, appelle ça comme tu voudras, c'est pas la thérapie comme telle mais la raison qui t'a amené en thérapie. Faut faire bien attention de ne pas mélanger les symptômes avec le mal-être qui est à l'origine des symptômes. On va s'imaginer que t'es au Moyen-Âge, en plein champ de bataille. Tu me suis ? Ça sert à rien de t'acharner à tuer le cheval de ton rival. Même sans sa monture, le chevalier peut te transpercer de son épée.

Une sorte de lumière irradia du visage de son patient.

— Je pige la symbolique. Le cheval représente mes malaises ; le chevalier, mon syndrome.

— Absolument. Maintenant, regarde comment agit la thérapie. Elle ne te ramollit pas toi, elle t'aide à mater le cheval pour qu'il ralentisse le pas.

— Pour que j'atteigne mon rival en plein cœur, plus facilement.

— Exact.

Elle lui expliqua que dans son cas, il s'agissait d'une longue accumulation d'événements épuisants, stressants, déstabilisants. Heureusement, il réagissait bien, ce qui était de bon augure.

— T'es plus réceptif que tu le crois, Henrik. Ce qui me fait dire qu'on serait prêts à essayer la désensibilisation. As-tu pris le temps de lire les conclusions de l'étude scientifique que je t'ai donnée hier ?

Henrik hocha négativement la tête, comme au ralenti. Comment pouvait-il pratiquer la désensibilisation alors qu'il était déjà désensibilisé et que cela constituait sans doute son défaut tragique ? Il en était bouche bée. La psychologue se dirigea vers sa bibliothèque remplie d'ouvrages, de périodiques et de photos de voyages familiaux. Elle en revint avec un manuel récent qu'elle ouvrit à la page marquée d'un signet. Manifestement, elle en était à ses premières expérimentations avec cette méthode thérapeutique. Elle se positionna face à Henrik, à une trentaine de centimètres à peine.

— C'est en coupant la tête qu'on fait mourir la queue. Parlant de ta bête noire, bien entendu, sourit-elle en élevant une main.

— On fait dans la thématique animale, aujourd'hui.

Elle étouffa un rire. Appliquée, elle renchérit :

— Les rêves et les cauchemars les plus marquants se déroulent principalement pendant la phase du sommeil où les yeux bougent rapidement sous les paupières. Si tu t'étais donné la peine de lire les constats de la fameuse étude, tu aurais compris que l'idée derrière la désensibilisation est de recréer le mouvement rapide des yeux pendant que la personne – en l'occurrence, toi – se remémore des événements dramatiques.

Pause silencieuse. Henrik y croyait à moitié, comme il croyait difficilement à une panoplie d'autres méthodes de guérison. Mais il était prêt à essayer à peu près n'importe quoi avant les traîtres bonbons pharmaceutiques. C'est ainsi qu'ils se lancèrent dans leur toute première expérience de désensibilisation. Tout en agitant les doigts de gauche à droite, à la façon du pendule d'une horloge souffrant d'un excès de caféine, la psychologue lui fit raconter en détail les réminiscences affligeantes de sa vie d'homme et de policier. Henrik s'efforçait de suivre ses doigts, sans loucher, tout en déterrant quelques squelettes. Même s'il s'entendait parler, son débit était si rapide qu'il se sentait en dehors de son corps. Tout cela était très saugrenu. Il racontait des choses qui auraient choqué n'importe quelle personne ordinaire. Or, il le faisait sur un ton monotone et expéditif qui n'était pas sans rappeler celui des interprètes d'un discours présidentiel d'un pays étranger retransmis à la télévision. Les mots s'alignaient, mais dénués d'émotion. Quand Marie Mongeau s'arrêta pour prendre une pause, elle recueillit ses premières impressions.

— On dirait que je viens de lire ma liste d'épicerie, avoua-t-il, hébété.

— Tu viens pourtant de me parler de bébés noyés dans des cours d'eau… Tu vois, tu parviens à dissocier les faits des émotions. C'est excellent, ça. On continue avec cette méthode-là, mercredi prochain?

Il hocha la tête, grogna en raison d'une raideur douloureuse à la nuque et laissa la psychologue à son prochain patient. Une fois à l'extérieur, il constata avec regret que sa saison de cross-country prendrait bientôt fin. Un mince tapis de neige blanche recouvrait le sol. Il ouvrit son téléphone portable afin de planifier un rendez-vous avec son garagiste pour un changement de pneus. Il vit alors qu'un appel manquant venait d'être enregistré. Il avait bien mis l'appareil en mode vibration, mais n'avait rien ressenti contre sa cuisse pendant la séance de désensibilisation. Il vérifia qui l'avait appelé. C'était son confrère, au département des homicides. Plutôt que de le rappeler, il décida d'aller le voir en personne. Plus rapide. La circulation était toujours fluide au Cap. Les seuls embouteillages étaient causés par les passants qui vous reconnaissaient et vous saluaient, ou même vous arrêtaient pour des puérilités.

— Je t'annonce que c'était pas un couteau de cuisine, dit l'enquêteur. Le rapport du coroner indique que c'était une lame courte, maximum huit centimètres, assez épaisse, rouillée.

— Un canif? dit Henrik.

— Bingo.

Henrik s'assit sur le coin du bureau.

— C'est soit un jeune, soit quelqu'un qui connaissait le bonhomme.

Henrik lui vola un bonbon choco-menthe qui traînait parmi les dossiers, stylos, enregistreuse et verre d'eau qui encombraient son bureau. Il le déballa, le goûta un instant, puis reprit la parole.

— Si t'es le moindrement intelligent, tu prépares ton meurtre en apportant autre chose qu'un canif de louveteau. Rouillé par-dessus le marché. Ostie, quand tu prévois trancher la gorge de quelqu'un, tu choisis une arme plus fiable. Tu prends la peine de l'aiguiser, non?

— Sauf si tu connais la personne pis que tu te rends là sans aucune intention de la tuer. Une chicane éclate. Tu perds les pédales. Tu sors ton p'tit couteau de poche. Schling! *Finito el hombre.*

Henrik croqua son bonbon.

— Viens-tu de me parler en espagnol?

Le rouquin lui retourna un sourire moqueur.

— Est-ce qu'on est dans la série *Dexter* pis je suis le seul à pas être au courant? fit Henrik en étirant le cou comme s'il cherchait le réalisateur.

— Justement, si on parlait d'éclaboussures de sang? Y'en avait très peu, comme t'as pu le constater toi-même. Toutes les projections étaient dans la direction normale du coup fatal porté à la gorge. Rien n'avait été déplacé dans la cuisine. Plus j'y pense, plus j'ai envie d'écarter l'hypothèse d'une dispute musclée.

— Donc, y'a pas eu de chaude lutte. On pencherait vers l'hypothèse du jeune homme?

— Jeune, oui, mais pas un p'tit voyou drogué ou nerveux. C'était quand même pas bâclé son affaire.

— Ça nous ramène au gars du post-it?

L'enquêteur lui fit un signe d'assentiment.

— Eh merde! se plaignit Henrik. Fafard avait raison. Mes brassières sont derrière ça.

Son collègue plissa le front, interloqué. Il ne le suivait plus. Il lui quêta une ou deux précisions. Henrik lui dit d'ignorer son commentaire, le remercia de sa collaboration et arpenta les couloirs du poste. Il inspecta chaque salle commune afin de trouver son patron. Ce dernier n'était nulle part en vue. Henrik fit le tour des employés qui mangeaient leur lunch dans la salle de repos. Le lieutenant s'était évaporé. Personne ne s'en plaignait vraiment. Henrik observa le policier lové dans un moelleux La-Z-Boy, les trois autres disputant une partie de cartes, tandis que la secrétaire réchauffait une appétissante lasagne au four à micro-ondes. Un répit dûment gagné. Henrik se résigna. Il se commanda des sushis et les mangea devant les faits saillants du sport à la télé. Tout cela en attendant que le grand patron pointe le bout de son nez. Aussi bien profiter de ce dîner décontract', puisque la nuit de l'Halloween s'avérerait fort mouvementée…

SEPT

— C'est ce soir que ça se règle. Je vous le garantis! Je prends l'entière responsabilité pour le coup raté.

La chef de gang vida le fond de son cocktail à la vodka en une seule lampée. Elle offrit ensuite une troisième tournée à ses invitées. La taverne était exceptionnellement fermée au public pour la soirée. C'était une fête privée. Pour femmes de même allégeance criminelle seulement.

— En ce moment, on a deux problèmes. Il faut les éliminer, sinon c'est le début de la fin.

— On en a bien plus que deux, affirma alors Mélodie, vendeuse de lingerie et amatrice d'armes à feu. Les policiers commencent à flairer quelque chose. Ça sera pas long avant qu'ils nous collent deux ou trois crimes sur le dos.

— T'exagères! lança une congénère. Tu parles de la p'tite visite de courtoisie de cet après-midi?

La grande patronne cessa de mixer ses cocktails. Elle afficha un air grave. L'expression «visite de courtoisie» était loin de lui plaire. Elle se rapprocha de la femme qui venait de lever le voile sur ce fait, qui était tout sauf divers.

— Tu peux répéter?

— Deux flics sont venus magasiner.

— Magasiner? s'étonna la leader.

— Ils sont repartis avec des petites culottes de velours.

Quelques filles pouffèrent de rire.

— C'est pas drôle! aboya la chef. Est-ce qu'ils portaient l'uniforme?

— Non. C'était juste les jumeaux blonds. Faut pas trop s'en faire avec eux. Ils sont un peu abrutis.

— Abrutis ou pas, s'ils portaient pas l'uniforme, c'est qu'ils enquêtent, précisa-t-elle, furieuse. Comme si j'avais le temps pis l'énergie de me concentrer sur chaque policier de chaque village qu'on gère, maugréa-t-elle. Pour ce soir, on redouble de précautions. Pas de niaisage. Du travail impeccable. Impeccable! répéta-t-elle dans le but de fouetter ses troupes, tout autant qu'elle-même.

C'est alors que Mélodie fit signe à la grosse Toutoune de hausser le volume de la musique. Elle lui suggéra d'enchaîner avec ses parties de blackjack et autres divertissements animés, et surtout, bruyants. Elle se faufila jusqu'à la table de sa patronne afin de lui formuler une mise en garde.

— Moi, si j'étais toi, je me méfierais du nouveau *prospect* de ma cousine.

— Celle qui a soigné mon *bum*? dit la chef en faisant référence à sa tentative d'étranglement.

Mélodie hocha la tête, confirmant ses présomptions.

— J'ai l'impression que c'est un maudit bon policier. Le genre qui pourrait être ben fatigant.

— OK, je vais garder un œil attentif sur notre homme. C'est quoi, son nom?

— Henrik Hansen.

La leader changea d'attitude en un battement de cœur. Elle ne bougeait plus, n'émettait aucun son. Elle ne semblait même plus en mesure de réfléchir. C'est tout son être qui paraissait en suspens.

— Seriez-vous en train de jaser du sergent Hansen? demanda une brunette en s'immisçant dans la conversation. C'est avec lui que je couchais jusqu'à tout récemment. C'est vrai qu'il peut être, comment dire, fatigant, conclut-elle, narquoise.

Les filles sifflèrent. La chef, elle, restait figée telle une statue de pierre.

La brunante enveloppait le village. Les flancs sombres de la montagne étaient illuminés de mille et une lueurs dansantes. Il s'agissait bien sûr de citrouilles d'Halloween, petites et dodues, sculptées en incarnations de l'horreur ou du bonheur enfantin. Elles étaient jolies, ces lumières dans la nuit, sur le lit de neige encore intact. Malgré le froid, la soirée était à faire rêver les jeunes et les moins jeunes qui parcouraient les environs dans l'espoir de récolter le plus de bonbons possible. Astrid avait pris la peine de décorer pour l'Halloween. Elle se doutait bien que de futurs petits clients de sa garderie passeraient de porte en porte avec papa ou maman. Et puis de toute façon, elle adorait les fêtes et ne s'était jamais fait prier pour suspendre des guirlandes de lumières orangées, acheter des barres de chocolat à la tonne et revêtir le costume folklorique de sa contrée natale. Elle était adorable dans sa robe à corsage tressé rouge, blanc et bleu. Marc lui avait d'ailleurs glissé quelques remarques à ce sujet.

— T'es trop gentil de répondre à la porte avec moi toute la soirée.

— Qu'est-ce qu'un homme ferait pas pour se mériter les faveurs d'une princesse scandinave? susurra-t-il en lui enlaçant la taille.

Ding, dong.

— La princesse va perdre toute sa belle contenance si tu continues à la flatter comme ça.

Marc se rassit à la table et déballa un CD de rock progressif qu'il venait de s'acheter. De son côté, Astrid pigeait dans sa réserve de friandises et ouvrait grand la porte à un ourson, un pompier et un chat. Elle les gâta à souhait, échangea quelques mots gentils avec les parents puis referma la porte en s'assurant de mettre le loquet.

— Je pourrais peut-être éteindre l'éclairage extérieur pendant un certain temps...

— Ah oui? fit Marc en repoussant aussitôt son disque.

— Oh non, manque de bonbons! blagua Astrid.

— Bonne idée, dit-il en nouant ses bras autour d'elle. J'aime tes p'tits mensonges, en passant.

— L'Halloween est le moment de l'année pour faire des vilaines choses.

Astrid se hissa sur la table en ne le quittant pas des yeux. Elle saisit la boucle de sa ceinture. Il se jeta sur sa bouche rose. Elle se laissa embrasser goulûment tandis que, d'une main habile, il délaçait son corset.

— Donne-moi tes seins. J'en rêve depuis hier, murmura-t-il en fouillant son décolleté avec hâte.

Astrid frémit au seul son de sa voix assourdie. Tirant à son tour sur le ruban, elle lui offrit ce qu'il désirait tant. De ses lèvres tièdes, il la fit frissonner davantage. Elle s'agrippa à sa chevelure foncée et légèrement ondulée. Le désir était fort et partagé. C'est alors qu'on carillonna à la porte. Marc cessa de caresser la jeune femme. Il releva la tête. Astrid reprit son souffle. Le carillon retentit de nouveau. « Ouvre, la sœur, j'ai quelque chose à te demander », fit une voix éméchée par l'alcool. Dans un bond de surprise, Astrid s'écarta de Marc.

— C'est pas vrai ! bougonna ce dernier en remontant sa fermeture éclair. Ton frère ? Y'a une espèce de radar à phéromones ou quoi ?

Il laissa échapper un juron qu'il étouffa dans un mouvement de tête frustré. Astrid lui croqua une fesse à travers son jeans alors qu'il se penchait pour récupérer un de ses vêtements. Il sursauta et ne put faire autrement que de perdre sa rogne. Astrid peinait à ajuster son corset seule. Pressée, elle ordonna à Marc de tirer en vitesse sur les rubans, ce qu'il fit avec empressement. Elle se retrouva la cage thoracique compressée, telle une demoiselle de bordel français du début du siècle. Elle le soupçonnait d'avoir pris un malin plaisir à le faire. Enfin, Marc lui soutira un dernier baiser avant d'aller poireauter dans la salle de séjour. Il n'avait envie de parler ni à un policier, ni à un frère protecteur, ni à un homme soûl. Encore moins à un frère policier protecteur soûl.

— Beau déguisement, fit-elle en ouvrant sa demeure à Henrik. T'essaies de passer pour un clown de cirque à la chasse à l'orignal ? ajouta-t-elle en désignant sa figure couverte d'ecchymoses et son épaisse veste à carreaux. Une bouteille de bière dans ta poche… T'as pas peur que les enfants du village voient ça ? Agent de la paix un jour, agent de la paix toujours. Peux-tu vraiment te permettre d'avoir cette allure-là en public ?

Pensant la contenter, il engloutit le restant de sa bière et jeta la bouteille aux ordures. C'était nettement insuffisant. Astrid le recoiffa avec ses doigts, redressa son collet et boutonna les manchettes de sa veste de style coureur des bois. Il la remercia d'un sourire digne d'une photo scolaire d'école primaire.

— Bon, maintenant, dis-moi pourquoi tu me déranges.

— Accueillante.

— Ou encore, dis-moi la raison de ta beuverie.

— Trop de raisons, marmonna Henrik. Trop laides, trop compliquées à résumer. Je suis de bonne humeur, là. J'ai envie de rester comme ça.

— Un *happy drunk*. Comme c'est fabuleux.

Son air satisfait sonnait faux. Inquisitrice, elle regarda son frère s'asseoir à côté de l'évier. Il fit couler de l'eau froide dans le creux de ses mains et en but une gorgée. Astrid fut saisie par ce tableau.

— Il me semble que je te revois, à dix-sept ans.

— Manque juste le vieux t-shirt de Metallica.

— Disons que c'était pas ta période la plus glorieuse…

Il sourit avec nostalgie. Astrid poussa vers lui le plat de friandises. Il y pigea un carré de caramel. Elle déballa un sucre d'orge.

— Je voulais ton… ton avis, balbutia-t-il, la voix altérée par l'alcool. Est-ce que tu sais sur qui j'enquête en ce moment ?

— Des filles pas trop recommandables ?

— En plein ça. Le seul problème, c'est qu'elles sont à chaque coin de rue. On commence à découvrir des affaires qui vont jeter tout le monde à terre.

Dans la pièce voisine, Marc avait cessé de tourner les pages de son magazine. Il se mit à écouter plus attentivement.

— Tu voulais mon avis à propos de quoi, exactement? dit Astrid tout en se décidant à vider son lave-vaisselle.

— Depuis que t'as emménagé ici, as-tu eu des... des invitations à des événements spéciaux, à des rencontres de femmes?

Astrid rangeait les assiettes d'une main, tandis que de l'autre elle donnait à son frère les ustensiles de cuisine. Celui-ci les accumulait sur le comptoir au lieu de les ranger dans le tiroir. Elle le bouscula affectueusement pour qu'il s'active. Il se mit alors à classer cuillères, couteaux et fourchettes, mais avec une lenteur déconcertante.

— Tu bégayes, t'as zéro efficacité... t'as vraiment trop bu, mon cher.

— Tu t'es toujours plainte parce que je gardais mes enquêtes secrètes. Là, j'essaie de t'impliquer pis tu me tombes dessus. Une chance que t'es *cute*. Je sais pas comment les gars feraient pour te suivre. Tiens, si tu veux qu'on joue à se faire la morale, dis-moi donc ce qui se passe *vraiment* avec ton M. Juillet du calendrier de la construction!

Dans le séjour, Marc serrait les poings. Il se sentait déjà piqué par ce début d'affront. Il se leva et, à pas feutrés, se rapprocha du mur mitoyen.

— Tu sais très bien ce qui se passe. On a plus cinq ans. Dis-moi plutôt ce que tu soupçonnes, qu'on en finisse une fois pour toutes, lança Astrid, oubliant que Marc était en mesure de capter des bribes de cet échange houleux.

— Je pense qu'il vient de débarquer comme par enchantement, qu'on a presque aucun renseignement sur lui pis que ma maison a été saccagée pendant qu'il réparait ma fenêtre. Mais si tu crois que ses beaux cheveux de joueur de soccer dans le vent effacent tout ça...

Astrid recula, comme frappée par la foudre. Les propos d'Henrik l'avaient saisie, mais elle était surtout atterrée parce qu'elle venait de se rappeler que l'homme dont ils parlaient n'était qu'à quelques pas. Un désagréable mélange de malaise, d'inquiétude et de frustration naquit en elle. Son teint vira au pourpre. Elle referma ses doigts autour du bras de son frère et l'entraîna hors de la maison.

— Si tu dis «on a presque aucun renseignement sur lui», c'est que vous avez fait des recherches dans votre banque de données?

— Désolé. C'est un réflexe.

— Laisse-nous donc tranquilles! se fâcha-t-elle. Avant que je t'embarre carrément dehors, as-tu d'autres questions concernant ton enquête? T'as trois secondes. Je t'avertis, c'est mieux d'être pertinent.

Henrik regarda la route enneigée. Il mit en pratique la technique de respiration de Marie Mongeau. Moins à fleur de peau, il put s'adresser à sa sœur avec placidité.

— Je réalise que je t'ai attaquée sans aucune raison valable. C'est la bière pis la fatigue. Je te promets d'avoir plus d'allure après avoir dégrisé. Je vais te laisser tranquille, tu le mérites. Je suis attendu chez la coiffeuse, de toute manière.

— Le soir de l'Halloween?

— Pour ceux qui ont pas d'enfants, c'est un jeudi comme les autres.

— Chez la coiffeuse avec ton taux d'alcool dans le sang? Fais attention. Tu vas ressortir de là avec le sigle de la SQ rasé sur le côté de la tête!

— Je suis juste soûl, fille. Pas lobotomisé.

Astrid voulut résister à l'envie de rigoler, mais dut capituler. Elle l'aimait, ce frère. En dépit de tous ses travers.

— Pense à ce que je t'ai demandé, quand même, ajouta-t-il en s'éloignant. Je veux ton avis sur les nouvelles femmes qui t'abordent, les groupes qui se forment, tes soirées de sacoches.

— C'est tellement mon genre!

— Rentre, tu vas attraper le rhume avec ta p'tite robe danoise.

Il lui fit un clin d'œil avant d'entreprendre la montée de la grande côte d'un pas mollasson. Après avoir croisé une horde d'enfants costumés, Henrik se retrouva seul sur le chemin. Il put se plonger dans ses réflexions sans être dérangé. Il était vrai que la coiffeuse l'attendait. Cependant, il s'était fixé un autre rancart secret quelques minutes auparavant. Henrik était fier d'avoir établi un bon alibi. Où était-il à telle heure? Chez sa sœur. Elle pourrait le corroborer. Où se trouvait-il par la suite? Chez la coiffeuse. Son livre de rendez-vous le confirmerait. Il était impératif de passer incognito, car le rancart impliquait son agresseur. Malgré le code criminel et les mises en garde de son lieutenant, il irait de l'avant.

Deux heures plus tôt, Henrik avait été convoqué par Fafard dans un entrepôt désaffecté d'une agglomération située à une quarantaine de kilomètres de Cap-à-Nipi. Arrivé sur place, il avait été surpris de constater que Derek, l'agent du SPVM assigné à la filature, était présent aussi. L'homme avait enfin pu justifier son inaction lors de l'agression. D'abord, il connaissait l'assaillant. Et puis, il était en train d'infiltrer son milieu et de gagner son amitié. S'il s'était interposé pour protéger Henrik, sa couverture aurait été brûlée. Il avait juré à Henrik que c'était lui, le témoin anonyme qui avait appelé les ambulanciers. C'était la seule aide qu'il avait pu lui apporter. L'agent avait ensuite révélé à Fafard et à Hansen que l'agresseur, même s'il n'avait pas avoué le meurtre du vieillard, s'était toutefois vanté d'avoir soudainement «déniché» un canif ancien datant du début du siècle. L'enquêteur des homicides n'avait-il pas soulevé un doute quant à la présence de rouille dans la blessure? Seules les armes anciennes étaient faites de métal pouvant s'oxyder. L'enquêteur n'avait fait ni une ni deux et avait questionné le fils du défunt cet après-midi même. Il avait découvert qu'un couteau ancien s'était volatilisé (de même que Pompon, le cabot trop chouchouté), couteau que le vieil homme utilisait comme coupe-papier. C'était donc un détail aussi bête que la rouille qui reliait le vieillard au jeune homme et le jeune homme à Henrik. C'est pourquoi ce dernier s'était fabriqué un solide alibi: pour s'offrir une douce vengeance personnelle. Rien de fatal. Il voulait juste donner une vilaine frousse à son agresseur avant qu'il ne soit arrêté pour l'assassinat du septuagénaire et transféré à un centre de détention de Montréal.

Se faisant passer pour un ami d'un ami qui souhaitait se procurer des méthamphétamines pour la fin de semaine, Henrik avait réussi à obtenir une rencontre rapide, à l'ombre du belvédère, à la cime du village. Lorsqu'il s'y pointa, il fut heureux de constater qu'il n'aurait pas à patienter. Le jeune homme s'y trouvait déjà. Et, par pure chance, il se tenait de dos, un capuchon noir bien calé sur le front. Henrik n'amorça aucune conversation. Il lui encercla la gorge de son avant-bras et lui enfonça son poing à la base du dos. Le jeune homme fléchit les genoux. Henrik le retourna pour qu'il comprenne à quel adversaire il avait affaire. Le regard ébahi et le teint livide du bandit rassurèrent Henrik; il ne s'était pas trompé d'agresseur. Il le souleva de terre et l'étampa à un large tronc d'arbre. Le jeune homme expulsa tout l'air de ses poumons. Henrik lui administra un coup de genou coriace aux testicules et termina sa vendetta par un violent coup de poing sur la pommette, l'os le plus sensible de la joue. Le pantin s'effondra dans la neige, désarticulé.

— Bouge pas, t'es un peu sale là…

De son pouce, Henrik lui étala sur la joue l'épais filet de sang qui sinuait telle une couleuvre le long de son maxillaire. Il prit ensuite une immense bouffée d'air froid et reprit tranquillement sa route en direction du salon de coiffure. Il avait toujours mal aux jointures, mais cette fois, c'était pour une bonne cause. Sa fierté était rétablie. Lorsqu'il posa le postérieur sur la chaise en cuirette de sa coiffeuse, il expira de bonheur. La dame lui demanda de retirer sa veste à carreaux, ce qu'il fit en tentant d'avoir l'air le plus sobre possible. Avant de se munir de son peigne et de ses ciseaux, la coiffeuse se permit un commentaire:

— C'est pas jeune jeune, cette veste-là, hein? Regarde, la doublure est déchirée.

— Oui, j'ai remarqué. Elle perd du duvet. Mais j'arrive pas à m'en défaire. L'attachement sentimental est trop fort.

Tandis qu'il s'installait confortablement, elle l'analysa d'un œil furtif. Il empoigna un contenant de pâte coiffante et en lut l'étiquette. Puis il dévissa le pot et huma le produit. La dame lui mouilla la chevelure à l'aide d'un vaporisateur et se mit à l'œuvre. Pendant qu'elle lui coupait quelques mèches en dégradé, Henrik jeta un coup d'œil au décor : un fantôme dansant, une sorcière musicale, une main sectionnée tenant des cartes d'affaires. Il réalisa à quel point cette fête païenne ne lui disait rien qui vaille. La coiffeuse s'était même compliqué l'existence à essayer de suspendre esthétiquement des fils d'araignées synthétiques à tous les miroirs et les luminaires. Tout y était. Long soupir.

— Comment se porte le taux de crimes de Cap-à-Nipi ? demanda-t-elle en lui aspergeant davantage la chevelure.

— Légère hausse qui durera pas longtemps.

— C'est un bandit qui t'a arrangé le portrait ?

En raison de son euphorie passagère, Henrik avait oublié ses points de suture et ses quelques hématomes aux couleurs de l'arc-en-ciel. La coiffeuse venait de le ramener à la réalité en moins de deux.

— J'ai effectivement goûté à la médecine d'un jeune sans génie. Ce sont les risques du métier.

— Jeune comme mon garçon ou… ? dit-elle en cessant de jouer du ciseau.

— Non ! Jimmy a quoi ? Quinze ans, maintenant ? Mon agresseur était sûrement dans la vingtaine. Parlant de Jimmy, il va comment ?

— Sa fibrose s'est aggravée à cause du football à l'école. Mais il refuse de rater une seule pratique. Le *clapping* le matin est rendu très long. Jusqu'à une heure. Mais est-ce que je peux le priver de sa seule passion ?

Henrik hocha la tête avec compréhension. Afin de ne pas gâcher sa coupe, elle lui redressa la tête en appuyant sur ses tempes. À la suite de quoi elle glissa les doigts dans sa chevelure afin de comparer la longueur de ses mèches à gauche et à droite. Muette, la coiffeuse contempla ses mains un instant. Elle n'arrivait pas à croire que ces mêmes mains avaient contribué à tuer un homme, plus tôt dans la soirée. Si Henrik avait su… La vie avait été dure pour cette mère monoparentale, autrefois sur l'aide sociale. En s'acoquinant avec des membres de La Pieuvre, elle avait cru pouvoir s'en tenir à quelques petites escroqueries sporadiques. Pourtant, vu l'état de santé de son fils unique, elle avait eu du mal à refuser la prime de sept mille dollars qu'on lui avait offerte pour priver un inconnu de son droit à la vie. Elle tentait de chasser de sa conscience l'horreur de son geste en ne songeant qu'à cette nouvelle veste médicale qu'elle pourrait acheter à son fils et qui faisait le *clapping* d'elle-même et en un temps écourté.

— Toi, t'es dans la lune. Moi, je suis sur le point de ronfler. Ma sœur avait raison: ça risque de mal virer, cette coupe de cheveux-là, remarqua Henrik avec humour.

La coiffeuse sursauta. Elle s'excusa de son inattention et se remit aussitôt au boulot. Comment aurait fini ce rendez-vous si Henrik avait eu la faculté de lire dans les pensées? Quinze minutes plus tard, il sortait du salon de coiffure, satisfait des services reçus. Il déambula dans les rues, promenant son regard de maison en maison. Impossible de ne pas contempler les toits rouges, bleus, jaunes, verts, et ce, même si on y était accoutumé. C'était si unique, si particulier. Face à sa toiture mauve, qui le fit grommeler (c'était décidé, il en changerait la couleur avant le printemps), il accéléra le pas. Il avait hâte de se livrer aux douceurs du farniente dans la chaleur de sa demeure. Face à la galerie peu éclairée, il ralentit toutefois la cadence. Il fut surpris de constater qu'une visiteuse l'attendait sur les marches de bois. C'était Élodie, son infirmière attentionnée.

— Je suis venue cueillir des bonbons.

Henrik était subjugué par sa présence. Elle avait fait tout ce chemin, depuis le centre hospitalier du village d'à côté, simplement pour le voir? Il s'efforça de trouver une réplique à la hauteur ou, du moins, pleine de promptitude. Elle le méritait bien.

— J'ai pas de bonbons, mais j'ai du chocolat noir pour me racheter. Si tu veux entrer.

Sans l'ombre d'une hésitation, Élodie le suivit à l'intérieur. Elle peinait à contenir son enthousiasme devant ce début d'intimité. Ils passèrent le reste de la soirée ensemble, s'apprivoisant tranquillement. Passé minuit, ils s'endormirent dans le grand lit sur la mezzanine, après s'être découverts davantage. Henrik n'était pas déçu de partager ses oreillers avec la jeune femme. Il espérait seulement ne pas être en proie à des cauchemars et ainsi lui révéler ce côté de lui qui n'était pas toujours évident à comprendre, sinon à endurer. Contre toute attente, Henrik ne rêva pas. Ni mauvais rêves, ni songes heureux. Ce qui réveilla Élodie fut plutôt une sonnerie stridente à 3 heures du matin. Le côté d'Henrik qui lui fut ainsi révélé n'avait rien à voir avec son syndrome de stress post-traumatique, mais plutôt avec son occupation de flic à temps plein, prêt à tout pour son métier.

— Qui parle? marmonna-t-il tout en bâillant.

— C'est Denis. On vient de trouver deux corps. Viens voir ça. T'en reviendras pas.

Henrik raccrocha. L'adrénaline le réveilla totalement. Il s'allongea sur le lit pour mieux enfiler son pantalon. Une fois debout, il prit le premier chandail à portée de main et le passa en un seul mouvement. Il se pencha ensuite vers son infirmière de nouveau assoupie et chuchota son prénom. Elle sortit de son demi-sommeil et Henrik lui confia qu'il était appelé sur la scène d'un crime. Libre à elle de renouer avec Morphée dans son lit bien chaud. Élodie se rendit alors compte qu'elle était toujours nue et, par pudeur, se couvrit la poitrine à l'aide de la housse de couette avant de se rendormir aussitôt. Henrik s'éclipsa. Il se dépêcha de se rendre à l'adresse indiquée par son confrère, dans un secteur peu fortuné. Lorsque Henrik passa les rubans jaunes qui délimitaient la scène, il se sentit faiblir.

D'abord, ses deux heures de sommeil n'avaient pas suffi à le dégriser totalement de son abus de houblon. Ensuite, l'aspect des cadavres avait de quoi hébéter n'importe quel homme, qu'il soit détective ou non.

HUIT

Les corps étaient allongés, flanc contre flanc, à l'arrière d'un casse-croûte décrépit où s'entassaient friteuses défectueuses engluées et sacs poubelles malodorants. Impossible de voir le visage des cadavres puisque tous deux étaient affublés d'un masque en caoutchouc imitant les traits de Marilyn Monroe. En se fiant à leur position, on aurait pu croire à des fêtards intoxiqués. Seule la neige gorgée de sang rouge vif trahissait leur véritable condition. Une technicienne illuminait la scène du flash de son appareil photo, tandis qu'un de ses collègues glissait les potentielles pièces à conviction dans des sacs distincts : douilles de pistolet, porte-monnaie, fibres textiles étrangères, toute la camelote habituelle. Danny Dupuis, tout sourire malgré l'heure avancée et le mercure à la baisse, s'était muni de pinces et s'aventura à soulever les masques.

— Et le roi et la reine du grand bal costumé sont...

Leur teint de craie et leurs lèvres bleutées offrirent un contraste frappant avec la teinte écarlate de leur tombe naturelle. En surface, Henrik ne paraissait qu'interloqué. Mais au tréfonds de son âme, c'était la panique totale. Son cœur se débattait dans sa cage thoracique. Sa gorge était douloureuse tant elle était nouée. L'un des trépassés était le revendeur de drogue qu'il avait interrogé lors de son hospitalisation. Rien de si surprenant. L'autre cadavre, cependant, était celui du voyou à qui il venait d'administrer une raclée. Henrik toussota pour camoufler le sentiment de panique qui l'envahissait. Son ADN devait se trouver partout sur le jeune homme assassiné, en particulier sur son visage, avec cette trace de sang séché qu'Henrik avait étendue avec son doigt par bravade. Sans oublier sa propre hémoglobine qui s'était sûrement mélangée à celle du défunt lorsqu'il l'avait frappé à la mâchoire. La peau recouvrant les jointures d'Henrik s'était en effet fendillée sous l'impact.

— Sa mâchoire est tuméfiée, dit la technicienne. Quelqu'un lui a fait sa fête, pauvre gars.

Henrik était muet. Trois plumes de duvet s'étaient collées à la peau exsangue du cadavre. Difficile de ne pas repenser au commentaire de la coiffeuse concernant sa veste de chasse à la doublure endommagée. En dépit du froid, Henrik sentit une sueur brûlante lui couler le long du dos. Avec les preuves médico-légales et son mobile – se faire vengeance –, Henrik marchait tout droit vers un gouffre nommé condamnation. Tout comme les victimes couchées à ses pieds, Henrik Hansen était pétrifié.

— On ramasse tout avant que le vent se lève, dit Denis au technicien aux mille et un sacs. On va faire inspecter les masques au lab. Peut-être qu'on va trouver des empreintes ou des cheveux étrangers à l'intérieur.

— Certain, confirma Danny avec dédain. C'est toujours plein d'électricité statique ou d'humidité, ce caoutchouc-là. Ça attire les poils pis les saletés comme un aimant.

Henrik sentit sa panique grimper d'un cran. Il cherchait une issue. Désespérément. Il attrapa une paire de gants de latex dans la boîte du technicien, les enfila, empressé, pour ensuite s'agenouiller près du cadavre qui l'avait mis en transe. Il fit semblant d'analyser la tête avec minutie.

— Faut déplacer les corps. C'est déjà beau que leurs yeux aient pas été arrachés par des rapaces.

L'air grave, il retira les plumes de duvet et les jeta dans la neige.

— Qu'est-ce que je vous disais ? Des plumes. Nos deux corps vont bientôt se transformer en festin pour charognards.

Appelez la morgue, dit-il en inspectant les points d'impact du bout de l'index. Des tirs précis. Pas une fusillade de gangs, en tout cas. Moi, je vote pour un contrat.

— Penses-tu que c'est la même femme que celle qui a essayé d'étrangler notre Marilyn Monroe numéro un, au début de la semaine ? questionna Denis.

— Sûrement. Question d'orgueil.

— Ou par peur de se retrouver étendue dans la neige avant lui, proposa Danny.

D'une manière ou d'une autre, l'escouade avait maintenant trois meurtres sur les bras. Pas seulement des spéculations, des peut-être ou des qu'en-dira-t-on. Il s'agissait de crimes graves qui auraient assurément un impact sur l'ordre et la sécurité publics. Les membres de l'unité spéciale s'empresseraient de tout mettre en œuvre pour les relier à La Pieuvre… ou à Henrik Hansen, chef de cette même unité, si les gens au laboratoire médico-légal de Montréal identifiaient des particules sanguines lui appartenant. Horreur. Scandale. Et possible emprisonnement à perpétuité pour le sergent le plus estimé de la région. Sa vie et la vie d'Astrid seraient détruites. Henrik regarda les employés de la morgue embarquer les cadavres en transpirant nerveusement. Il n'avait pas tué ce jeune truand, mais devait maintenant prier le ciel pour que sa bouffée de testostérone pour venger sa fierté ne le pousse pas devant un juge et ses jurés. Il glissa une main tremblante dans ses cheveux. Il n'était plus sûr de rien.

Toutes les citrouilles, débarrassées de leurs bougies, attendaient piteusement le passage des éboueurs le long du chemin. Le mince tapis blanc recouvrant le gazon n'avait toujours pas fondu. Cette première bordée de neige resterait-elle au sol ? Force était d'admettre que oui, puisque le thermomètre ne semblait pas près de remonter au-dessus de zéro. Astrid fut confrontée au froid peu après son déjeuner. Marc avait passé la nuit à ses côtés, malgré les médisances de son frère aîné. Il avait préféré approfondir leurs rapprochements comme si de rien n'était. Il avait joué la comédie, feignant de n'avoir rien entendu des jérémiades d'Henrik.

— Un peu plus à gauche. Attention aux marches. Ha! Ha! Pas besoin de faire d'aussi grands pas!

Marc guidait une Astrid aux yeux bandés jusqu'au bas du perron. Celle-ci anticipait l'instant où il dénouerait le foulard. Avait-il déjà accompli l'ensemble des rénovations? Quasi impossible. Avait-il construit une verrière avec spa de luxe dans la nuit d'hier à aujourd'hui? Ah, si seulement! Astrid s'attendait à quelque chose d'assez banal. Attentionné, mais banal. Marc la dirigea vers le fond du terrain. Privée de sa vue, elle le suivait avec docilité. Il l'aida à enfiler ses gants.

— En tout cas, c'est pas Puerto Vallarta, dit-elle, frissonnante, en attachant son collet jusqu'au dernier bouton.

Il lui demanda de patienter une minute encore. Elle entendit la neige humide et compacte craquer sous les bottes de l'homme. Elle n'avait qu'à l'imaginer avec ses jeans un brin négligés et son épais manteau noir pour qu'un joli sourire de malice se dessine sur son visage de jeune femme entichée. Son expression changea cependant au bout de quelques minutes d'attente. Que fabriquait Marc? Il faisait froid. Le trépignement d'Astrid n'était pas que le fruit de son impatience. Il servait aussi à réchauffer son corps gelé. C'est alors qu'elle perçut un craquement de neige familier. L'homme était enfin de retour avec sa surprise.

— Es-tu prête? Je t'avertis, c'est pas grand-chose. Juste pour te dire merci pour la job, les biscuits, les tartes, sans compter les autres attentions sucrées qui se mangent sans fourchette, dit-il en lui croquant le cou.

Elle ricana. Marc la fit pivoter sur elle-même pour lui imposer un baiser. Elle se laissa tenter. Puis, d'un simple geste, il lui redonna la vue. La jeune femme aperçut son cadeau. Elle était sans voix.

— C'est un chariot à patins pour faire des promenades avec les p'tits de la garderie.

Astrid se pencha. Elle effleura la création réalisée des mains agiles de Marc. Admirative, elle ne pouvait détacher son regard de cet objet porteur de sens et d'émotion. Plutôt que de rester plantée là, à sentir les larmes de joie lui piquer les yeux et rouler ridiculement sur ses joues, elle sauta à bord du traîneau.

— Premier test de solidité, lança-t-elle en se croisant les bras derrière la nuque. Allez, mon cher charpentier, tirez. Tirez comme vous n'avez jamais tiré auparavant !

Marc raffola de l'idée. Sans crier gare, il attrapa la poignée de plastique et se mit à parcourir le terrain enneigé en y mettant toute son énergie. Il fit du slalom entre les sapins, s'esclaffant à la manière d'un conquérant lorsque Astrid poussait des cris aigus. Il n'y avait rien comme retomber en enfance. Pour Marc, cet élan de folle spontanéité était synonyme de pur bonheur.

Dans la salle d'attente au décor d'une « beigitude » à aggraver n'importe quelle dépression, Henrik faisait semblant de lire un magazine dépassé. Ses pensées revenaient toujours au jeune homme tué par balles dont le corps était sans doute recouvert de traces de son ADN. Henrik faisait face à la plus dévastatrice de toutes les bévues de sa carrière. Quel policier voulait être intimement lié à une affaire d'homicide ? Même s'il était acquitté, sa réputation serait entachée à jamais. Tous se diraient qu'il n'y a pas de fumée sans feu et le reste ne serait qu'une suite de frustrations nées de promotions qui lui seraient refusées ou qui seraient accordées à d'autres agents moins méritants. Henrik n'avait pas le choix de monter une accusation béton contre le jeune truand, et ce, même s'il séjournait déjà à la morgue. Et surtout, il devait le faire rapidement. Tout de suite après son rendez-vous médical, il étudierait chaque bande de surveillance vidéo du Vahiné et fouillerait à nouveau l'appartement du bandit dans l'espoir de retrouver le fameux canif ancien dérobé au septuagénaire poignardé. C'était un mal nécessaire.

— Monsieur Hansen ?

Henrik ne fut pas étonné de voir Élodie, vêtue de son uniforme d'infirmière, l'attendre avec son dossier bien serré contre la poitrine. Il offrit son magazine froissé à un autre patient et suivit la jeune femme dans un long couloir aux murs pastel sans fenêtres.

— Merci pour hier soir, dit-elle dans un murmure mielleux.

— Idem, chuchota-t-il à son tour.

Elle poussa une lourde porte à battants et reprit un volume de voix normal.

— Vous pouvez vous asseoir. Le Dr Trépanier sera à vous sous peu.

Professionnelle, elle retourna à ses autres patients, non sans lui caresser l'épaule en le contournant. L'allergologue fit ensuite son apparition. Henrik s'entretint avec lui pendant une dizaine de minutes. Après quoi, le spécialiste lui gratta l'intérieur des bras, à des espacements réguliers, avec une fine aiguille. Il déposa des gouttes d'allergènes et attendit qu'une réaction cutanée se manifeste. Une boursouflure importante se forma près du poignet gauche de son patient. L'allergologue se munit d'une règle à mesurer et nota un chiffre dans le dossier d'Henrik.

— C'est une allergie très grave. Je pense que je ne vous apprends rien.

— Une allergie à quoi ?

— Aux crevettes, mon cher. Va falloir vous habituer à traîner votre auto-injecteur partout où vous allez.

— Merde. Je suis policier. Ça risque d'être compliqué.

— C'est soit compliqué, soit létal. Je comprends votre situation, mais il va vous falloir trouver des trucs. Laissez un EpiPen au poste, un à la maison et peut-être un dans un étui accroché à votre ceinture quand vous faites du «travail de terrain»? Mais jamais dans la voiture, parce que les variations de température altèrent l'efficacité du produit.

Un casse-tête additionnel. Henrik en était enchanté. Il remercia le docteur pour son approche courtoise, sauta dans sa jeep et s'engagea sur l'autoroute longiligne qui débouchait sur le Cap. Plutôt que de filer droit à la centrale, il fit une halte à la pharmacie pour se procurer un deuxième auto-injecteur. Il lui sembla que plusieurs femmes le dévisageaient, dans la file, au comptoir des prescriptions. Il se demanda si c'était à cause de sa profession, de ses points de suture ou de son physique agréable. Une fois assis dans son véhicule, face au rétroviseur, il pencha en faveur de la deuxième option. Sur ce, il embraya afin de traverser l'intersection, passer le petit pont et, enfin, parcourir le dernier droit vers le poste de la Sûreté du Québec.

— Sergent! fit la recrue en se levant de son siège, derrière la paroi vitrée de la réception. C'est l'adresse de notre agresseur en scooter. Si tu la veux toujours.

Il glissa à Henrik un bout de papier par le trou prévu à cet effet. Celui-ci avança la main, mais stoppa son geste avant de retirer son bras. Ses réticences étaient apparentes.

— J'ai promis à ma sœur de laisser tomber.

— Ahhhhh, ta sœur…

— Pense même pas à faire un commentaire.

Henrik refusa la note manuscrite, préférant se rendre à son bureau. Il y consulta les messages de sa boîte vocale, se mit à jour dans sa paperasse et prit connaissance du contenu d'une enveloppe scellée, sans expéditeur. En parcourant le document, il comprit qu'il provenait de l'agent à la filature. C'était un extrait du livre *Good Girls Gone Bad* de la journaliste Susan Nadler. Cet ouvrage regroupait des entretiens avec des criminelles américaines purgeant une peine d'emprisonnement. Un passage surligné à l'aide d'un marqueur vert fluorescent attira son attention.

Les femmes se tournent vers la criminalité pour:

Défier une image: Les gens les perçoivent d'une certaine façon et elles veulent agir outrageusement pour prouver qu'elles ne correspondent pas à cette image.

Se révolter: Une suite d'événements les poussent à la limite et elles éclatent.

Être marginales: Elles se criminalisent pour être cool, hors-norme ou encore pour créer une coupure avec le style de vie de leur famille. (Une note en bas de page précisait que Nadler s'était entretenue avec une femme nommée Rosa, issue d'un milieu favorisé, qui à l'âge de vingt-quatre ans avait déjà cinq cents vols à son actif, trois hommes travaillant à son compte et des revenus de plus de deux cent mille dollars par année.)

Entretenir leur accoutumance: 90% des femmes en prison ont des problèmes de toxicomanie.

Copier un modèle: Particulièrement dans les gangs, les filles qui éprouvent du respect envers d'autres membres qui commettent des crimes ont tendance à vouloir les imiter.

Préserver l'intérêt ou l'affection de quelqu'un: Plusieurs femmes deviennent des partenaires dans le crime d'hommes avec qui elles sont liées affectivement et se voient contraintes de poursuivre leurs activités illicites pour maintenir la relation.

Entretenir une obsession: Certaines filles font une fixation sur le fait de transgresser les lois.

Henrik était fasciné. Il relut le passage et inscrivit quelques notes en marge des points «Entretenir leur accoutumance» et «Préserver l'intérêt ou l'affection de quelqu'un». Il convoqua ensuite les jumeaux Dupuis, qui – ô surprise! – arrivèrent dans son bureau avec à la main des bouteilles de boisson gazeuse et un sac de brownies triple chocolat. Henrik roula des yeux.

— Quand vous pissez, est-ce que ça ressemble à du sirop de table?

— Oui, sergent, ronchonna Denis. Merci de nous déranger pour ça.

— Je vous dérange parce que nos deux cadavres étaient des *pushers*, répliqua-t-il. Je veux que vous fassiez la tournée des consommatrices régulières. Allez aussi questionner nos crottés pour découvrir si les victimes avaient des blondes. Y'a de quoi qui a mal tourné. On a deux filles frustrées à cibler. Ou cocues ! Pendant ce temps-là, moi, je vais me payer un peu de cinéma maison.

Les jumeaux partirent chacun de leur côté. Henrik alluma son ordinateur, ainsi que le logiciel lui permettant de revoir les enregistrements de la caméra de surveillance pointée sur la boutique Vahiné. Après trois heures de vidéo en accéléré, quelle ne fut pas sa surprise lorsqu'il vit à l'écran sa petite sœur pénétrant dans la boutique pour en ressortir avec un sac bien garni ! Il n'aimait pas l'imaginer en train de parader lubriquement avec ses trouvailles devant son homme à tout faire… Il dut faire des efforts afin de changer d'humeur. Il mâchouilla son crayon de plomb, du moins la partie qui n'avait pas encore d'empreintes de dents. Au bout d'une autre heure de visionnement rapide, Henrik retrouva son expression d'enquêteur austère. Il recula la bande et la redémarra en vitesse normale. C'était une scène de nuit qui mettait en vedette le jeune bandit. Il portait à l'épaule une large poche de nylon noir. La date de l'enregistrement : le lendemain de l'assassinat du septuagénaire.

— Un sac de sport à 1 heure du matin, en sortant d'une boutique fermée ? se dit Henrik, incrédule.

Si seulement il pouvait retrouver ce sac, bien des choses s'éclairciraient. C'était la conviction qui l'habitait, du moins. Le comble du comble serait toutefois de mettre la main sur le canif rouillé. Henrik éteignit son ordinateur et alla faire un rapport à son lieutenant. Il reprit ensuite la route, sans savoir qu'une femme s'était mise à l'épier. Elle le suivrait désormais dans ses moindres déplacements.

La brunante était installée sur le Cap, ses pics et ses monts. Son lac luisait comme une fine nappe d'huile. La soirée commençait de belle façon. Marc et Astrid partageaient une bonne bouteille de Bordeaux. Les flammes orangées dansaient dans l'âtre. Les bûches crépitaient. Une mélodie suave en provenance de la chaîne stéréo complétait l'ambiance.

— Viens me voir un peu.

L'homme était assis sur le tapis, les jambes allongées vers la cheminée, le dos confortablement appuyé contre la causeuse. Astrid se montra heureuse d'acquiescer à sa demande. Marc l'accueillit à bras ouverts, l'assoyant sur ses cuisses pour favoriser les rapprochements.

— Il faut que je parte.

— Déjà? T'as même pas fini ton verre.

— Non, pas maintenant. Je pars demain. Pour cinq jours, au moins.

Astrid fit la moue.

— Je m'en vais à Québec pour passer des entrevues.

— Ah…

La capitale nationale était à quatre heures de route. Ces perspectives d'emploi n'annonçaient rien de bénéfique pour leur relation embryonnaire. Astrid se contenta de lui effleurer la joue et de lui adresser un mince sourire. Il se rendit compte de sa retenue.

— Est-ce que ça aiderait si je te disais que je vais m'ennuyer? s'enquit-il en la caressant avec tendresse. Je suis déjà attaché à toi.

Astrid n'en demandait pas tant, mais de le savoir, son cœur valsait de joie.

— Dans ce cas-là, je te souhaite égoïstement de rater toutes tes entrevues pour revenir au plus vite.

— Méchante, sourit-il.

Ils s'enlacèrent sur l'épais tapis tout en pouffant de rire. Astrid avait l'impression d'être entichée et Marc ne faisait rien pour qu'elle se sente autrement. Ils flottaient tous deux sur un nuage, un nuage délicieusement douillet, isolé dans un petit coin du firmament.

Au même instant, Henrik se trouvait lui aussi allongé sur une moquette. Seulement, celle-ci était infecte, moisie par endroits, et couverte de poils de chiens. Il venait de s'introduire dans l'appartement du vendeur de drogue qu'il avait tabassé et qui reposait maintenant dans un tiroir à la morgue.

— Attelle-toi, mon homme, ça risque d'être long, maugréa-t-il pour lui-même en regardant sous les vieux divans troués par les brûlures de cigarettes.

Il prit une inspiration et osa relever chaque coussin repoussant. Il n'y découvrit rien que les techniciens n'avaient déjà vu lors de leur premier tour de piste : des miettes, des sous noirs, un mouchoir usagé et une laisse brodée du nom de Pompon. Le truand avait donc volé le carlin de sa victime ? Henrik accrocha la laisse à sa ceinture et poursuivit sa charmante visite. Il passa à la minuscule salle de bain, qui n'était pas davantage un modèle de propreté. Il retira le couvercle de céramique du réservoir de la toilette. Il n'y vit que le mécanisme de la chasse d'eau. Certains alcooliques y cachaient leurs bouteilles de boisson. C'est pourquoi Henrik avait songé, l'espace d'une seconde, que le jeune voyou avait pu y dissimuler son couteau. C'est en replaçant le couvercle qu'il repensa au commentaire de l'agent du SPVM selon lequel le jeune homme s'était vanté de sa récente acquisition. S'il avait fièrement présenté ce couteau à qui voulait le voir, pourquoi se serait-il donné tant de mal pour le cacher ? Cela ne tenait pas la route. Henrik risquait plutôt de trouver l'arme du crime dans un endroit accessible, voire visible. Le vantard est une vraie diva : il cherche à être sous les feux de la rampe. L'emplacement qu'il avait trouvé pour son couteau n'avait certainement rien de particulier. Après tout, ce petit caïd en devenir ne devait pas être une lumière. Henrik s'immobilisa un instant. Les techniciens avaient scruté l'intérieur de sa vieille Pontiac. Ils avaient retourné tous les tiroirs de son logement. Soulevé son matelas. Vidé ses placards. Quel était l'endroit le plus évident où mettre un couteau ?

Henrik partit en flèche vers la cuisine. Sur le comptoir, il repéra un bloc qui servait de porte-couteaux. Il y trouva un économe, un couteau à pain, un couteau à pommes de terre et un couteau à charcuterie. Henrik grimaça devant sa propre stupidité. Puis il sourit, car celle-ci démontrait qu'il avait réussi à réfléchir comme le jeune trafiquant. Henrik se rendit au lave-vaisselle désuet sur roulettes. Il enfonça le bouton qui maintenait la porte verrouillée et ouvrit l'électroménager. Ce qu'il trouva parmi les ustensiles souillés? Un canif ancien au manche en imitation d'ivoire, avec plaques de rouille en prime. Gloire à saint-Antoine de Padoue! Mû par un puissant sentiment d'exaltation, Henrik arracha le sac de plastique qui dépassait de la poche arrière de son jeans et y glissa l'arme blanche aussi vite qu'on transvide un frétillant poisson rouge lors d'un nettoyage d'aquarium! Puis il s'assura de prendre la cuisine en photo à l'aide de son téléphone intelligent. Pour quelle raison? Il ne voulait pas que ses supérieurs trouvent ses démarches louches. Après tout, il était seul dans l'appartement d'une victime qui était également un suspect. Et il était tombé facilement sur l'arme qu'avait cherchée toute une équipe de professionnels. Louche était le qualificatif adéquat. Les photographies l'aideraient à asseoir le tout sur des bases plus solides. Mais surtout, elles lui permettraient de clore l'enquête aussi prestement qu'elle s'était ouverte. Henrik était si emballé qu'il en faisait presque de l'arythmie cardiaque! En quelques coups de téléphone, il parvint à réunir son lieutenant et ses proches collaborateurs dans les bureaux de la SQ dans les quinze minutes qui suivirent. Lui-même s'y rendit illico, en grillant deux ou trois feux jaunes – voire orange foncé.

— Regardez-moi ça! dit-il, haletant, en brandissant son sac de plastique.

Fafard empoigna le sac et jeta un coup d'œil à l'intérieur. Il le passa au suivant, qui le passa au suivant et ainsi de suite. Le silence d'ébahissement fut vite remplacé par des jurons festifs. Fafard était aux anges et Denis ne pouvait s'empêcher de frapper l'épaule d'Henrik avec ferveur.

— Il nous manque juste le *gun* qui a achevé nos belles Marilyn, s'exclama le lieutenant. Danny, qu'est-ce que t'attends pour nous trouver ça ? Ôte-toi les doigts du nez, bâtard !

Des rires rugissants emplirent la salle. Même l'homme qui servait de cible au sarcasme du lieutenant s'en donnait à cœur joie. Ils étaient tous conscients que de trouver le pistolet avec autant de facilité que le couteau relevait de l'improbable.

— Il me semble que c'est l'occasion parfaite pour qu'un certain patron paye la traite à une certaine équipe, osa Henrik auprès de son supérieur.

— Je dis pas non, répliqua Fafard, de bon poil. Un premier gros succès mérite une première grosse bière. Envoyez, on s'en va tous au Pub Nipi !

Les quatre policiers se suivirent jusqu'au resto-pub, où ils passèrent un excellent moment autour de pichets bien froids et de plats réconfortants. Ils regardèrent ensuite la partie de hockey Montréal-Boston sur grands écrans à plasma. L'excitation était à son comble et les ailes de poulet, savoureuses et chaudes à s'en brûler les lèvres. Entre la deuxième et la troisième périodes de jeu, le calme refit surface temporairement. C'est alors qu'Henrik vit qu'un message texte était arrivé sur son portable. Il provenait d'Élodie. Il le consulta aussitôt. « Grosse soirée ou tranquille dans ton sofa ? » Il s'efforça de lui répondre sans faire de fautes de frappe. Il était un peu engourdi par toutes ces bières ingurgitées en joyeuse compagnie. Il répondit, du bout des pouces : « Grosse soirée avec les gars de la job. » C'est alors qu'il reçut une interrogation bien intentionnée de la part de son infirmière particulière : « As-tu pensé à ton auto-injecteur ? » Henrik se sentit irresponsable, comme d'habitude. Il lui répondit par une gentille menterie. Élodie enchaîna : « Parlant d'allergies, ton dossier a disparu. Il n'est plus dans les fichiers du docteur. C'est rare que ça se produise.» Henrik afficha une mine interloquée. Danny remarqua son expression.

— Ta nouvelle blonde?

— Pas vraiment. Je sais pas. Peut-être.

— C'est mal parti ou quoi? Tu te vois pas l'air!

Henrik ne voyait pas la disparition de son dossier médical comme étant un incident rare, mais plutôt anormal. Il dissipa les inquiétudes de son infirmière et lui souhaita une belle et douce nuit, à son image. Il y avait tout de même un être sensible derrière ce grand gars avec ses menottes et sa matraque…

— Est-ce que je la connais? demanda Danny, curieux.

— Je pense pas. C'est la cousine d'une personne d'intérêt, si tu vois ce que je veux dire. Notre amitié risque assez vite de devenir ambiguë, ou du moins délicate.

— Ahhh, c'est la cousine de notre adepte de pistolets chez Vahiné? s'immisça l'autre jumeau. Elle fait un peu louve des SS, cette vendeuse-là, tu trouves pas?

— L'avez-vous rencontrée? dit Henrik en retrouvant son aplomb. Avez-vous tâté le terrain?

Les jumeaux échangèrent un regard complice.

— Essayez même pas de faire des mauvais jeux de mots sur le «tâtage», ajouta Henrik en feignant à peine le découragement.

Le lieutenant Fafard regardait ses hommes tour à tour, comme on suit un match de tennis. Il avait hâte de voir où irait le rebond.

— On est dans un bar, en dehors des heures de travail, le gros! s'emporta Denis avec humour, tout en se lissant une moustache qui n'existait plus. On va parler de «tâtage» de vendeuses, de serveuses pis même de danseuses si ça nous chante!

Aussi bien oublier toute forme d'échange sérieux portant sur le boulot. Henrik secoua la tête et se résigna à commander une autre portion d'ailes de poulet aux épices cajuns. Lorsque la serveuse posa la corbeille sur son napperon, il lui demanda le plus sérieusement du monde:

— Excusez-moi, mademoiselle. Savez-vous si le poulet a touché une crevette ?

Moment de silence. Tous s'esclaffèrent, incluant l'employée du pub qui ne savait visiblement pas trop quoi penser de cette question.

— Je pense que tu voulais dire « tâté » une crevette, se moqua Danny.

Henrik répéta la question dans sa tête et en saisit toute l'absurdité. Il se reprit, en bafouillant cette fois. Ce n'était guère mieux. Il marmonna alors un blasphème et, mû par l'impatience, il croqua à pleines dents dans une aile juteuse. Pour cette maudite allergie, advienne que pourra !

NEUF

Astrid emprunta l'allée des produits ménagers. Elle souhaitait être parée à toute catastrophe infantile : raz-de-marée de jus de fruits, tornade de gouache et éruption de nez enrhumés. Elle fit la lecture de quelques étiquettes afin de s'assurer que les produits étaient respectueux de l'environnement. Une fois convaincue, elle empila lingettes, savons et produits antitaches miracles au fond de son panier. Elle se dirigea ensuite en direction de la caisse. Dans la file, elle attrapa deux paquets de gommes afin de les comparer. Une femme se glissa derrière elle et se permit une réflexion :

— Moi, je choisirais celle avec du sucralose au lieu de l'aspartame. Meilleur pour la santé.

Astrid tourna la tête afin de remercier l'étrangère pour ses judicieux conseils. En fixant le visage rousselé fort sympathique, Astrid commença à croire que cette femme n'était pas si étrangère que cela. Elle fouilla dans sa mémoire, mais la dame la prit de vitesse.

— Marie Mongeau, psychologue.

— Ah, c'est vous ? dit Astrid tout en saluant le caissier de la tête et en déposant ses articles sur le tapis roulant. J'essaie parfois de demander à mon frère des détails sur sa thérapie, mais j'ai l'impression qu'il s'impose un silence encore plus sacré que votre fameux secret professionnel. Je sais qu'il faut que je sois compréhensive. Si y'a de quoi de personnel, c'est bien une thérapie…

La psychologue réfréna un fort désir de sourire. Elle décelait, dans les intonations de la jeune femme, tout autant de curiosité que de souci.

— Vous faites partie de la thérapie sans le savoir, avoua Marie. Si une chose est sûre, c'est que votre frère vous apprécie vraiment. On choisit pas notre famille, mais ce que je constate, à côtoyer Henrik, c'est qu'il vous aurait choisie parmi plusieurs aspirantes au titre de sœur.

Astrid était émue, à tel point qu'elle n'entendit pas le caissier lui dévoiler le montant total de ses achats. Il insista poliment. Elle revint sur terre d'un seul coup et se confondit en excuses, tout en lui tendant sa carte de débit.

— Je retarde tout le monde dans la file, marmonna Astrid, agacée.

— On est au Cap, répliqua Marie Mongeau. Qu'est-ce qui presse ?

— Ha ! Ha ! J'aime votre façon de voir les choses. Du genre terre-à-terre, pas de panique. Mon frère doit vous apprécier.

— Disons qu'il me tolère assez pour revenir de semaine en semaine. Quand un policier admet qu'il souffre, qu'il accepte de consulter et, surtout, qu'il assume le diagnostic de syndrome de stress post-traumatique, c'est déjà une immense victoire.

Astrid hocha la tête en signe d'assentiment. Elle récupéra sa carte et ses sacs des mains du caissier et laissa sa place à la psychologue. Avant de s'éloigner, Astrid lui lança une dernière question, adoptant un air dégagé.

— Pourriez-vous juste me dire si mon frère va mieux ? Au fond, c'est ce que je voulais savoir. S'il va bien. C'est tout.

Ayant ses propres achats à payer, Marie Mongeau ne put s'étendre sur le sujet. Elle choisit de lui adresser un clin d'œil sympathique qui servit à merveille de réponse. Astrid retourna chez elle d'un pas allègre, comme poussée par un vent léger. Il faisait pourtant dix degrés sous les normales de saison et le vent soufflait la neige en tous sens.

Qu'importe. Si Henrik allait bien, Astrid se sentait bien, elle aussi.

Ce qu'elle ignorait, c'est qu'Henrik se faisait un sang de cochon en attendant que l'interminable période d'analyse des masques d'Halloween ne soit terminée. Il n'avait jamais attendu des résultats du laboratoire médico-légal avec autant de fébrilité. Pas le genre de fébrilité qui donne des papillons dans l'estomac à un homme qui aperçoit sa ravissante mariée dans l'allée menant à l'autel. Plutôt une mauvaise fébrilité, de celle qui prend aux tripes. Comme celle qu'on ressent avant de lire une oraison funèbre à des endeuillés en pleurs.

— Briefing! aboya le lieutenant en s'engageant dans le couloir.

Dans sa précipitation, celui-ci renversa sur ses vêtements un peu de café et ne se gêna pas pour insulter sa tasse comme s'il s'agissait d'une fille aux mœurs légères. Fafard avait un peu trop abusé des bonnes choses hier, au pub, en compagnie de ses trois hommes de confiance. Ce matin, il en payait le prix. Disons seulement que chacune des gouttes de cet or noir lui était indispensable. Pas question d'en renverser une seule. Les membres des forces de l'ordre, contrairement à la plupart des salariés, ne pouvaient pas systématiquement compter sur les fins de semaine pour récupérer.

— Sergent? fit une employée à l'intention d'Henrik. Ça vient tout juste d'entrer pour vous.

Elle le rattrapa avant qu'il ne pénètre dans la salle de conférence et lui remit une grande enveloppe brune portant l'étiquette «confidentiel». Henrik eut un serrement de gorge. De quoi s'agissait-il encore? Il la décacheta avec empressement. C'étaient les papiers de la Caisse populaire qu'il avait demandés, soit ceux portant sur les récents comptes qui avaient fait l'objet de transactions majeures. Il passa la tête par la porte entrouverte de la grande salle.

— J'aurais besoin de cinq à dix minutes avant de commencer le briefing. J'ai reçu des documents importants qui vont sûrement nous servir.

— OK pour cinq minutes. Faut que j'aille frotter mes culottes pleines de café, de toute manière, grommela le patron en fonçant vers les toilettes au pas de charge.

Sans un mot pour ses collègues, Henrik s'installa devant la table et s'arma d'un surligneur. Il commença à éplucher le contenu de l'enveloppe avec l'obsession d'un chercheur en quête de LA formule scientifique qui lui vaudrait le prix Nobel. Il n'épargna aucune donnée significative. L'encre jaune marquait presque toutes les pages. Fafard revint de la salle de bain, un grand rond d'humidité sur son pantalon. Henrik se redressa promptement, envoyant ainsi promener derrière lui sa chaise à roulettes.

— Comment ça se fait que deux montants de quarante-cinq mille dollars ont été transférés de la boutique Vahiné au compte d'une société à numéro ? s'exclama-t-il. À deux mois d'intervalle seulement ? Premièrement, voulez-vous me dire c'est quoi cette compagnie-là ? Deuxièmement, depuis quand ça rapporte autant de vendre des christies de bas résille ?

— C'est quoi, des bas résille ? chuchota Danny à une collègue.

— C'est ce que tu portais en dessous de ton peignoir quand je suis venu te chercher l'autre matin pour le travail, railla Henrik.

— Ah oui, tu veux dire ceux que je t'avais empruntés ? répliqua Danny pour sauver son honneur.

Le lieutenant coupa court à l'échange d'âneries. Il posa les poings sur la table et scruta chaque visage. La rigolade généralisée s'estompa. Fafard tenait à ramener l'ordre au plus vite, car leurs collègues de la GRC étaient de la réunion en ce surlendemain de double meurtre crapuleux.

— Hansen, je présume que tu vas te mettre sur la société à numéro tout de suite après le meeting ?

— Certain !

— Parfait. Maintenant, je vous annonce que le maire organise un point de presse, en fin d'après-midi, pour rassurer la population. Je vais ressortir mes phrases classiques. Faut que ça passe comme dans du beurre. Je veux exposer la situation comme étant un simple règlement de compte entre dealers de drogue, sans mentionner le lien avec les investigations de la nouvelle escouade provinciale. On veut que les filles de La Pieuvre continuent de penser qu'elles peuvent agir librement, que la police est dans le champ, bref qu'aucune menace ne pèse contre elles. On s'entend?

Les policiers et policières opinèrent. Fafard enchaîna :

— En passant, si les gens vous accostent dans la rue pour vous poser mille et une questions sur les meurtres, tenez-vous-en au strict minimum. Dites qu'on déploie tous les effectifs nécessaires pour résoudre les crimes à vitesse grand V. Que la sécurité du citoyen est au cœur de nos préoccupations. Que les enfants peuvent jouer dehors, que les aînés peuvent continuer à prendre leur marche sans s'inquiéter. C'est encore le Cap. Pas la Palestine.

Les représentants de la Gendarmerie royale fléchirent et l'ombre d'un sourire altéra leur apparence jusque-là très formelle. L'un d'eux extirpa une chemise de carton de sa mallette. Il la glissa sur la table et y posa ses paumes comme un écolier qui met ses mains sur les genoux lors de la photo scolaire. L'autre gendarme demanda le droit de parole à la suite du discours du lieutenant. Il préféra se lever pour s'adresser à ses nouveaux confrères et consœurs. Il n'était pas guindé, seulement plus digne et posé que l'ensemble des policiers de ce village montagnard qu'il visitait pour la deuxième fois. Il était l'image même de la netteté : parfaitement coiffé, hydraté de lotion après-rasage, un jonc de mariage étincelant à l'annulaire. Cet officier courait-il encore après des junkies dans des ruelles insalubres ? Peut-être. L'habit ne fait pas toujours le moine. Mais reste que le contraste avec un Henrik à la joue tuméfiée et au sourcil suturé était assez frappant.

— De notre côté, ça progresse aussi. Je tiens à vous remercier pour l'accueil, dit-il en dirigeant son attention vers les patrouilleurs. J'aurais des informations sensibles à communiquer uniquement aux membres de l'escouade.

J'aime pas vous chasser de votre propre salle de réunion, mais...

Les patrouilleurs se tournèrent à l'unisson vers Fafard. Celui-ci hocha la tête en direction de la sortie, avec une autorité de patriarche. La pièce se vida des trois quarts de ses occupants en quelques secondes à peine. L'enclenchement d'un loquet métallique automatique se fit entendre. Le huis clos ainsi établi, les enquêteurs purent se regrouper pour approfondir la discussion.

— On travaille tous pour la même cause, enchaîna le distingué gendarme en retirant la pince qui gardait son dossier bien fermé. Mais puisque la GRC a l'habitude de se concentrer sur les hauts dirigeants des groupes criminels, on a mis un peu de temps supplémentaire là-dessus. On a organisé une descente dans une maison de paris illégaux pour ensuite soutirer des renseignements en échange de charges amoindries. On a obtenu quelques pistes. Étant donné que vous êtes nos yeux sur le terrain, ce serait bien que vous les gardiez ouverts pour...

Un tintement électronique déconcentra l'équipe de travail. Henrik s'excusa. Il venait de recevoir un message texte sur son portable. Il récupéra l'appareil au fond de sa poche et vérifia l'expéditeur. Il s'agissait de sa psychologue. Elle lui indiquait : « J'ai une annulation mercredi qui vient. Je te réserve la place ? Tu t'es tellement amélioré côté santé. On continue sur cette voie ? » Henrik se sentit léger, heureux, confiant. Il confirma le rendez-vous.

— Désolé. Je devais absolument prendre le texto. Vous parliez de pistes ?

Le gendarme ouvrit sa chemise de carton, la retourna sur la table et la poussa vers Henrik. Dans un mouvement de curiosité justifié, le lieutenant Fafard et les jumeaux blonds se regroupèrent autour du chef d'équipe. La couverture du document était une simple feuille blanche avec l'inscription « Présumées têtes dirigeantes de La Pieuvre ». Henrik se mouilla le doigt pour mieux tourner cette première page et découvrir la suite tant attendue. Les deux premiers portraits ne leur disaient rien. De pures étrangères. Fafard lut leur prénom à haute voix, pour les mémoriser. Denis donna une petite poussée dans l'omoplate de son sergent pour qu'il accélère. Celui-ci s'humecta à nouveau le majeur et passa les pages suivantes, qui se voulaient informatives. Lorsqu'il tourna l'avant-dernière page, son sang se glaça. Une grande photographie noir et blanc remplissait la feuille.

— Batèche, on a plus les bandits qu'on avait! dit Fafard en laissant échapper un sifflement.

La présumée tête dirigeante de La Pieuvre avait toute une tête, en effet: magnifique, racée, le regard profond et la bouche sensuelle. Danny Dupuis, hypnotisé, était déjà en amour. Son frère Denis ne pouvait retenir ses remarques flatteuses, ou plutôt grivoises. Les deux représentants de la GRC approuvaient les exclamations qui fusaient, avec une certaine retenue, toutefois. Seul Henrik demeurait cimenté à son siège. Dans toute sa carrière, il n'avait jamais vécu de moment aussi pétrifiant. Ses pensées étaient embrouillées, comme si une tornade avait secoué son cerveau. Ses deux hémisphères n'y voyaient plus clair. Le tumulte interne était si douloureux qu'il en devint vite insupportable. Il cligna des paupières et regarda une toute dernière fois le cliché. Son estomac se retourna. Allait-il vomir ou hurler? Quitterait-il la salle de réunion en renversant sa chaise? Se laisserait-il choir sur le tapis en glissant, désemparé, le long du cadre de porte?

— Hansen est sidéré! lança Denis à travers les rigolades et les jacassements. Retrouve le sourire, mon homme. Pour une fois que tu vas prendre plaisir à passer les menottes à une femme. Ha! Ha!

Le nom de cette désirable menace? Eva Beck. N'était-ce pas là la pire coïncidence de toute une vie? Pour Henrik, il s'agissait certainement de la plus ravageuse. Au moment même où il recommençait à bien aller, voilà que le destin le frappait à nouveau, fauchant son assurance au passage et reprenant d'une main voleuse sa stabilité émotive durement rebâtie. Qu'allait-il dire à ses collègues qui attendaient une réaction de sa part? Comment paraître normal dans de telles circonstances? Henrik était toujours paralysé. Si ses confrères apprenaient que la présumée chef de La Pieuvre était son ancien amour, ils lui retireraient l'escouade et les nouveaux liens professionnels avec le SPVM et la GRC qui s'y rattachaient. Existait-il un conflit d'intérêts plus grave et potentiellement plus dévastateur que celui-ci? Difficile de faire pire. Henrik prit une très profonde inspiration qui lui sembla venir du fond de ses poumons, puis il ravala ses angoisses, maîtrisa un haut-le-cœur et tenta de réagir sans se trahir.

— Je peux partir avec les portraits?

Sa voix était légèrement brisée, comme un demi-ton au-dessus de la normale, tant l'angoisse comprimait ses cordes vocales.

— Je veux m'assurer d'en remettre des copies au plus vite à Derek Miller.

C'était une évidence, une question de logique, même. Bien sûr, les hommes de la GRC avaient prévu le coup. Ils sortirent deux autres documents identiques au premier, l'un pour les dossiers du lieutenant et l'autre pour le policier du SPVM qui, ces derniers temps, espionnait les «villageoises d'intérêt» à toute heure du jour et de la nuit. Si quelqu'un devait voir ces clichés, c'était bien lui. «N'importe qui sauf lui!» hurlait néanmoins une voix alarmiste au tréfonds d'Henrik.

— Bon, assez d'excitation pour aujourd'hui, les fillettes, trancha Fafard. Je vais me préparer pour la conférence télévisée. Hansen, tu nous trouves la société à numéro.

Henrik était toujours ahuri. Il secouait le portrait d'Eva à la manière d'un photographe faisant sécher un papier photo humide de liquide révélateur.

— Hansen! La société.

— La quoi?

— Celle qui a été financée par la boutique Vahiné. On se brasse, s'il vous plaît.

Éberlué, Henrik accepta mollement la poignée de main des représentants de la Gendarmerie royale. Ceux-ci empruntèrent ensuite le corridor qui menait au vestibule. Ils sourcillèrent devant le babillard où étaient épinglés les sous-vêtements affriolants. Après quoi, ils reprirent la route, direction Montréal.

Plutôt que d'aller lui-même consulter le répertoire des entreprises du Québec, Henrik assigna Danny à cette tâche administrative. Puis il demanda à Denis de se river à un écran d'ordinateur afin de suivre les balises GPS posées sur les véhicules de certaines de leurs suspectes. Dans son bureau, Fafard s'obstinait avec son nœud de cravate. Au deuxième étage, on classait les dossiers et on accueillait les citoyens venus payer leurs contraventions. Tout le monde était affairé. Tout le monde sauf Henrik. Depuis dix minutes, il errait dans le poste sans but précis. Il se décida finalement à le quitter.

— Viens ici, t'en reviendras pas! lui cria Denis à l'instant où il mettait son manteau et sortait ses clés de voiture.

Il lui fit signe de revenir sur ses pas. Henrik se montra d'abord réticent, taraudé par ses tourments sans cesse grandissants.

— C'est-tu pas beau, ça? se réjouit Denis. Les points lumineux des trois balises se sont fixés au même endroit sur l'écran. Une p'tite réunion au sommet chez Panini et Cie, peut-être? Batinse, c'est notre jour de chance ou quoi?

— Je dirais même notre semaine, insista son jumeau en s'étirant le cou au-dessus de l'écran voisin.

La grosse Toutoune, l'assistante du directeur de la Caisse populaire et la gérante de l'infâme boutique de lingerie avaient-elles réellement des atomes crochus? Ou, du moins, assez de points en commun pour vouloir se réunir autour d'un sympathique dîner et faire un brin de causette? Peu probable. Qu'importe, Henrik savait qu'il devait s'y rendre au plus vite. En tant que chef d'unité, il avait l'obligation d'agir. C'est ainsi qu'il se couvrit la gorge d'un épais foulard noir et qu'il fit croire à Denis qu'il était déjà en route pour la sandwicherie. Mais la réalité fut tout autre. Une fois à bord de sa jeep, il lui fallut de longues minutes d'inertie avant de *penser* à bouger. Il n'inséra même pas sa clé dans le contact. Il appuya plutôt la tête contre la vitre de sa portière, démuni devant la tournure des événements. Bien franchement, il n'avait qu'une seule envie : pleurer de rage et de désarroi. Il ne souhaitait pas être démis de ses fonctions, alors il serait obligé de mentir. Il devrait aussi revivre des émotions difficiles, rouvrir de vieilles blessures et, inévitablement, faire face à Eva. Pour Henrik, l'escouade rimait à présent avec désastre.

Eva n'était plus la même. Son attitude avait changé de façon radicale depuis la soirée d'Halloween à la taverne. Elle gérait encore les affaires illicites de son clan d'une main de fer, mais son visage rayonnant s'était assombri. Ses blagues sardoniques se faisaient rares. Elle se sentait comme un automate et craignait que ses longs moments d'absence ne lui coûtent sa liberté. Préoccupations égalent distraction. Distraction égale erreurs de jeune première. Cette équation ne pouvait mener ailleurs qu'en prison. La criminelle qu'elle était se devait de maintenir un haut niveau de rigueur et de concentration. Or, c'était inévitable : dans son esprit, seul voguait le nom d'Henrik Hansen.

— Le gros veut pas en démordre, ragea Mélodie en entrant en trombe dans l'arrière-boutique. C'est clair qu'il veut nous faire peur.

Eva fut tirée du mutisme dans lequel elle s'était enfermée depuis de nombreuses minutes.

— As-tu vraiment épuisé tous tes arguments ? demanda-t-elle d'abord.

— Oui ! Pourtant, je suis pas du genre à manquer de créativité côté menaces…

— On savait que ça arriverait, tôt ou tard, songea Eva à haute voix. Les peines d'emprisonnement étaient tellement ridicules. Les gars commencent à sortir… ils veulent reprendre leur place. Laisse-moi faire, j'y vais.

Elle émergea de l'arrière-boutique et contourna le comptoir-caisse pour se diriger vers le motard. Elle envahissait l'espace de toute sa présence, de tout son charisme. L'homme avait les deux bras entièrement tatoués et le cou aussi large que la tête. Sa peau rougeâtre et veinée témoignait d'un excès d'haltères en taule. D'épais sourcils noir charbon encadraient des yeux quasi fermés en raison d'une agressivité caractérielle – et difficilement contenue. Eva se posta devant le colosse. Il la dépassait d'une trentaine de centimètres. Elle soutint son regard avec le plus d'ardeur possible. La lutte dura jusqu'à ce que l'homme laisse échapper une grossièreté dans un soubresaut d'impatience.

— Qu'est-ce qui t'énerve, mon grand ?

— Pas mal de choses, *ma grande*, grogna-t-il.

— Dans ce cas-là, on va régler ça tout de suite parce que j'ai pas une ostie de seconde à perdre, commanda la chef.

Celle-ci nota de la stupeur dans les traits du redoutable visiteur. Il gronda :

— Je peux pas croire que c'est toi qui contrôles mon ancien territoire, tabarnak !

Eva releva sa jupe dans un fouettement d'étoffe. Le motard aperçut les deux petites armes de poing dans leur gaine, une sur chaque cuisse. L'image le frappa au ventre tel un direct au plexus. Il opta pour le silence. Elle abaissa son vêtement et reprit la parole.

— Veux-tu un peu d'alcool pour aider les mauvaises nouvelles à descendre ou tu les veux directes ?

— Je vais les prendre à frette, dit-il en croisant ses gros bras sur son thorax.

Eva lui envoya un coup de genou brutal dans les parties génitales. Il se crispa et poussa un long râlement, tout en se repliant sur lui-même comme se referme une huître. Eva tira le tabouret du comptoir-caisse et donna une poussée au colosse afin qu'il aille s'y échouer. Elle posa le bout de sa botte à talon sur le barreau du siège afin de se pencher

157

vers lui et de dominer davantage le motard. Elle chuchota agressivement :

— Si mes filles te disent que t'es pas le bienvenu ici, c'est que tu ferais mieux d'être ailleurs.

L'homme la gifla du revers de la main. Quoique ébranlée, elle répliqua telle une bête sauvage en le griffant à la figure. Il cracha un juron avant de sortir une arme blanche. Eva inséra une main sous sa jupe, mais n'eut pas le temps de dégager son pistolet. Une lame froide faisait déjà pression sur sa jugulaire. Elle eut du mal à déglutir.

— Je reprends ma place, c'est-tu clair ? ragea-t-il. C'est toi qui vas débarrasser la Côte, beauté fatale. Moi, je bougerai pas d'un câlice de centimètre !

À peine avait-il terminé sa phrase qu'Eva lui planta le bout pointu de sa botte dans le tibia, écartant prestement son avant-bras pour se saisir de son arme et le menacer de son pistolet. Elle pouvait ressentir les vibrations de la colère qui secouait le colosse.

— Essaie de me blesser avec ta lame, pour voir. Tu vas retourner en dedans pour longtemps pis foutrement plus vite que la première fois ! Je connais très bien ton agent de probation, si tu vois ce que je veux dire.

Le motard bouillait. Au prix d'efforts surhumains, il finit par replier son couteau et le glisser au fond de sa poche. C'est à ce moment que Mélodie, la seule vendeuse présente, se pointa pour avertir sa patronne que des clientes s'avançaient dans le stationnement. L'entretien musclé devait prendre fin, faute de quoi la clientèle s'interrogerait à propos de l'inquiétant costaud tatoué à la carnation un peu trop cramoisie pour une simple pause magasinage.

— Si j'étais toi, crisse que je me coucherais avec une batte de baseball en dessous de mon oreiller, lui cracha-t-il à la figure avant de débarrasser le plancher.

Eva prit le temps d'encaisser ces menaces, laissant au motard quelques minutes d'avance avant de quitter à son tour la boutique. Elle avait promis d'être présente au lunch chez Panini et Cie. Se décommanderait-elle auprès de ses trois femmes de confiance juste pour pouvoir décompresser ? Tout son corps lui criait de trouver un peu de calme dans la solitude, mais son expérience l'incitait à rejeter dans un coin lointain de son cerveau l'enquêteur de police autant que le motard afin de s'attaquer aux prochains problèmes sur sa longue liste. Ce lunch était important. C'est pourquoi elle s'y rendrait.

À la sandwicherie, située au rez-de-chaussée d'un immeuble à bureaux, un parfum de gaieté courait dans l'air tout autant que les délicieux arômes de pain rôti, de fromage suisse doré au four et de soupe minestrone maison. Les gens étaient détendus, souriants, bienheureux, comme si les bons paninis tout chauds suffisaient à chasser les soucis. Cette joie de vivre était abominable pour Henrik, qui se terrait dans un coin, magazine dressé pour éviter le regard des autres dîneurs. Dans le coin opposé du restaurant, ses trois suspectes discutaient. Et au bar à pâtes se servait Derek Miller, toujours sous couverture. Les deux hommes s'étaient zieutés furtivement.

— Aimeriez-vous un menu ?

Henrik émergea de ses pensées pour revenir au monde réel. Il regarda le jeune homme qui venait de lui adresser la parole. Probablement un étudiant qui faisait quelques heures ici et là comme serveur pour boucler ses fins de mois. Il lui demanda la permission d'utiliser son stylo. Le jeune homme lui avança même son carnet de commandes. Henrik y inscrivit une requête spéciale avant de détacher la feuille et de la replier sur quatre billets de vingt dollars tout en réclamant une soupe du jour à voix haute. Le serveur accepta d'emblée. Il lui manquait justement ce montant pour régler son loyer. Tout arrivait à point. Il continua donc son quart de travail tout en rendant service à son généreux client. Dix minutes passèrent, Henrik restait patient. Il avait espoir en son serveur. Celui-ci se présenta un peu plus tard, carafe d'eau froide à la main.

— Les trois femmes que vous m'avez demandé d'écouter discutent d'argent depuis tantôt. D'investissements, de profits, de dettes.

— Rien de plus précis que ça ? questionna Henrik.

Pour avoir l'air plus naturel, le jeune homme remplit le verre de son client d'un peu d'eau et de glaçons. Puis il essuya le dessous de son pichet à l'aide d'une serviette de table.

— La femme la plus costaude a mentionné une livraison de bandages prévue pour jeudi qui vient.

— Des bandages ? s'exclama Henrik.

— Oui, je crois, je vais y retourner. Je vais essayer de comprendre.

Le serveur avait du cœur à l'ouvrage. « Voilà quatre-vingts dollars bien dépensés », se dit Henrik en croquant un cube de glace. Il dissimula sa satisfaction derrière son magazine. Quelle que soit l'information supplémentaire que lui fournirait le serveur, ils pourraient prendre la grosse Toutoune en filature ce mercredi et débusquer le pot aux roses, ou plutôt le pot aux bandages. Parfait. Tout simplement parfait. Ou du moins assez parfait pour lui remonter légèrement le moral.

— C'était à votre goût, monsieur ? demanda le serveur d'une voix très audible.

— Y'a rien comme un bon repas chaud par temps frisquet, dit un Henrik à l'air malin.

— Elles parlent de retourner au casino avec l'argent des bandages, chuchota le jeune homme.

— Merci beaucoup pour le dîner !

Il paya son repas et s'apprêtait à sortir de table quand un événement inattendu le fit se rasseoir au plus vite. Une cliente venait d'entrer et essuyait ses bottes sur le paillasson. Elle marcha entre les tables telle une amazone : grande, belle, brune et sensuelle. Henrik se sentit soudain comme frappé par la foudre. Il la regarda avancer jusqu'à la table des autres membres de La Pieuvre et aurait voulu disparaître sous six pieds de terre. Il avait du mal à respirer à un rythme régulier. Son teint naturellement hâlé paraissait soudainement blême. Eva continua de faire tourner les têtes, même après s'être assise avec ses complices autour de sandwiches grillés. Elle commanda une eau pétillante au citron. Henrik l'observa alors qu'elle buvait une longue gorgée de son breuvage rafraîchissant. Il était subjugué par sa sombre beauté, la courbe de son menton, la ligne de sa gorge… Il était solidement enlisé dans le pétrin. Malheureux, il essayait de regarder ailleurs et de ne plus voir les scènes de sa jeunesse défiler comme un film qui passe en accéléré. Mais surtout, il souhaitait quitter le resto incognito avant que son malheur ne prenne encore plus d'ampleur. Il se leva et se dirigea rapidement vers la sortie.

— Oubliez pas votre foulard, monsieur.

Le serveur ramassa l'écharpe qui était tombée sur le sol. Henrik l'attrapa et se sauva. Au moment où il passait le seuil, il lança un coup d'œil anxieux à la table des quatre femmes. L'une d'entre elles le remarqua.

— Regarde-le, c'est lui! murmura la gérante de Vahiné à sa supérieure.

Eva se retourna. Pendant une fraction de seconde, elle croisa le regard brumeux d'Henrik. Elle sentit son cœur se serrer. Cet instant intense s'évapora aussitôt que la porte vitrée se fut refermée. De l'autre côté, Henrik courait déjà dans le stationnement. Ébranlé, il s'appuya sur le pare-chocs arrière de son véhicule. Cherchant son souffle et fouillant en vitesse toutes ses poches pour y trouver son porte-clés, il se tapota le torse, les poches avant, puis les poches arrière pour enfin mettre la main dessus. Il n'avait qu'une intention : déguerpir. Ce qu'il fit au plus vite.

DIX

Voilà. La dernière enveloppe était timbrée. Ne restait plus qu'à les mettre à la poste. Astrid aurait très bien pu parcourir le village à pied et les glisser dans chacune des boîtes aux lettres. Cependant, l'inauguration de sa garderie était un événement grandiose pour elle. Des invitations officielles étaient plus appropriées. Pour tout dire, cela la comblait de fierté. Elle consulta l'horloge. Bientôt 16 heures. Elle réduisit l'intensité du feu sous son chaudron de sauce à spaghettis et y déposa un couvercle. Après quoi, elle revêtit son long manteau doublé de duvet d'eider pour affronter la froide température. Un capuchon et deux mitaines plus tard, elle était en route pour la boîte postale la plus proche, c'est-à-dire celle du petit dépanneur de quartier. Le commerce appartenait à son voisin qui lui était si agréable. C'est pourquoi il lui plaisait d'y acheter son lait, son pain et autres produits de dépannage. Cette fois, elle louerait peut-être le plus récent film à suspense arrivé dans la section vidéo. Elle n'avait pas eu la visite d'Henrik depuis quelques jours ; il devait être enseveli sous des rapports d'enquête à terminer. Quant au charmant Marc Bertoll, il ne lui avait guère donné de nouvelles depuis son départ vers Québec. À bien y penser, le film était une sympathique idée pour occuper sa soirée.

— Ah ben, salut, mademoiselle ! dit le caissier. La vie est belle ?

— Plutôt, oui. Tiens, je me gâte aujourd'hui.

163

Elle ajouta un sac de croustilles lime et poivre à ses achats. Tandis qu'il comptait la monnaie à lui rendre, Astrid fouinait du côté des revues de mode.

— Il te revient trois dollars et vingt-neuf.

Astrid dressa un doigt pour lui demander de patienter. Elle laissa tomber sa revue et attrapa plutôt le journal qui avait capté son intérêt. Elle l'ouvrit à la page indiquée en une. Elle lut le titre : «Deux agressions sexuelles à Québec en deux jours : un seul et même suspect recherché.» Elle parcourut ensuite les faits entourant la sordide affaire. «Les crimes ont été perpétrés dans la banlieue de Sainte-Foy. Les attouchements forcés sur la première victime se sont produits à la fermeture du restaurant Le Vecchio, et le viol de la seconde victime a été commis le lendemain soir dans le boisé séparant le campus universitaire du centre commercial Place Ste-Foy.»

— Par hasard, aurais-tu besoin de lave-vitre ? dit le caissier. Je viens d'en recevoir toute une cargaison.

Astrid lui fit signe d'attendre un peu. Elle poursuivit sa lecture, avide. «L'homme recherché est dans la trentaine, de bonne taille, soit plus d'un mètre soixante-quinze, il a la chevelure sombre et une belle apparence. Au moment des crimes, il portait un jeans bleu foncé et un manteau d'hiver marine ou noir, ainsi que des gants de même couleur. Il a abordé ses victimes de façon polie, dans un bon français, en leur demandant s'il pouvait appeler un taxi sur leur cellulaire. Si vous détenez des informations, veuillez communiquer avec…» Astrid roula le quotidien avec empressement afin de le glisser sous son bras et dit au caissier de conserver sa monnaie afin de payer l'achat du journal.

— Astrid ! Tes chips.

La jeune femme empoigna le sac et s'éloigna si vite du dépanneur qu'elle faillit en oublier ses enveloppes. Elle revint sur ses pas pour les insérer dans la boîte postale. Puis elle se coiffa de son capuchon à fourrure. Une forte poudrerie s'abattait sur Cap-à-Nipi. Décidément, c'était le pire mois de novembre depuis des décennies. Comme bien des habitants avaient coutume de le faire, Astrid emprunta des raccourcis, traversant de vastes cours arrière et coupant par quelques stationnements privés. Elle se fiait aux toitures colorées pour trouver son chemin. Alors même que le vent s'intensifiait et que la blancheur du ciel éblouissait, ces toitures constituaient les seuls éléments distinctifs du paysage. Tout en bravant ce début de tempête, Astrid ressassait les phrases lues dans le journal. Plus elle se les remémorait, plus ses certitudes tombaient. Elle ne voulait pas devenir comme Henrik. Elle se haïrait si elle devait douter de tout et de tout le monde. Toutefois, certaines coïncidences étaient troublantes et les mises en garde de son frère se remettaient à sonner comme des cloches. « Il vient de débarquer comme par enchantement, on a presque aucun renseignement sur lui, ma maison a été saccagée… » Astrid ne pouvait pas croire qu'elle était en train de prendre en considération les avertissements de son frère poule. Elle s'en voulait, mais force était d'admettre que de gros points d'interrogation flottaient au-dessus de son amant. Enfin arrivée dans son entrée, elle courut sur les derniers mètres qui la séparaient de la chaleur. Ayant baissé les paupières en raison du grésil et de la neige tourbillonnante, elle sursauta violemment en manquant de heurter un individu.

— Hey, c'est juste moi, fit Marc en la prenant par les épaules.

— Qu'est-ce que tu fais là ?

Elle s'empressa d'entrer, sans attendre de précisions de la part de Marc. Celui-ci se secoua pour faire tomber les flocons accumulés sur sa tête et ses vêtements.

— Je m'excuse, dit-il en rigolant. T'as l'air tout affolée.

— T'es revenu une journée à l'avance.

— J'avais terminé à Québec. Je voulais te surprendre.

— C'est très réussi.

Astrid finit de se dévêtir et s'élança ensuite vers la cuisinière. Elle alluma un rond et y déposa une bouilloire remplie d'eau. Marc avait perdu son air enjoué. Il semblait se questionner sur les réactions brusques et les réponses promptes de son amante.

— Je me suis vraiment ennuyé de toi.

— C'était où, tes entrevues? reprit Astrid sans se soucier de ce mot gentil.

— Deux dans le coin de Charlesbourg. Une autre à l'Université Laval.

La jeune femme n'osa pas se retourner. L'inquiétude se lisait sur son visage. Avait-il bien dit «université»? Était-il revenu plus tôt pour échapper aux recherches? Toujours face à l'armoire, Astrid se sentait prise comme dans un piège. C'est alors que de grandes mains glissèrent sur son ventre. Il l'embrassa sur la joue, tout près de l'oreille. Sa respiration était lente et sonore, ce qui en disait long sur son désir pour elle.

— J'ai pas la tête à ça, bredouilla-t-elle.

— Laisse-moi faire, dit-il dans un murmure mielleux.

— Je veux pas.

— Donne-moi deux minutes pour te convaincre.

Astrid parvint à s'échapper de son étreinte. Marc fronça les sourcils. Il ne s'amusait plus. Elle s'appuya contre la table et, de ses deux mains cachées dans le dos, tenta de pousser le journal sous un napperon. Malgré toute l'habileté de son geste, Marc comprit qu'elle essayait de dissimuler quelque chose.

— Est-ce que ça va? Clairement, t'aurais préféré que je reste à Québec plus longtemps.

— Je sais pas trop.

— C'est à cause d'un autre gars? C'est ça? T'as un chum qui est revenu dans le décor?

— Je...

Elle n'ajouta rien à sa phrase. Marc plissa davantage le front. Il ne la comprenait plus. Tout ce qui lui restait à faire était de remettre ses gants et de partir. Astrid était tétanisée par son propre comportement. Il lui tourna le dos. Elle lui prit le bras. Devait-elle le retenir? Lui parler du journal et de ses craintes ? Non, elle choisit de lui lâcher le bras, de le repousser, même.

— Qu'est-ce qui se passe avec toi ? se fâcha-t-il.

La jeune femme ne prononça pas un mot. Marc quitta alors la maison. Il alla se réfugier dans son petit appartement. Effondré sur son divan, il passa un bon moment à se torturer avec des dizaines de questions. Il enrageait. Qu'était-il arrivé à sa jolie Danoise pour qu'elle le repousse avec autant de dédain ? Pour chasser ses idées noires, il alluma le téléviseur. Il entendit alors la chef d'antenne déclarer : « Rien de nouveau dans ce triste cas de viol commis hier soir à l'Université Laval. Un portrait-robot sera bientôt rendu public. » Marc se redressa sur son canapé. Il se jeta sur la télécommande pour hausser le volume. Se pouvait-il qu'Astrid… ?

Denis Dupuis écrasa une canette de soda vide contre le cadre de porte, pour ensuite la lancer dans le bac à recyclage façon Michael Jordan – version bedonnante – au sommet de sa gloire. Son jumeau souligna l'exploit d'un sifflement strident. Les recrues se payèrent la tête de leurs deux confrères d'expérience, discréditant le lancer en raison du manque de difficulté. Orgueilleux, Denis augmenta la distance et lança sa canette à nouveau. Il réussit son coup. Les recrues renchérirent. Aurait-il autant de succès si la cible était en mouvement ? Un patrouilleur attrapa le bac bleu et le balança de gauche à droite, puis de haut en bas. Denis ferma un œil pour ajuster sa mire. Il lança avec la concentration d'un archer… et rata sa cible. Les taquineries fusèrent de toutes parts. Denis les envoya tous promener, sans exception, et de manière personnalisée pour chacun. Cette fois, ce furent les rires qui affluèrent. Ce petit combat de coqs aidait à passer le temps d'agréable façon en attendant qu'Henrik ressorte du bureau de Fafard. Ils attendaient que le mandat d'arrestation contre la grosse

Toutoune, réclamé aux hautes instances, leur soit acheminé. Dans l'antre du patron, deux énergies diamétralement opposées tentaient de cohabiter. D'un côté, il y avait le lieutenant en mouvement constant et de l'autre, son sergent un brin coincé dans un siège étroit.

— Maudit que je suis content! claironna Fafard. Je le savais que t'étais mon homme, Hansen, je le savais!

Malgré l'approbation patronale, Henrik ne parvenait pas à se réjouir. Les résultats d'ADN qui tardaient à arriver et la présence d'Eva au village minaient toute sa joie de vivre. Il sentait qu'il courait immanquablement à sa perte.

— Je t'ai jamais vu former une aussi bonne équipe avec un gars du SPVM.

— J'imagine.

— «J'imagine»?! répéta Fafard, étonné. C'est tout ce que tu trouves à dire? Vous êtes comme les deux doigts de la main! En moins d'une semaine, vous réglez un homicide. Et bientôt, ce sera deux autres. Vous vous apprêtez même à faire un gros *bust* de drogue. As-tu vu le directeur des Renseignements aux nouvelles? As-tu entendu ses bons mots? Venant de l'homme le plus avare d'éloges de toute la SQ, c'est pas rien, ça, bâtard!

Henrik fixait le mur. Il était perdu dans ses pensées. Fafard avait le choix de le secouer verbalement – comme il lui arrivait souvent de le faire – ou de jouer les patriarches bienveillants. Étant de bonne humeur, il opta pour la moins rude des approches.

— Je pense que vous allez avoir besoin d'une autre soirée bière et ailes de poulet au pub, sergent-détective. Et rapido!

Henrik resta plongé en lui-même. Danny Dupuis arriva sur ces entrefaites. Il s'excusa d'interrompre leur entretien.

— On a trouvé la société à numéro financée par les profits de la boutique de lingerie. C'est la maison de thé Chez Chang.

— De biais avec la bibliothèque, précisa le lieutenant Fafard. Ils vendent des bons p'tits sablés au sésame.

168

Les policiers dévisagèrent leur patron. Celui-ci riposta d'un haussement d'épaules bougon.

— Vous allez aimer le reste de l'histoire, continua Danny. La majorité des parts de la maison de thé appartient à notre chère amie, j'ai nommé l'adjointe à la Caisse populaire. Ces femmes-là sont toutes de mèche, s'emballa le policier. Il reste juste à creuser du côté de Chez Chang pis on est sûrs d'en coffrer au moins deux autres !

Fafard félicita son subordonné et se tourna vers Henrik pour lui demander de concentrer ses efforts sur cette nouvelle piste. Revigoré, Danny Dupuis alla partager ses plus récents renseignements avec les autres membres de l'équipe.

— Avec tout ça, penses-tu avoir besoin d'autres mandats de perquisition ? Ça vaudrait peut-être le coup de fouiller dans la paperasse comptable de Chez Chang pis de Vahiné. On pourrait mettre des hommes là-dessus le lendemain de la descente à la taverne.

— Je m'en allais courir.

— Quoi ?

— Je m'en allais courir. Je penserai aux mandats plus tard.

Henrik marcha tout bonnement vers la sortie. Son lieutenant le stoppa net en se plantant dans l'embrasure de la porte. Son large gabarit emplissait tout l'espace disponible.

— Va pas saboter ton succès, là. J'ai déjà connu des gars pas mal plus endurcis que toi qui étaient sur une belle lancée. Première chose qu'on apprenait : ils avaient négligé des détails importants, ce qui avait fait foirer les procédures devant le juge. On passe vite de héros à zéro. T'es le dernier homme à qui je voudrais que ça arrive.

Henrik tenta de rassurer son patron, mais ne se fit pas assez convaincant à son goût. Celui-ci adopta une attitude plus directe.

— Je pense que j'ai visé juste. Ça va trop bien pour toi.

L'ironie de cette affirmation n'était même pas amusante.

— Des fois, quand ça roule bien, on laisse passer des choses cruciales.

— Es-tu en train d'employer l'effet sandwich sur moi ? réagit enfin Henrik. Un compliment, une insulte, un compliment ? Il me semblait, aussi, que ton air triomphant était trop gratuit.

— Essaie pas de me faire sonner faux. C'est vrai que je suis fier de ta job. C'est sincère. Je te *backe* sur toute la ligne. Mais, vois-tu, j'ai appris que le soir de l'Halloween…

Affolement pur et simple. Pourquoi le lieutenant mentionnait-il cette date ? Le croyait-il impliqué dans l'assassinat du jeune bandit ? Les points de suspension à la fin de sa phrase suscitèrent une profonde appréhension chez Henrik.

— … j'ai appris que notre filature a essayé de te joindre pour te mentionner qu'il y avait un party de filles à la taverne. Un party exclusif. T'as jamais répondu à son appel.

— Tu me dis ça aujourd'hui ? s'emporta Henrik.

— Tu t'étais fait attaquer la veille. Et on avait des points plus chauds à débattre le lendemain, tu trouves pas ? L'important, c'est que je te le dise maintenant. Ça fait que, pas d'auto-sabotage, Hansen. Reste vigilant. Garde ton cellulaire allumé vingt-quatre heures sur vingt-quatre.

— Si tu m'achètes le meilleur chargeur de batteries de la terre, ronchonna-t-il en se faufilant jusqu'au couloir.

Il n'entendait pas à rire ; il avait besoin de courir. Peu importaient les chutes abondantes de neige, il lui fallait évacuer ce trop-plein de stress. Arrivé chez lui, il sauta donc dans son survêtement et parcourut le sentier de la montagne jusqu'à en perdre haleine. Il commençait à faire sombre lorsqu'il revint chez lui. En sueur, drogué aux endorphines, il traîna les pieds jusqu'à la bouteille de whiskey et alla s'avachir au séjour. Il prit quelques verres devant l'écran noir de sa télé. Il avait préféré allumer la chaîne stéréo et s'adonnait à une forme d'introspection nostalgique plus ou moins volontaire sur du vieux rock. Bientôt, quelqu'un le tira de son rituel en faisant tinter la sonnette. Sans poser son verre, Henrik se rendit au portique. C'était son infirmière, toute mignarde avec sa tuque et ses grosses moufles rose pâle.

— J'ai bravé les éléments pour t'apporter ça.

Elle lui présenta un boîtier de film. Il s'agissait de la comédie dont il lui avait parlé lors de leur dernier clavardage. Bien d'autres ménages devaient être rivés devant une nouveauté cinématographique en cette soirée enneigée.

— Est-ce que t'en es juste à l'apéritif ou déjà au digestif? blagua-t-elle en désignant son verre. On peut se commander quelque chose, si t'as pas encore soupé.

— J'ai pas tellement faim. Merci.

Élodie se colla à lui pour mieux l'embrasser. Il ne broncha pas. Ses lèvres étaient douces. Il se laissa faire.

— Est-ce que ça te dérangerait si je prenais une douche rapide? dit-elle soudainement. J'arrive de l'hôpital. J'ai eu la pire journée de fou que tu peux imaginer.

Henrik lui dit de prendre ses aises, tout en songeant qu'il pourrait facilement rivaliser avec n'importe laquelle de ses pires journées imaginables. Il remporterait la joute haut la main. Après avoir entendu l'eau couler et la porte de douche glisser sur son rail, il put retourner au salon pour achever sa ration de whiskey. Il était en train de survoler le synopsis à l'arrière du boîtier de film lorsqu'on sonna à nouveau. Il eut le réflexe d'allonger la main vers l'endroit où il gardait son arme de poing, réflexe dicté par les avertissements de Fafard qui lui avait demandé d'être plus à l'affût. Il se ravisa cependant en se disant qu'un criminel ne prendrait pas la peine de sonner avant de le liquider. Quoique… avec des femmes criminelles, il pouvait sûrement s'attendre à un peu n'importe quoi. Il ouvrit donc la porte avec précaution. En voyant la personne qui se trouvait sur le seuil, il sentit la foudre s'abattre sur lui.

— Henrik, je…

C'est tout ce que la femme eut la force de prononcer. Henrik la toisa, les bras ballants, croyant être victime d'un malaise cardiaque. Il percevait toujours le bruit de l'eau, non loin derrière lui. Il savait très bien qu'Élodie ne tarderait pas à sortir de la salle de bain. Et il voyait le seul véritable amour de sa vie se tenir là, devant lui. Il empoigna ses bottes et son parka pour passer à l'extérieur et pouvoir s'isoler sur la galerie avec Eva. Il la contempla une fois de plus, muet. Au crépuscule, sous les flocons duveteux, elle lui parut encore plus magnifique qu'auparavant. Il en eut mal.

— Je sais pas trop par où commencer, réussit-elle à articuler.

Il se frictionna les tempes, comme pour replacer les idées qui se chamboulaient dans sa tête.

— Est-ce que tu savais que je restais au Cap ? demanda-t-il.

— Penses-tu vraiment que je serais venue ici si je l'avais su ?

Henrik leva la tête pour fixer la lune argentée, les doigts croisés sur la nuque.

— Je vais disparaître, murmura Eva. Ça va régler notre problème.

— Notre problème ? ragea-t-il. Dis plutôt nos problèmes. Nos multiples problèmes !

— J'ai juste à retourner à Montréal. Demain.

Il se mit à faire des allers et retours le long de la rambarde comme un animal en cage. La femme ne savait trop que faire. Elle pencha pour la franchise.

— Je connais les risques, mais mon égoïsme a pris le dessus. Je voulais te revoir avant de m'en aller.

— Câlice, Eva, je peux perdre ma carrière ! rugit-il en frappant la rambarde sur laquelle il venait de s'appuyer. T'es parmi nos principales suspectes. J'aurais dû me retirer de l'affaire, mais je l'ai pas fait. Si quoi que ce soit est découvert, à partir de maintenant, je suis fini. Terminé ! Pis toi, t'as une ostie d'équipe mixte au cul, composée des trois corps policiers de la province, lâcha-t-il en se tapant le revers de la main dans la paume. T'as ruiné ma vie quand tu m'as laissé pour ton innocent d'Européen. Je savais pas que t'étais capable de la ruiner encore une fois, quinze ans plus tard !

Eva se mordait la lèvre inférieure afin de l'empêcher de trembler. Ses yeux s'emplissaient de larmes. Elle était bouleversée par ce qu'il venait de lui dire. Touchée par l'honnêteté dont il faisait preuve, elle céda aux sanglots. Le chagrin était trop lourd à porter. Henrik se couvrit les yeux d'une main tremblante afin de cacher ses propres larmes.

— Henrik ? fit une voix assourdie par la façade en cèdre du cottage.

Son infirmière était sortie de la douche et le cherchait. Il était trop tard pour demander des explications à Eva, des explications attendues depuis si longtemps qu'un large fossé avait fini par se creuser entre eux.

— Es-tu en haut ? fit la voix éloignée d'Élodie.

Devant l'urgence de la situation, Henrik se rua vers Eva. Il la surprit en l'enveloppant dans ses bras. Sentir son corps près du sien lui procura un profond désarroi autant qu'un bien-être immense. Il devait s'en imprégner avant qu'elle ne se faufile hors de sa vie. Sans essuyer sa bouche mouillée de pleurs, il l'embrassa avec une impétuosité dans laquelle se confondaient rancœur et amour. Sa peau avait un parfum enivrant. Ses lèvres avaient un goût merveilleux : elles goûtaient son passé heureux. Henrik la désirait tout entière. Il aurait voulu lui faire l'amour, là, maintenant. Encore et encore. Il aurait voulu ne plus jamais en être séparé. Il voulait tant de choses impossibles à obtenir. Soudain, Eva se détacha de lui et se détourna, en larmes, pour disparaître dans l'allée qui rejoignait la rue. Henrik resta pantelant, au milieu de la galerie. La porte d'entrée s'entrouvrit.

— Tu prends l'air ?

Il s'essuya la figure de ses manches.

— J'ai un début de migraine.

— Viens en dedans, j'ai tout ce qu'il faut. J'étais justement venue vérifier tes points de suture.

Piteux, il suivit Élodie à l'intérieur. Elle lui fit avaler un puissant analgésique (qu'il arrosa d'alcool malgré son désaccord) et lui demanda de s'asseoir à la lumière. Elle observa ses points de suture. À l'aide de pinces et de ciseaux, elle retira les fils noirâtres de sa peau, puis passa un tampon désinfectant sur son arcade sourcilière.

— Presque comme neuf, sourit-elle. Bon, est-ce qu'on regarde notre film ?

C'est à ce moment que quelqu'un martela la porte. C'était une blague ou quoi ? Henrik craignit qu'il ne s'agisse d'Eva, mais en même temps, il l'espérait de tout son être ! Sans trop d'entrain, il se dirigea encore une fois vers son portique. Il venait à peine d'entrebâiller la porte qu'il reconnut l'individu et encaissa son coup de poing en plein front. Assommé, il s'affala sur le parquet.

— Ça, c'est pour toutes les idées que t'as mises dans la tête de ta sœur !

Marc Bertoll se volatilisa, laissant son rival effondré au sol. Élodie accourut. Elle lui tâta le haut du visage. Rien de terrible à part une énième ecchymose. Elle se dépêcha de lui appliquer de la glace enveloppée dans une compresse pour ne pas que l'enflure prenne l'allure d'un pruneau. Elle lui palpa le front, puis lui remit de la glace.

— Je crois que je vais aller dormir, dit-il piteusement en écartant sa compresse.

Élodie exauça son souhait. Elle l'aida à marcher jusqu'à la mezzanine.

ONZE

Tandis que la GRC explorait des pistes en Estrie, l'agent du SPVM menait sa propre enquête à Cap-à-Nipi. Ayant reçu l'aval d'Henrik, il avait fait poser des micros Chez Chang, le lendemain après-midi. Il y avait envoyé un de ses confrères du QG siroter un thé vert au jasmin. Sa mission : se faire passer pour un fonctionnaire de Revenu Québec. Cravate autour du cou et stylo à plume dépassant de la poche, l'étranger avait demandé à rencontrer la propriétaire. Celle-ci était arrivée en trombe de la Caisse populaire, à bord de sa décapotable jaune. Le faux fonctionnaire lui avait alors rappelé que, dès le 1er mars, tous les établissements de restauration de la Côte devraient munir leur caisse enregistreuse d'un module d'enregistrement des ventes. La dame ne s'était pas agitée. Elle avait seulement soulevé le coût d'installation élevé d'un tel module. L'homme l'avait rabrouée en insistant sur la date butoir. À présent qu'il était parti, il ne restait plus qu'à l'écouter s'indigner par le biais des micros rapidement installés.

— J'adore ça, jubila Denis en se frottant les mains. On devrait se commander de la pizza.

— C'est vrai que ça fait un méchant bout qu'on n'a pas fait d'écoute, remarqua Danny.

— Dire qu'Hansen risque de tout rater.

— Y'est avec le boss ou quoi ?

— Pense pas. Sûrement un autre rendez-vous de psycho-machin…

175

Les jumeaux enfilèrent des écouteurs et commencèrent leur séance d'espionnage électronique. D'ordinaire, ce type d'écoute s'échelonnait sur plusieurs semaines. Dans ce cas précis, ils n'attendaient qu'un infime indice de fraude afin de pouvoir sauter à pieds joints dans les papiers de l'entreprise. C'était l'unique condition du magistrat pour délivrer son mandat de perquisition. Bénis des dieux, les jumeaux blonds n'auraient pas à s'éterniser à leur poste d'écoute. L'adjointe de la Caisse pop faisait les cent pas entre les étalages de thés importés et de tasses en grès. Les micros captaient ses claquements de talons sur le bois franc. Dix minutes s'égrenèrent au sablier, puis ce furent quatre talons qui claquèrent contre le parquet. «Enfin, t'es là!» dit la femme, exaspérée. Les jumeaux se regardèrent avec la même expression, soit une agréable surprise. La propriétaire poursuivit: «Le gars du Ministère est passé. C'est pas compliqué, il nous reste juste quatre mois pour opérer. Ça m'écœure, pis pas à peu près. Avec tout l'argent pis toute l'énergie que j'ai mis dans ce salon de thé!» C'est à cet instant que la femme qui venait d'arriver se prononça: «On n'a pas le choix de fermer la boutique. On s'en est déjà parlé. C'est pas parce que la date approche qu'on doit laisser nos émotions jouer sur notre décision.» Elles cessèrent de parler. Seuls des bruits ambiants furent retransmis par les micros cachés.

— C'est qui, cette fille-là? lança Denis. Sa voix me dit absolument rien.

— Moi non plus.

— J'arrive trop tard? dit Henrik en se positionnant derrière ses deux collègues assis.

Il était propre et rasé de près. Il avait même l'air très bien, à l'exception de ses yeux rougis et de la bouteille de boisson énergétique ultraconcentrée qu'il avait dans la main.

— C'est ta psychologue qui te malmène comme ça?

— Non, l'insomnie, précisa Henrik en buvant le reste de son breuvage.

Les jumeaux débranchèrent leurs écouteurs et haus-
sèrent le volume afin que le sergent-chef puisse être de la
partie. Les femmes avaient justement repris leur dialogue.
«Oui, c'était censé être un commerce bidon au départ, mais
je me suis investie à tous les niveaux pis je trouve ça chiant
de mettre la clé sous la porte à cause du câlice de fisc alors
que ça fonctionne bien.» Avec plus de fermeté, l'autre
femme statua: «La décision est prise. On ferme Chez
Chang d'ici trois semaines. T'as raison de dire que tout va
bien pour l'instant, mais c'est parce qu'on déclare seulement
quarante mille dollars par année. Quand le MEV¹ de la
caisse va se mettre à enregistrer des revenus de quatre-
vingt mille dollars, ton joyeux fonctionnaire va se poser
des méchantes questions. Ça remonte loin en arrière, des
fonctionnaires. Ils vont tout scruter à la loupe. On va se
faire rincer. Si tu tiens à ta place avec nous, laisse-moi te
dire que t'as intérêt à éviter le fisc.»

Les jumeaux se dressèrent d'un bond, éclatant de joie et
se tapant dans les mains à la manière de footballeurs ayant
remporté la coupe. Ils venaient d'obtenir leur indice
plutôt criant de fraude.

— Faut avertir la filature, s'exclama Danny en secouant
l'épaule d'Henrik. Faut identifier la femme qui vient de
parler. C'est clair que c'est une *top*! Dis à notre gars de la
suivre. Peux-tu le joindre rapidement?

Henrik était sidéré. Il avait reconnu Eva. Il se demanda
s'il serait celui qui la pousserait dans le ravin. Il désirait
tant la revoir, mais pas à travers le mur de plexiglas de
l'établissement carcéral Tanguay. En dépit de son manque
de sommeil réparateur, il réagit avec aplomb.

— J'ai son numéro en mémoire dans mes contacts, mais
j'ai pas mon téléphone avec moi. En y allant nous-mêmes,
ça va être plus efficace.

Les coéquipiers parlementèrent une minute avant de
décider d'embarquer dans un seul et même véhicule.

---

1. Module d'enregistrement des ventes.

Henrik se mit derrière le volant et démarra en faisant légèrement valser les pneus sur l'asphalte gelé. Tout en filant vers le magasin de thé, il pria Jésus, Mahomet et Allah pour que la chef de La Pieuvre ait déjà nagé jusqu'à des eaux sûres.

— Arrête-toi ici, suggéra Danny en désignant un espace libre, le long du trottoir.

— Je peux pas croire que c'est la criminalité qui va mettre Cap-à-Nipi à la une des journaux, dit Denis en détachant sa ceinture de sécurité.

— C'est vrai que ça fait penser à Havre-Saint-Pierre pis à la cargaison de drogue des Rizzuto, enchaîna son frère. Le procès avait été tellement médiatisé. Bah! tant que les journalistes débarquent pas en meute ici... C'est pas des farces, on n'aurait même pas assez de motels pour les loger.

Henrik écoutait ses compères d'une oreille distraite. Il ne pensait qu'à Eva. Où était-elle? Que tramait-elle? Il avait le plus grand mal à se concentrer sur le moment présent, car plus rien n'avait de sens dans son quotidien depuis qu'il la savait si près.

— On a combien de *backups* pour demain soir? s'informa Danny.

— Y'a des gars qui descendent de l'Anse-à-Pierre pis de Sainte-Flavie, dit Henrik. On devrait être quinze.

— Livraison de bandages, ironisa l'autre jumeau. C'est les filles qui risquent d'en avoir besoin. Moi, je vous avertis, je les traite comme des hommes. Si ça devient *rough*, ça devient *rough*. Je mettrai pas de gants blancs.

Comme il n'avait qu'Eva à l'esprit, Henrik avait relégué la descente du lendemain aux oubliettes. Il lui restait moins de vingt-quatre heures pour peaufiner l'opération et mettre son équipe élargie au courant des étapes à suivre. Il y avait un protocole à respecter, mais il devait y ajouter ses indications personnelles. Fafard l'avait avisé qu'il serait en charge du dispositif du lendemain.

— Regardez, quelqu'un s'apprête à sortir, s'enthousiasma Danny.

Dans l'habitacle de la voiture, le silence se fit soudain. Henrik pliait, dépliait et repliait un minuscule bout de carton trouvé dans le porte-verre. Il espérait le mieux tout en s'attendant au pire. L'adjointe du directeur de la Caisse populaire émergea du commerce en premier. Elle était malheureusement suivie de près par la tête dirigeante de son clan. Les jumeaux s'animèrent ou, comme ils avaient coutume de le faire, blasphémèrent tout en s'administrant des coups de coude. Ils n'en revenaient pas de voir devant eux celle qui était la femme la plus importante de La Pieuvre aux yeux de la GRC, au beau milieu de l'avenue de la Sapinière ! Ils vivaient un événement qu'on pouvait qualifier « d'incroyable mais vrai ». Pour sa part, Henrik aurait tout donné pour ne pas être présent en ce moment fatidique.

— Oh, que je souhaite qu'elle soit là, elle, demain soir ! dit Denis. Je vais lui faire toute une fouille par palpation.

— *Joke* facile, grogna Henrik.

— Oui, mais irrésistible, railla le policier.

— Ça se peut quasiment pas, être belle de même, rêvassa Danny. Qu'est-ce qu'elle fait dans nos dossiers ? Elle devrait être mannequin.

« Elle est dans nos dossiers parce qu'un imbécile l'a arrachée à moi, lui a fait miroiter plein de faussetés et l'a entraînée dans ses combines », avait envie de hurler Henrik. Mais il ne fit rien de tel. Il serra plutôt les dents.

Astrid en avait assez de ronger son frein. Sa méfiance envers Marc gâchait tout le bonheur qu'elle aurait dû éprouver alors même qu'elle s'apprêtait à concrétiser l'un de ses plus grands rêves professionnels. Lasse de ruminer les mêmes soupçons, elle prit la décision de se rendre au poste de la Sûreté. Elle fut soulagée d'apprendre que son frère n'y était pas. Elle ne voulait voir que la recrue qui lui était, disons, favorable. Elle ne ferait pas semblant de le séduire juste pour arriver à ses fins, mais elle saurait se montrer persuasive. Ne méritait-elle pas d'en avoir le cœur net?

— Je sais que j'ai retiré ma plainte contre le conducteur de scooter qui m'a frôlée, mais…

— Y'est toujours temps de la redéposer.

— Je sais, mais c'est pas vraiment ce que j'avais en tête.

Astrid adressa au jeune policier un sourire tendre. Il était déjà sous le charme.

— J'ai l'impression que je connais le conducteur, mentit Astrid. Est-ce que ça serait le livreur du dépanneur? J'espère faire erreur. En fait, je suis venue apaiser ma conscience.

— De quelle manière? rétorqua-t-il.

— Ça, c'est plutôt de ton ressort. C'est pas moi qui suis fraîchement diplômée du Collège Maisonneuve. Avec mention d'excellence, en plus.

Le jeune homme tenta de réfréner un rougissement. Futile effort. Il se passa une main gênée sur la nuque et se mordit la langue pour retrouver son sérieux. Il pianota ensuite sur son clavier. C'est alors qu'une adolescente se présenta devant la vitre, faisant fi de l'entretien en cours. Furax, elle posa sur le comptoir un lourd sac réutilisable rempli de pièces de monnaie.

— Je viens régler le *ticket* que tu m'as donné l'autre jour, mon homme!

— Vous pouvez pas le payer en cennes, mademoiselle.

— Regarde l'autre qui me vouvoie, dit-elle à Astrid avec dérision. Comme si y'avait pas passé tout son secondaire dans le sous-sol de chez mes cousins!

— Pour les contraventions, c'est au deuxième étage, mademoiselle Rochefort, maugréa-t-il en la mitraillant du regard et en tendant le bras tel un missile.

L'adolescente au style marginal et aux paupières qui semblaient avoir été couvertes de goudron empoigna son sac et grommela tout le long de son trajet jusqu'à la cage d'escalier.

— Très désagréable de connaître tout le monde quand tu représentes l'autorité, bouda le jeune homme en appuyant avec insistance sur une touche du clavier.

Sa soudaine mauvaise humeur allait-elle nuire au dessein d'Astrid? Elle se dépêcha de le ramener vers son sujet en le prenant par les sentiments.

— Si je voyais la photo du gars ou si tu me donnais le nom de sa rue, je pourrais au moins savoir si c'est le livreur du dépanneur d'à côté. Je ferai pas une grosse histoire avec ça, seulement un avertissement civilisé. J'aurais au moins l'esprit clair. Ça me ferait du bien.

Cette dernière phrase suffit à accrocher la recrue mieux qu'un hameçon. Il se détendit aussitôt. Il inspira à fond pour ensuite tourner l'écran vers la jeune femme qu'il tenait en si haute estime. Elle prit l'adresse en note et le remercia en posant une douce main sur la sienne. Une fois sortie du poste, Astrid perdit sa mine affable. Elle était chavirée. Marc et l'agresseur partageaient la même rue. Et le même immeuble à logements, de surcroît. Bien qu'abattue, elle ne pouvait plus faire marche arrière. Elle devait aller jusqu'au bout du mystère. C'était s'exposer inutilement au danger, mais pour une fois, elle ne voulait pas dépendre de son frère aîné. Astrid avait grandi sans véritable père ni mère, elle se sentait capable de faire face à la situation. Néanmoins… En observant la série d'interrupteurs numérotés dans le vestibule de l'immeuble à logements, elle sentit une onde d'anxiété parcourir son corps. Certains interrupteurs étaient anonymes, comme celui de l'appartement qu'elle cherchait. Elle l'enfonça. Elle attendit quelques instants qui lui parurent des siècles. La crainte s'accentuait dans son cœur et son corps ne répondait guère mieux à cette insoutenable attente. Sa gorge était sèche et ses genoux tressautaient presque. Astrid pressa l'interrupteur une seconde fois. Aucune réponse. Elle n'allait certainement pas rentrer bredouille! Elle sonna chez le concierge. Un bourdonnement, suivi d'un déclic, lui donna accès à l'immeuble. Le concierge vint aussitôt à sa rencontre.

— Je peux faire quelque chose pour vous ?

— Je cherche le locataire de l'appartement vingt-deux. C'est une connaissance commune qui m'envoie. Elle a de la misère à le joindre.

— C'est normal, ma fille. On a été obligé de l'évincer après trois loyers impayés.

Astrid sursauta presque. Était-ce donc cela, l'élément déclencheur de sa recherche d'emploi à Québec ? Tout semblait concorder. Une éviction était exactement ce qui pouvait faire fuir un homme vers une autre ville. Astrid était troublée. Elle en perdait ses repères. Plus rien de leur relation ne lui semblait vrai. Le concierge se retourna pour regagner son logement.

— Monsieur ? lança-t-elle dans une ultime tentative.

Il pivota en se frottant la panse.

— Si vous revoyez Marc Bertoll, pouvez-vous le signaler rapidement ?

Elle lui tendit la carte professionnelle d'Henrik. Le concierge analysa le bout de carton, recto verso, sans trop comprendre.

— C'est qui, Marc Bertoll ? Je connais pas de Marc.

— Mais, c'est votre locataire évincé, dit Astrid, perplexe.

— Il s'appelait Jordan.

Astrid fourragea dans sa sacoche en quête de son portable. Elle le trouva, faillit l'échapper et parvint enfin à l'allumer. Après avoir fait défiler ses albums photos du bout du doigt, elle sélectionna une image précise qu'elle glissa sous le nez du concierge. Il y vit un homme et une femme, batifolant en traîneau sur un terrain enneigé.

— C'est quoi ? C'est qui ? dit le concierge.

— Est-ce que c'est cet homme-là, votre Jordan ?

— Pas du tout. Lui, c'est le locataire du 44.

Du coup, le petit monde d'Astrid reprit de la couleur. Les nuages gris s'écartèrent et des rayons de soleil la réchauffèrent soudain. Astrid se retint de sauter au cou du concierge et fila plutôt vers sa garderie afin d'y apporter la touche finale. L'inauguration avait lieu le surlendemain.

Tout était splendide, à présent. Enfin, presque tout, puisqu'il lui fallait maintenant se faire pardonner l'attitude glaciale qu'elle avait démontrée à l'égard de son amoureux.

La psychologue se tapotait le dessous du menton de son stylo. Elle était en panne d'inspiration. Elle toisait son patient, cherchant l'argument béton qui le ferait revenir en thérapie. Ils étaient si près du but. Elle avait senti une ouverture se créer. Elle avait nettement vu l'amélioration. Mais elle n'exerçait aucun contrôle sur ses patients. Le contrôle sur autrui était d'ailleurs à proscrire lors des traitements, car il risquait de causer des torts énormes.

— Je voudrais juste prendre une pause. Est-ce que c'est possible ?

Elle ne fournit aucune réponse définitive. Elle laissa Henrik poursuivre.

— Je suis impliqué dans des grosses opérations au poste. J'ai d'autres problèmes affectifs qui se sont rajoutés à ma gigantesque pile d'autres problèmes. En d'autres mots, j'ai trop de misère à tirer sur la corde de mon éléphant pour l'amener ici. Ha ! Ha !

La psychologue avait toujours apprécié ses exemples imagés. Mais aujourd'hui, elle ne lui ferait pas le cadeau d'en rigoler. Elle rapprocha plutôt son fauteuil du sien. Cela mettait Henrik mal à l'aise. Elle avait agi de la sorte chaque fois qu'il s'était aventuré à sauter deux ou trois séances. Car il s'était essayé à quelques reprises depuis le printemps !

— Est-ce que ton éléphant s'en tient juste aux arachides ?
— Oui. En général.

À son grand étonnement, elle s'inclina afin de lui tapoter le genou. Il se sentit entouré de bons sentiments, comme un fils repentant gratifié de l'approbation maternelle. D'un geste chaleureux, Marie Mongeau le congédia. Ne sachant que dire, il lui secoua la main avec une énergie franchement atténuée par l'incrédulité.

— Bonne chance pour tes opérations, Henrik. Sois prudent. Au risque de faire cliché, la Côte a besoin de bons policiers comme toi.

Il la remercia d'un hochement de la tête. Le parka bien zippé, un pied à l'intérieur du cabinet et l'autre déjà à l'extérieur, Henrik reçut la dernière salutation de la psychologue avec la force d'un boomerang.

— Une dernière chose : tu diras à ton éléphant d'essayer de faire la paix avec la mère inadéquate qui l'a abandonné chez une tante pas plus adéquate. Il va se rendre compte que son énorme pile de problèmes affectifs va rapetisser radicalement.

Henrik s'évada du bureau de la spécialiste. Il était abasourdi, mais ne s'arrêta pas de marcher. Oh ! il n'aimait pas ce sentiment qui le tenaillait ! Il ne l'aimait pas du tout ! Cela le plaçait dans un état d'esprit défavorable pour sa descente policière. Marie Mongeau avait trouvé le mot juste : inadéquat. Au cours des quinze heures qui suivirent, et ce peu importe ce qu'il entreprit, Henrik fut incapable de chasser le sentiment oppressant que la dame lui avait instillé en lui.

— Les gars de la Côte sont arrivés, l'avisa Fafard en l'accueillant à la centrale un peu avant le souper, le lendemain. Le maître-chien est à l'arrière. Les deux camions, l'équipement, tout est en règle. Es-tu prêt pour le rassemblement ?

— Donne-moi encore une heure. Dis aux gars d'aller manger.

N'y voyant pas d'inconvénients, le lieutenant se conforma aux instructions de son sergent-chef. Henrik se tint occupé pour éviter de ressasser les paroles de sa psychologue. Il contacta l'agent du SPVM pour lui communiquer son plan d'action. Il voulait s'assurer d'un lien serré tout au long de la descente. Ils fignolèrent ensemble les derniers détails, comme l'heure présumée de la livraison de «bandages» qui, selon les bribes saisies par écoute électronique, avait été devancée d'une cinquantaine de minutes.

— As-tu l'impression qu'Eva Beck va être sur place? questionna Henrik en tentant de masquer l'appréhension dans sa voix.

— Je pourrais pas te dire, répliqua l'agent. Elle est peut-être retournée à Montréal. J'ai su qu'elle était dans le trouble avec Patrick the Bullmastiff. Les motards veulent organiser une rencontre au sommet. Ça va être laid. Les filles sont entêtées. Ça risque d'argumenter fort et de mal finir.

Déconcerté, Henrik se frotta la figure des deux paumes, s'étirant les joues vers le bas. Patrick the Bullmastiff était l'un des motards criminalisés les plus pernicieux que le Québec ait jamais connus. Il avait battu le record du plus grand nombre de séjours en prison et, même derrière les barreaux, il n'avait jamais cessé d'être craint. Il avait corrompu des policiers, avait commandé l'assassinat d'un juré sans se faire pincer et avait même tué un codétenu à l'aide d'une fourchette lors d'une émeute à la cafétéria de Port-Cartier (à titre de légitime défense, les caméras ayant corroboré la plaidoirie de son avocat). Henrik n'était pas heureux que ce matamore ait quitté la Côte-Nord pour venir rôder autour d'Eva. Il aurait été encore plus dépité s'il avait été au courant de l'affreux coup de genou qu'elle lui avait lancé à l'entrejambe...

— En tout cas, leader pas leader, on ramasse toutes les filles présentes ce soir, conclut Henrik. Après, on laissera notre procureure faire ce qu'elle veut avec sa loi antigang.

Le lieutenant Fafard fit son apparition, ce qui poussa Henrik à mettre un terme à la discussion. Il prit le document plié que lui tendait le grand patron.

— On a tous nos mandats. C'est le dernier qui nous manquait. On va pouvoir saisir les papiers de Chez Chang pis de Vahiné dès l'aube.

— Si ça te fait rien, je vais me faire une toast avant.

Fafard leva les yeux au ciel. Il était debout à 4 heures tous les matins et ne comprenait pas pourquoi les autres paressaient plus longuement.

— Tu déjeuneras avant de te coucher. Ça va être une bonne chose de réglée. Bon, les gars t'attendent.

Henrik descendit à la salle où étaient les casiers. Il enfila un uniforme vert kaki et vérifia que tous les accessoires y étaient: lampe de poche, menottes, gants de kevlar, poivre de Cayenne. Il se munit aussi d'un bâton télescopique et fit passer son pistolet de sa gaine à sa ceinture. Il passa une veste pare-balles et termina avec un manteau et une casquette à emblème. Une pluie verglaçante avait commencé à tomber. Et il faisait noir comme chez le loup. Mais Henrik avait prévu le coup. Une fois paré, il remonta à la salle de conférence rejoindre son équipe. Tous se turent lorsqu'il pénétra dans la pièce. Avant de mettre cartes sur table, Henrik s'adressa chaleureusement aux nouveaux venus, ce qui contribua à abaisser la tension présente dans la pièce. Puis il leur fit part de sa vision de l'opération. Il assigna un rôle précis à chaque homme, ainsi qu'une position sur le terrain. Pour illustrer son propos, il projeta un plan aérien de la taverne sur grand écran. Après une brève période de questions, Henrik reçut le signal de la filature.

— OK, mes chéries, on s'en va danser! s'exclama Fafard, lui-même en tenue de combat, en distribuant des claques dans le dos de tous ceux qui se trouvaient à sa portée.

Les policiers montèrent à bord d'une camionnette et roulèrent jusqu'à la taverne. Le maître-chien descendit en premier avec son fidèle doberman. Il s'accroupit à gauche de la porte principale. Une pluie froide imbibait le pelage du chien, mais malgré cela, il gardait le museau droit et les oreilles dressées. Les jumeaux Dupuis avancèrent l'un à la suite de l'autre et se placèrent à la droite de leur confrère, armes dégainées. De son côté, Henrik effectuait un roulement continu d'avant-bras pour dire à ses hommes d'enchaîner. Deux par deux, les autres policiers se positionnèrent devant chaque issue. Les derniers agents, dont Fafard, qui

186

avait insisté pour être de l'opération, assuraient les arrières de leur chef d'escouade autour de la camionnette. Henrik alluma la radio accrochée à son épaule. Il resserra les doigts autour de son pistolet. Il reçut l'indication que l'équipe de filature était stationnée à l'intersection la plus proche, parée à contrecarrer toute tentative de fuite de la part des membres de La Pieuvre.

— On y va, *go, go, go*! fit Henrik dans sa radio.

Les hommes firent une entrée fracassante dans la vieille taverne aux sombres boiseries. Il n'y avait qu'une dizaine de buveurs et quelques joueurs aux machines à sous. Ceux-ci furent rapidement identifiés et relâchés. Les policiers occupèrent tous les coins du bar. Henrik, Denis, Danny et le maître-chien dévalèrent les escaliers menant au sous-sol dans un grondement de tonnerre. Ils y surprirent deux femmes qui remplissaient à la hâte une armoire de sacs au logo d'une pharmacie bien connue. Affolées, elles sortirent leurs armes et hurlèrent à qui voulait l'entendre d'évacuer les lieux. Le chien se mit à aboyer et à montrer les dents. L'une des criminelles se glissa sous la table et fit feu en direction des policiers. Le maître-chien fut atteint au mollet. Henrik cria à Denis de le couvrir, avant de partir à vive allure vers un étroit escalier encastré dans le mur. Il était partiellement obstrué par un meuble. Il le poussa d'un coup d'épaule afin de dégager cette nouvelle issue. Les quatre marches débouchaient sur une demi-porte qu'il n'avait pas vue sur les plans cadastraux. Un fracas retentit à cet instant. Henrik se retourna vers l'action.

Denis venait de renverser la table de sa botte et d'asséner un violent coup de bâton télescopique au poignet de la fille armée. Elle se lamentait bruyamment. Danny plaqua l'autre femme contre l'armoire, la maîtrisa avec force pour ensuite lui passer les menottes. Avant de retourner aux étroites marches menant à la petite porte qu'il venait de découvrir et qui débouchait sur l'arrière de la taverne, Henrik appela du renfort sur sa radio. Fafard se pointa au sous-sol pour prendre la relève auprès du maître-chien blessé. L'homme avait relâché son doberman et celui-ci avait suivi Henrik à l'extérieur.

— Tout le monde à terre! cria le policier de la Côte, posté à la porte des employés, à l'intention de deux des suspectes.

— Les mains derrière la tête! renchérit Henrik en jaillissant du sous-sol et en s'accroupissant près de palettes de marchandises.

Il vit alors deux criminelles qui désobéissaient délibérément à leurs ordres. D'abord la grosse Toutoune, qui se cacha derrière son camion de livraison, puis une fille qu'il ne put identifier à cause du manque de lumière, qui plongea sur le siège du passager. Henrik rentra la tête pour éviter les coups de feu qui étaient tirés dans sa direction. Des morceaux de bois volèrent à côté de lui. Le moteur vrombit. Les deux femmes essayaient de s'échapper. Il profita de la brève accalmie pour se relever et tirer vers les pneus arrière du véhicule. Des balles sifflèrent à nouveau à ses oreilles. Dans sa radio, il ordonna à Derek Miller de se montrer prudent. Afin de quitter temporairement sa couverture et de jouer un rôle actif dans cette intervention, l'agent avait pris soin de modifier son apparence.

Deux autres policiers de la Côte vinrent prêter main-forte à leur chef d'escouade. Tandis que l'un d'eux continuait de tirer sur les roues du camion qui démarrait, l'autre courait le long du véhicule. Avantagé par ses années de cross-country, Henrik réussit à rattraper l'agent ainsi que la camionnette. Dans un ultime effort, il parvint à sauter sur le marchepied arrière. Le camion zigzaguait, un pneu étant à plat. Henrik peinait à y rester agrippé. Il avait l'impression de se tenir du bout des doigts. Ses bottes, bien que munies de semelles à crampons, dérapaient sur le grillage. C'est à ce moment que la vitre du côté passager éclata sous les balles de son collègue qui dut s'arrêter de courir, vidé de toute énergie. Les roues du véhicule crissèrent sur le macadam glacé, et la conductrice donna un violent coup de volant dans l'espoir de le redresser. Henrik ne put rester accroché davantage. Il roula sur le bas-côté de la route et se retrouva couché dans un mélange de neige fondante, d'herbe et de gadoue. Haletant dans sa radio, il souffla à ses hommes de le retrouver à l'intersection. Il somma Miller du SPVM de mettre sa voiture en travers de la route. La tête du doberman surplomba alors un instant son visage, le faisant sursauter. Puis le chien poursuivit sa course, attiré comme un aimant par le camion de livraison et la très subtile odeur de drogue qui s'en dégageait. Ce n'était pas l'heure de la sieste. Henrik s'aida de ses coudes pour s'extirper de l'ornière. À son tour, il courut à la croisée des deux rues où le barrage routier s'était organisé. La conductrice et sa passagère y avaient été neutralisées. Derek maintenait la propriétaire de taverne au sol à l'aide d'un genou dans son dos.

— Toi qui aimes les bijoux, v'là deux beaux bracelets pour aller avec tes boucles d'oreilles, ironisa l'agent en lui passant les menottes.

Henrik redoutait de découvrir l'identité de l'autre criminelle appréhendée par les agents. Et si c'était Eva? Il tituba jusqu'à elle, les nerfs à vif et les muscles tendus par l'adrénaline. Il ne voyait qu'une longue chevelure d'ébène secouée par une respiration saccadée.

— Ça va, boss?

— Comme un charme, se plaignit Henrik, sale et endolori.

— Mélodie Dubeau, déclara le sous-officier en retournant la hors-la-loi.

Henrik remercia le ciel que ce ne soit pas Eva. Ce n'était pas non plus une pure étrangère. Cette fidèle de La Pieuvre avait un lien familial avec sa « liaison » actuelle. Il suivit le doberman qui avait pris la direction de l'arrière du camion de livraison.

— Ça ressemble à quoi?

— Vite de même, à trois ou quatre cent mille piastres de poudre.

Henrik ouvrit une boîte de bandages et y découvrit le pot aux roses. Il se réjouit de la tournure de l'opération.

Ses équipiers défilèrent pour lui tapoter l'épaule. Il grimaça de douleur. Mais cette fois, c'était une bonne douleur. Le lieutenant s'approcha pour faire quelques éloges aux policiers autour de lui. S'il était intransigeant à ses heures, il n'était pas avare de compliments.

— On va les garder en cellule chez nous jusqu'à demain, dit-il en montrant les criminelles. Le fourgon va descendre de la ville pour les ramasser. Les jumeaux achèvent d'empaqueter l'argent pis les cartouches trouvés à la taverne.

— Y'a deux balances électroniques, lança un agent en fouinant dans la camionnette.

— Comment va Dumas ? s'enquit Henrik, soucieux.

— Pas si pire. Il pense que la balle est passée à travers le muscle sans que rien d'autre soit touché.

Avant d'escorter les contrevenantes, Fafard avisa le groupe qu'il convoquerait un point de presse en fin de matinée le lendemain. Il demanda à Henrik de porter veston et cravate et sonda ses intentions concernant la Centrale de l'information criminelle. Le sergent estima que les circonstances étaient idéales pour dévoiler le numéro de la ligne téléphonique anonyme, qui permettrait d'atteindre l'ensemble de la population. Il approuvait cette tactique.

— Allez, on prend nos cliques pis nos claques, dit Fafard en frappant dans ses mains. Faut rouvrir les rues à la circulation.

Au moment où Henrik s'assoyait dans la voiture de filature, des journalistes et des photographes débarquèrent. Il pesta et jura, mais devoir oblige, il dut leur présenter une mine agréable. Il leur fournit juste assez de renseignements pour satisfaire leur curiosité, sans bien sûr compromettre l'enquête en cours et ses procédures judiciaires complexes. Il régla le tout en un quart d'heure. Il n'espérait qu'une chose : retrouver au plus vite son oreiller. Après s'être lavé et changé au poste, il roula jusqu'à son domicile. Il n'avait pas participé à beaucoup de descentes policières d'envergure dans sa carrière. Il était donc aux prises avec une sensation inhabituelle, comme si les récents événements n'avaient pas vraiment eu lieu. Il écoutait un animateur radio débiter des futilités en ondes et avait du mal à réaliser qu'il venait de tirer avec son 9 mm sur des trafiquantes de coke dont la chef était son amour de jeunesse.

Il entra chez lui. Tout était à sa place. Tout était calme. Il lança son manteau n'importe où, abandonna ses bottes en chemin et jeta ses clés sur le comptoir. Secoué de frissons, sans doute en raison de sa chevelure humide, il s'arrêta face au thermostat. Il monta la température de quelques degrés. Un cliquetis annonça la mise en marche du chauffage électrique. N'arrivant pas à trouver le sommeil, il se demanda s'il ne traînerait pas quelque temps sur internet avant de se glisser sous les couvertures. Où avait-il laissé son MacBook, déjà? Ah oui, sur la mezzanine. Il l'avait sans doute laissé ouvert sur la page météo… Henrik empoigna l'échelle de bois et commença à grimper une volée de marches. Arrivé en haut, il fut alerté par un froissement de draps. Qu'est-ce qui pouvait bien remuer dans le lit? Il s'adossa à la commode, désarmé et n'ayant aucun recoin pour se protéger en cas d'attaque.

— Henrik?

Il fut totalement déconcerté de voir Eva se découvrir et apparaître nue sous ses draps. Était-ce la façon qu'elle avait de prononcer son prénom qui le remuait à ce point, ou l'émotion qu'il ressentait à la contempler, dénudée et splendide devant lui?

— Je m'ennuie de toi, dit-elle.

Henrik bouillait. Il se planta face au lit.

— Sais-tu d'où j'arrive? s'enflamma-t-il.

Elle s'assit au milieu du lit, rabattant le drap sur une partie de son corps.

— Je sais pas, mais j'ai l'impression que tu vas me l'expliquer.

— On vient d'arrêter quatre de tes filles, cria-t-il. Vous êtes en train de tomber, Eva! Le foutu conte de fées s'achève.

— C'est loin d'être un conte de fées, se fâcha-t-elle. Je risque ma vie pour faire ça !

— Moi aussi, ragea-t-il. Embarque-moi pas dans un débat pour déterminer lequel de nous deux est le plus dans la merde !

Henrik s'assit sur le coin de sa commode, la tête entre les mains. Il devait s'exprimer le plus posément possible afin de ne pas laisser déferler sur la femme un flot de paroles cruelles et rancunières.

— Pourquoi, Eva ?

Elle détourna le visage, tentant d'échapper à la discussion sans doute houleuse qui allait suivre.

— Je veux pas savoir pourquoi t'es partie avec l'autre. Je veux savoir pourquoi t'es restée avec lui.

— Parce qu'à vingt-cinq ans, on n'a pas l'âge de raison.

Une réponse bien trop vague pour l'importance d'une telle question. Henrik craignait de plus en plus que son aigreur ne tourne en agressivité. C'est pourquoi il frappa le mur de son coude, ce qui saisit la femme et servit d'exutoire à son ressentiment.

— T'as vu où t'es rendue ?!

— Essaie pas d'être moralisateur avec moi. Tu me feras pas regretter mon choix de vie, répliqua-t-elle froidement.

— C'est justement ce que je me demandais. Es-tu capable de regretter quoi que ce soit ?

— Oui. Je nous regrette, nous. C'est la seule chose que je regrette, et c'est un immense regret.

Tandis qu'il essayait d'encaisser le choc, Eva se coula hors du lit et vint se blottir contre lui. Henrik l'étreignit, d'abord avec tendresse puis avec une affliction grandissante. Incapable de supporter cette étreinte, il se mit à pleurer sur son épaule. Chavirée, elle prit son visage entre ses mains et lui caressa la joue avec une infinie douceur.

— Ce serait mieux si tu partais, avoua-t-il.

Elle le saisit par les avant-bras et, sans lâcher prise, elle recula jusqu'au matelas, sentant sa résistance fondre un peu plus à chaque pas. Elle s'allongea sur la couette sans jamais cesser de serrer Henrik contre son corps. Ce dernier arrima ses mains sur ses hanches comme pour s'y ancrer. Il voulait maîtriser ce moment, tenir cette femme captive, dans ses bras, rien que pour lui, ne serait-ce que quelques instants. Il réalisait toute l'importance de ce face-à-face. Cette chance ne reviendrait sans doute jamais. Il regarda les douces lèvres entrouvertes et sonda le regard suave qui semblait l'appeler. Comment avait-il pu lui demander de quitter la chambre ? Eva attendait qu'il rompe le silence. Henrik surplombait ce corps encore réchauffé par le sommeil et qui semblait être en attente du sien.

— Même quand t'existais plus, je t'aimais encore, susurra-t-il enfin.

Eva fit sauter les premiers boutons de sa chemise et la rabattit sur ses bras. Henrik capitula. Il l'embrassa à pleine bouche, la dévorant presque. Elle lui avait manqué pendant trop longtemps. Il ne cessa de la couvrir de baisers, même en retirant le reste de ses vêtements. Il était incapable de se détacher d'elle, ne serait-ce que quelques secondes. Il se sentait emporté par le désir. Plus rien n'existait autour de lui. Ni l'espace, ni le temps. Il n'en avait que pour Eva, la douceur de sa peau, ses courbes exquises, ses élans passionnés. Il ressentait un besoin impérieux de la prendre jusqu'à l'essoufflement. Il se nourrissait de ses geignements, de ses inspirations saccadées, de ses délicieuses rebuffades lorsqu'il se montrait beaucoup trop dominant. Puis, au bord de l'égarement, il lui murmura :

— Comment je vais faire, Eva ?

Elle savait très bien qu'il songeait déjà à l'après. Elle n'avait aucune réponse à lui offrir. Elle se contenta de lui faire l'amour et de se laisser aimer jusque tard dans la nuit.

DOUZE

Tandis que, chez elle, Astrid enfournait un pain aux bananes et pressait gaiement des oranges, son frère s'éveillait d'une nuit torride, mais également fort éprouvante à bien des égards. Constater qu'il était seul parmi les draps pêle-mêle rendit son réveil encore plus difficile. Il peina à s'asseoir. Lorsqu'il s'étira pour soulager son dos courbaturé, il remarqua une note manuscrite sur la commode. Il la saisit et se rassit au bord du lit pour en faire la lecture.

Je t'aime, Henrik.
Je t'aime profondément.
Mais je ne peux être la personne qui ajuste ton nœud de cravate avant le point de presse.

Eva

Il chiffonna la feuille et la projeta dans un coin de la pièce. Il descendit de la mezzanine et se dirigea vers la salle de bain pour s'y enfermer. Claquant la porte derrière lui, il réprima une forte envie de briser le miroir, de défoncer la cloison de la douche ou de se livrer à un acte de destruction stupide mais libérateur. Au lieu de quoi, il se pomponna impeccablement, revêtit son habit le plus raffiné et attaqua sa journée de travail.

Quand Henrik pénétra à la centrale, les applaudissements fusèrent. Il ne prit même pas la peine de savourer la reconnaissance de ses pairs. Élevant une main polie dans les airs, il se rendit tout droit au bureau du lieutenant. Son horaire était plus que chargé, mais il espérait obtenir une pause de 9 h 30 à 11 heures afin de prendre part à l'inauguration de la garderie La Petite Danoise. Il avait raté une foule d'événements importants dans la vie de sa sœur et ne voulait plus être à l'écart. Il estimait Astrid. Ce n'était pas seulement par devoir familial qu'il souhaitait assister à ce déjeuner, mais par amour fraternel. Ainsi présentée, comment Fafard pouvait-il lui refuser cette faveur? Il ne lui restait plus qu'à s'activer pour fignoler la perquisition de Chez Chang. En attendant Danny qui finissait de se raser aux toilettes, Denis et Henrik s'enfermèrent dans la salle de réunion pour échanger leurs impressions sur leur descente de la veille.

— Regarde les photos de la taverne, dit Henrik en dénombrant les issues. De l'extérieur, on ne voit pas la demi-porte, au ras du sol, qui donne accès à la cave.

— Elle est cachée par le bicycle, remarqua Denis en s'approchant de l'écran.

En effet, une moto appuyée sur le mur du bâtiment centenaire faisait disparaître l'entrée qui, jadis, servait à descendre dans le caveau des légumes frais et des poches de farine.

— J'aurais pu y passer, réalisa soudain Henrik. J'étais complètement à découvert.

— À l'avenir, on demande un plan à la municipalité en plus d'une vue aérienne pour comparer les deux.

—Pis jamais de photos prises en hiver! Je vais l'inscrire au rapport, tu peux en être certain.

Rejoints par Danny, les policiers purent enfin se rendre à l'endroit de la perquisition et ainsi procéder à leur saisie. Ils aimaient bien ce genre d'interventions, car il était rare qu'elles tournent en dangereuses échauffourées. En règle générale, leur arrivée en groupe suscitait de la stupéfaction, un peu de bisbille, parfois quelques larmoiements nerveux, mais rien de plus fracassant. Lorsqu'ils pénétrèrent dans le salon de thé, insignes et mandat bien en vue, leurs attentes furent comblées. Ils ébahirent la propriétaire, qui était également l'employée de la Caisse populaire, tout autant que la clientèle. Que diable pouvaient-ils reprocher à cette gentille dame qui importait du Chai, du Wulong et de succulentes mignardises ? Les commérages se répandraient à un rythme effréné. C'était inévitable au Cap.

— C'est quoi, l'affaire ? se révolta-t-elle. Qu'est-ce que vous faites ici ? Y'a rien à saisir, déclara-t-elle ensuite en attrapant Henrik par un pan de son veston afin d'obtenir sa pleine attention.

Il se tourna lentement, regarda les doigts sur son vêtement, posa son regard sur le visage crispé de la dame, puis revint aux doigts bien agrippés.

— Je vais vous demander de coopérer, madame. Ça commence avec une règle toute simple : ne pas me toucher. Merci.

Mi-furieuse, mi-humiliée, elle desserra sa poigne pour se jeter sur le téléphone afin de contacter son avocat. Le trio fit une perquisition en bonne et due forme, rassemblant les livres, rapports de caisse, déclarations de revenus et matériel informatique trouvés dans l'arrière-boutique. Henrik jeta un dernier regard circulaire sur le magasin.

— Bon, je pense que ça fait le tour.

Danny lui demanda d'attendre un peu. Il venait de dénicher un document plutôt surprenant. Il le feuilleta rapidement avant de s'interrompre, éberlué.

— Ça t'appartient.

Il remit les papiers à Henrik.

— Mon dossier médical !

Comment son dossier avait-il pu se retrouver dans la boutique ? Qui pouvait avoir aidé les criminelles à obtenir ces documents ? Les questions se bousculaient dans l'esprit d'Henrik. D'abord pantois, regardant tour à tour les jumeaux et le fichier volé la bouche entrouverte, Henrik sentit la colère monter en lui. Il chargea en direction de la propriétaire. Celle-ci bondit de côté, toujours en ligne avec

197

son avocat. Henrik lui arracha le combiné des mains et le raccrocha violemment contre son socle mural. Il lui balança une volée d'accusations, le visage à deux centimètres du sien. Vociférant et se tenant campé face à la dame, Henrik poussa l'intimidation jusqu'à sa dernière limite, soit jusqu'à ce qu'elle le menace de porter plainte au comité de déontologie. Les jumeaux intervinrent afin d'éviter à leur sergent-chef ce scénario navrant.

— J'ai rien qu'un conseil à te donner, ragea Henrik en brandissant un doigt agressif vers la femme. Déballe tes osties de cadeaux maintenant, parce que tu vas passer les cinq-six prochains Noëls en dedans!

Denis donna deux petites tapes sur l'épaule de son supérieur afin de l'inciter à décompresser. Le trio quitta ensuite le salon de thé pour retourner au bureau. Après avoir retrouvé un certain flegme, chaque policier prit une boîte de paperasse et commença à l'éplucher afin de trouver d'éventuelles pièces à conviction. Henrik avait un mal fou à se concentrer et ainsi à discerner l'essentiel de la masse de données superflues. Il fulminait.

— Je décolle, moi!

Il fit tout basculer dans la boîte brune et ressortit de la centrale aussi vite qu'il y était entré. Quelques minutes plus tard, il était garé dans le secteur le plus défavorisé de la région. Il sortit de sa jeep pour aller récupérer un gyrophare portatif dans le coffre. Il ne lui restait plus qu'à attendre. Le tableau de bord affichait 9 h 03. Il serait en retard chez sa sœur. Mais il y serait. N'était-ce pas ce qui comptait? À travers le pare-brise, Henrik vit défiler toutes sortes de personnages et de véhicules, notamment une Plymouth peinturée au rouleau (trois tons de verts différents), une bicyclette rouillée dont le panier était rempli de chats, deux prostituées éméchées, ainsi qu'un gang de bons à rien vêtus de manteaux Ed Hardy (comment avaient-ils pu se les payer?). D'ordinaire, Henrik les aurait abordés, mine de rien, question de leur imposer sa présence. Pas cette fois-ci. Il avait une personne bien précise en ligne de mire. Un ex-détenu réformé. Dès qu'il reconnut l'automobile et surtout sa plaque d'immatriculation, il actionna son gyrophare, le poursuivit et le stoppa un peu plus loin, au bout du boulevard. Fidèle à lui-même, l'homme ne s'empressa pas de se plier aux exigences policières.

— Tes papiers, mon Marcel.

— Lesquels ? fit l'ancien bandit en lui montrant le désordre sur la banquette arrière. Papier journal, papier de gomme, j'ai même du papier de toilette qui a roulé en dessous de mon banc.

Henrik répondit à sa mauvaise blague par un éclat de rire exagéré. L'homme se gratta la barbe avec des ongles noircis par la crasse.

— Tu sais pourquoi je t'arrête ?

— Pour payer des nouvelles culottes au maire ?

— Sac à blagues, mon Marcel, sac à blagues. C'est parce que tu roulais à cent cinq dans une zone de soixante-dix, mentit Henrik.

En réalité, l'homme n'avait certainement pas franchi la barre des quatre-vingts kilomètres à l'heure. Mais puisque Henrik avait besoin d'un solide argument de négociation, la frime était l'unique méthode efficace qui lui restait.

— Ça va te coûter deux cent trente dollars plus trois points d'inaptitude.

— Calvaire ! maugréa l'homme en rallumant un vieux mégot de cigarette. Comment veux-tu que je paie ça ? En cinquante versements faciles comme à l'émission de magasinage ? Mon chèque de bien-être est de cinq cent quatre-vingt-neuf dollars par mois, câlice !

Henrik fit semblant de retourner à son automobile pour remplir le constat d'infraction. Le conducteur lui cria de revenir. N'y avait-il pas moyen de s'arranger ? De trouver un juste milieu et de s'y rejoindre ? Henrik feignit une torturante indécision. Marcel s'emporta.

— Va pas me faire accroire qu'on peut pas moyenner ? Je commence juste à me sortir la tête de l'eau, ciboire !

— En temps normal, on pourrait pas moyenner. Mais justement, on est pas en temps normal.

L'homme avait du mal à suivre Henrik dans son raisonnement. Il grimaça. Qu'avait-il de si anormal, le temps présent? C'est alors qu'Henrik formula une proposition peu orthodoxe.

— Tu peux peut-être te racheter, mon Marcel.

— Plus tu parles, plus je me dis que c'est pas mon vrai jour de chance.

— Disons que c'est un jour pour s'entraider. T'as pas envie de ce *ticket*-là pis moi j'ai besoin de ton aide.

L'homme n'était pas encore gagné. À son avis, les mots « policier, cadeau et ex-détenu » ne pouvaient figurer dans une même suite logique. Impossible. Malgré tout, Henrik parvint à le guider vers le sentier pédestre qui longeait le boulevard. La neige n'était pas parfaitement damée, mais quelques piétons avaient tracé un chemin praticable. Ne voulant rien savoir de cette onéreuse contravention, Marcel enjamba le remblai pour suivre Henrik. Ce qui ne l'empêchait pas de rester méfiant et de regarder à gauche et à droite, honteux de marchander avec un agent de la paix. Il s'alluma une autre cigarette avec son mégot fumant.

— Qu'est-ce que tu penses de ce qui est arrivé à nos deux Marilyn Monroe? avança Henrik. En tout cas, je peux te dire qu'elles sont plus trop jolies jolies.

— Ah, je peux pas le croire!

L'homme était enragé. Il venait de comprendre qu'il était tombé dans un guet-apens. Alors qu'il s'attendait à être interrogé sur des banalités, comme des plans de cannabis ou quelques consoles de jeux vidéo volées, il se voyait soudain coincé entre deux cadavres. Position plus qu'inconfortable.

— Écoute, Marcel, on sait tous les deux que t'es le doyen du quartier. Quelqu'un se mouche dans sa salle de bain pis t'es au courant.

— Les Dupuis m'ont déjà tanné avec ça.

— Oublie les jumeaux. C'est moi qui te parle, là. Le veux-tu, ton *ticket*, oui ou non?

Le conducteur lui balança une dizaine de jurons à la figure. Henrik encaissa les injures sans broncher.

— Bon, as-tu fini, maintenant? Est-ce qu'on peut moyenner, comme tu dis?

L'homme pivota sur lui-même pour retourner à son automobile. Il refusait de paraître en pleine discussion amicale avec un sergent-détective. Il avait des principes ainsi qu'une réputation à tenir. La mine renfrognée, les mains enfouies dans les poches de sa froide veste en cuirette, il grommela une information partielle. Henrik le fit répéter.

— C'est pas des gars qui ont fait ça, grogna-t-il. Si c'est pas des gars pis pas des martiens, il te reste quoi?

Déduction facile. Henrik s'était attendu à une autre révélation plus déterminante. Il insista.

— Va donc voir l'Armurier! Tu vas être plus avancé. Pis déchire-moi ce *ticket*-là! J'ai pas envie de le voir revenir dans ma boîte aux lettres dans deux semaines. Je les connais, vos fausses promesses.

L'Armurier était un vieil amateur d'armes à feu. Peut-être connaissait-il le fournisseur de La Pieuvre? Henrik pourrait bâtir une hypothèse solide là-dessus. Pour contenter l'homme qui grommelait toujours devant lui, Henrik se tourna vers une poubelle publique tout en faisant mine de déchirer la contravention. Il la dissimula dans sa manche, déchiquetant plutôt une simple liste de règles de sécurité à vélo que les gars du poste distribuaient dans les écoles primaires. Après quoi, il vérifia sa montre. Il avait près d'une heure de retard. Lorsqu'il arriva chez sa sœur, le déjeuner était déjà entamé. La salle de séjour était en fête. Des ballons, serpentins et bambins en pyjamas rigolos coloraient la grande pièce. Peu habitué à ce type de festivités, Henrik faillit s'enfarger dans un ourson musical et marcher sur un bébé qui suçait le pneu d'un camion de pompier. Il retrouva enfin son équilibre.

— Dans toute sa splendeur : mon frère!

Astrid fit les présentations d'usage, même si tous les parents présents le connaissaient au moins de vue. Avant de lui servir un mimosa et une pâtisserie, elle l'enlaça et exigea une bise. Ce faisant, elle sentit un relief étrange à travers sa chemise.

— C'est une patch anti-douleur, lui confia-t-il à l'oreille. J'ai fait des p'tites cascades hier soir. Tu regarderas le télé-journal.

Pendant que parents et enfants se régalaient, apprenaient à se connaître davantage et exploraient les jouets de la garderie, frère et sœur se tinrent à l'écart pour rattraper le temps perdu. Ayant épuisé les premiers sujets, ils en vinrent à leurs tribulations amoureuses. Un incontournable, quoique Henrik aurait préféré s'en passer.

— Avec Élodie, je pense que tu pourrais faire un sérieux bout de chemin, non ? En tout cas, plusieurs personnes m'en ont parlé en bien. J'espère que tu continues de te comporter en gentleman.

— Je suis désolé de te l'apprendre, mais comme tout le monde, j'ai des défauts.

— Force-toi, murmura-t-elle en lui faisant les gros yeux.

Sans rien ajouter, il acheva sa flûte de champagne fruité.

— Le problème, c'est que…

— Ça y est ! lança-t-elle, exaspérée.

— Je veux plus qu'une fille que j'aime bien. Je veux une femme à laquelle je suis incapable de *résister*. Tu comprends ?

Astrid était excédée par l'attitude de son aîné et, pour tout dire, l'inverse était également vrai. Leurs conversations sur ce sujet devenaient de plus en plus houleuses. Tous deux s'efforçaient d'entretenir un sourire artificiel pour ne pas attirer l'attention des parents.

— Tout le monde arrive dans une nouvelle relation avec son bagage du passé, chuchota-t-elle avec sévérité. Si t'es le moindrement chanceux, comme c'est le cas pour toi en ce moment, tu tombes sur quelqu'un qui t'aime assez pour t'aider à défaire tes valises.

Henrik se servit un croissant à la pâte d'amandes tout en ruminant l'adage que venait de lui lancer sa sœur. Lorsqu'il posa à nouveau son regard sur elle, la bouche à moitié pleine, il alla droit au but.

— C'est ton M. Biceps qui t'apprend toutes sortes de beaux proverbes?

Astrid était si choquée qu'elle faillit sacrer devant ses convives. Elle se ravisa juste avant de commettre l'irréparable. Le teint écarlate, elle se rafraîchit d'une longue gorgée de jus d'orange et s'agenouilla pour jouer aux voiturettes avec deux bambins. Henrik la regarda s'amuser. Elle était jolie, sa sœur, lorsqu'elle s'adonnait à ce qu'elle savait faire de mieux, soit prendre soin des enfants et les aider à s'épanouir. Plus Henrik l'observait, plus il se sentait malheureux. C'était une journée importante pour sa sœur. Et qu'avait-il fait? Il s'était pointé à son inauguration, oui, mais il avait tout gâché. Pitoyable acte de présence.

— Je vais être obligé de partir, Astrid. Je passe à la télé dans une trentaine de minutes.

Elle l'ignora. Qui pouvait la blâmer? Henrik expira. Dans un élan de spontanéité, il posa son assiette sur une des tablettes de la bibliothèque et se mit à genoux à côté d'Astrid. Il attrapa une petite voiture de course qu'il fit rouler sur le tapis en imitant le ronronnement d'un gros moteur. Un garçonnet lui offrit un large sourire clownesque. Henrik ne put s'empêcher de pouffer de rire.

— Je suis vraiment le pire des cons, susurra-t-il à Astrid tout en poursuivant son jeu sur la moquette. Je t'aime, ma sœur. Je te le dis rarement, mais reste que c'est vrai. La seule affaire, c'est que…

— Pourquoi tu peux jamais t'arrêter à «je t'aime, ma sœur»? soupira-t-elle.

— C'est juste que ton Bertoll est venu me cogner à la maison.

— Quoi?!

Elle s'était exclamée si fort que les parents s'étaient retournés et que les enfants avaient cessé leurs babillages.

Embarrassée, Astrid se confondit en excuses, pour ensuite attraper son frère par le poignet. Au bout du couloir, elle lui demanda des explications.

— J'ai ouvert la porte et il m'a frappé en plein front. Bing !

— Mais pourquoi il a fait ça ?

— Il paraît que je te mets des mauvaises idées dans la tête.

Astrid comprenait tout. Pas besoin d'explications additionnelles. Elle comprenait la rancœur de Marc. Et elle n'était pas sans apprécier son machisme chevaleresque. Après tout, il ne faisait que défendre ses intérêts, avec un peu plus de muscles que de diplomatie, mais bon. C'était sa façon de faire. Peut-être la seule qu'il avait apprise ? Astrid afficha une mine agréablement surprise.

— T'es contente qu'il m'ait sonné, hein ?

— Un peu, avoua-t-elle.

Ils se fixèrent avec sérieux. Puis ils cédèrent à un fou rire monumental. Henrik la prit par le cou et lui offrit une chaleureuse accolade. Il posa un baiser sur ses cheveux.

— Est-ce qu'on va se chicaner toute notre vie ? s'enquit-elle.

— Probablement, oui. On a les mêmes gènes, tu sais.

— Misère...

Henrik courut chercher l'imposant présent qu'il avait couché sur le comptoir de la cuisine. Étonnée mais ravie, Astrid le déballa en vitesse. C'était un paravent avec des cases de bois dans lesquelles on pouvait glisser des photographies, comme les frimousses des enfants de la garderie. Elle l'étreignit de nouveau. Après quoi, Henrik fit des salutations en règle aux gens présents et reprit le volant en direction de son lieu de travail. Il se sentait le cœur plus léger tout le long du trajet. En traversant le petit pont, il jeta un coup d'œil sur la montagne tout en repassant dans son esprit le film de sa nuit en visions tantôt vives tantôt floues. Il pouvait encore sentir le corps d'Eva glisser contre sa peau, onduler avec le sien, au rythme de leur respiration profonde… Il ressentit un feu brûlant à l'abdomen, feu qui grimpa d'abord à son cœur pour le réchauffer, puis à son esprit pour le réduire en cendres en une seule flambée. Sans Eva, il se sentait comme un chien errant. Elle avait trop longtemps été son autre moitié. Où se terrait-elle en ce moment? La chercherait-il plus tard? Qui sait… Le Cap n'était pas si long à parcourir et puis, de toute façon, il ne se sentait pas assez fort pour se libérer tout seul de cette emprise amoureuse. Pas assez fort ou pas enclin à le faire? Il n'en était plus certain. Henrik était si ébranlé par cette introspection qu'il omit de freiner à l'arrêt. Pas brillant de sa part. Heureusement, il n'y avait aucune autre voiture. Il arrivait à destination.

— Ton brunch est terminé? Je pensais que tu me rapporterais une bonne danoise, dit Fafard en se peignant la moustache pendant qu'il se regardait dans le reflet d'une vitre.

— Toi pis tes blagues multiculturelles. On est nés au Danemark, mais on mange des croissants comme tout le monde, riposta Henrik. Si tu veux te faire un ami, tu demanderas au lieutenant Ming s'il mange des nouilles chinoises au déjeuner.

La réceptionniste rigola à sa blague. Elle se ressaisit pour mieux répondre à son interlocuteur. Quant au lieutenant et son sergent-chef, ils boutonnèrent leur veston et pénétrèrent dans la salle où s'organisait le point de presse. Les caméramans finissaient le réglage de leurs appareils tandis que certains journalistes révisaient les notes de leurs recherchistes.

— Bon matin, dit Fafard. Vous avez bien été avisés qu'aucun représentant de la GRC ou du SPVM ne serait ici?

— Oui, pas de problème, on les aura après, rétorqua un reporter de la ville.

Fafard et Hansen se placèrent devant les grands drapeaux sur pied de noyer. Les membres de la presse écrite et radio prirent place à gauche, tandis que les trois journalistes télé se tinrent à droite. Henrik ne raffolait pas des caméras. Il accomplirait la tâche avec application, mais sans s'éterniser lors de la période de questions. Il avait un personnage à rencontrer : l'Armurier. Mais avant, il aviserait les jumeaux des nouveaux développements afin de les mettre dans le coup. Bien que ses méthodes fussent parfois anticonformistes, il n'en demeurait pas moins un joueur d'équipe.

— On est prêt à commencer ? lança le lieutenant en se croisant les bras à la base du dos. Alors, hier soir, la taverne Chez Toutoune ainsi qu'un camion de livraison enregistré au nom du commerce ont fait l'objet d'une importante saisie. La propriétaire, Aline Sanschagrin, cinquante-cinq ans, de même que trois complices dans la trentaine ont été arrêtées. Des accusations de possession de stupéfiants en vue d'en faire le trafic vont être déposées contre les quatre femmes. Elles doivent comparaître au palais de justice de Montréal ce mardi. Il est peu probable qu'elles obtiennent leur remise en liberté vu la quantité de drogue trouvée sur les lieux.

Fafard se recula vers les drapeaux, passant ainsi le flambeau à son chef d'escouade. Celui-ci se désenroua la voix en toussotant, pendant qu'il s'avançait vers les micros et les enregistreuses numériques.

— On a saisi trente kilogrammes de cocaïne et vingt-sept mille cinq cent soixante dollars en argent comptant, pour une valeur totale de quatre cent cinquante-six mille cent trente dollars. C'est la plus imposante saisie de toute l'histoire de Cap-à-Nipi et la deuxième en importance pour l'ensemble de la Côte.

— Est-ce que l'organisation qu'on surnomme La Pieuvre est derrière ce trafic de stupéfiants ? intervint le reporter de la ville.

Henrik échangea un coup d'œil furtif avec son supérieur.

— De toute évidence, c'est un réseau très bien structuré.

— Est-ce qu'il y a des connexions à faire entre cette saisie et les meurtres survenus ces derniers jours ?

— C'est trop tôt pour le dire. L'enquête se poursuit, dit Henrik.

— Est-ce que La Pieuvre est officiellement parmi nous ? D'autres activités illicites sont-elles soupçonnées ?

— L'enquête suit son cours, répéta-t-il pour clore le sujet.

— Travaillez-vous à la démanteler ? insista une journaliste.

Fafard se réappropria la parole. Il esquiva la question en mentionnant la ligne téléphonique anonyme. Ensuite, il invita la population à dénoncer les criminels sans crainte de représailles. Les deux représentants des forces de l'ordre souriaient à la caméra, voulant clairement démontrer que la confiance régnait au sein de la SQ. Ceci mit fin au point de presse. Certains journalistes essayèrent de presser le citron afin d'obtenir LA nouvelle exclusive qui ferait pâlir d'envie la concurrence. Fafard se chargea des plus ardents, libérant son sergent afin qu'il puisse se remettre à l'ouvrage. Celui-ci voulait se débarrasser d'un compte de dépenses qui traînait depuis belle lurette sur son bureau. Il avait reçu plusieurs mémos internes lui rappelant son retard. Les gens à l'administratif languissaient après ce bout de papier comme un travailleur saisonnier qui attend son premier chèque d'assurance-emploi. C'est aujourd'hui qu'il mettrait en application l'une des dizaines de recommandations émises par sa psychologue : faire maintenant ce qu'il remettait toujours au siècle suivant. Henrik tira ainsi sa chaise à roulettes, sortit une enveloppe blanche remplie de factures d'essence, de repas et autres dépenses courantes. Il cliqua sur l'embout de son stylo, appuya sur le bouton de mise en marche de sa calculatrice et se frotta le menton.

— Bureaucratie, je te gère, murmura-t-il d'une voix martiale.

Quand Danny arriva en coup de vent, Henrik n'avait pas eu le temps de commencer un seul calcul.

— Y'a une fille en pleurs qui supplie pour te voir. Qu'est-ce que je fais ?

Trop tard. La jeune femme avait quitté la réception pour devancer le policier.

— J'étais pas au courant pour ma cousine, je te le jure! plaida-t-elle en posant les mains sur ses épaules.

Élodie l'enlaça avec émotion devant tout le monde. Henrik ne savait pas trop comment réagir. Il accepta son étreinte, pour ensuite l'entraîner vers un local inoccupé qui servait parfois à interroger des individus accusés d'infractions majeures. Il lui offrit un verre d'eau, un café et des mouchoirs. Il attendit qu'elle se soit calmée avant de lui demander de poursuivre.

— Je suis sous le choc, c'est quoi cette histoire de drogue?

— Je suis désolé, Élodie, mais c'est pas juste la drogue. Y'a d'autres infractions graves.

— Comme? demanda-t-elle, préoccupée.

— Tentative de meurtre sur un policier.

Elle le désigna, estomaquée, en soufflant: «Toi?» Elle était visiblement outrée. Henrik trouvait sa réaction plutôt convaincante. Elle lui paraissait intègre. Au fil des cas sur lesquels il avait bossé, il avait su développer un certain flair qui lui permettait d'identifier certains signaux liés au mensonge ou à la duperie: se toucher la gorge, se gratter le visage, avoir le regard fuyant, secouer la tête négativement alors qu'on affirme quelque chose et, bien sûr, transpirer abondamment. Les réactions d'Élodie n'entraient pas dans cette énumération. Elle tenait les mains d'Henrik bien serrées dans les siennes et le transperçait d'un regard soucieux. Malgré son apparente sincérité, il ne put s'empêcher de la tester en lui rapportant que son dossier médical avait été retrouvé à la maison de thé. Il n'aimait pas les liens tissés autour de ce vol. Élodie sentit la glace sous ses pieds se faire de plus en plus mince. L'émotion la fit presser ses mains davantage.

— J'ai tellement peur que tu me croies impliquée dans tout ça.

Ne jamais laisser transparaître sa méfiance. Henrik en avait fait une habitude. C'est donc avec stoïcisme qu'il balaya les inquiétudes de la fille. Il y avait néanmoins un autre sujet lourd de conséquences qu'il ne pouvait esquiver, soit l'absurdité de la relation qui se forgeait peu à peu entre eux et à laquelle il fallait mettre un terme. Cet autre sujet entraîna un second flot de pleurs.

— Je pensais qu'on s'entendait bien, dit-elle, la voix défaite. Pourquoi c'est moi qui dois écoper pour les mauvaises décisions de Mélodie ?

Il lui servit la vérité toute crue. Du moins, une partie de la vérité.

— Si je suis appelé à témoigner dans un mégaprocès hautement médiatisé, la défense va non seulement te passer au tordeur, mais elle va aussi démolir ma crédibilité devant tout le monde à cause de… nos rapports.

Henrik avait évité la dénomination « couple » pour ne pas lui faire regretter quelque chose de plus significatif que ce que c'était en réalité. Cela dit, il n'était pas insensible à la tristesse de la jeune femme. Élodie était très agréable à côtoyer. Il s'ennuierait de sa bonne humeur, de ses bons soins et de ses adorables expressions. Avant de lui offrir une dernière accolade, il pensa à lui en faire le compliment. À quoi bon garder des bons mots pour soi s'ils peuvent servir de baume sur une blessure tout juste infligée ? Alors qu'Élodie s'assoyait sur ses genoux pour l'embrasser une dernière fois, le lieutenant Fafard fit irruption dans le petit local dépourvu de vitres. Il n'aima pas voir son sergent dans cette position, et surtout dans ce lieu ! Élodie trouva un moyen rapide de sortir Henrik de l'embarras.

— Pardonnez-moi, bafouilla-t-elle en s'asséchant les joues. J'étais pas venue ici pour déranger le sergent Hansen. J'ai quelque chose qui pourrait vous aider dans votre enquête. Si je peux avoir accès à Facebook, je vais vous expliquer.

Henrik était tout aussi médusé que son supérieur, sinon plus. Tous deux précédèrent la jeune femme jusqu'à l'ordinateur le plus près. Elle se mit aussitôt au clavier et, de quelques tapotements de doigts, se connecta à son compte.

Parmi ses amis se trouvait sa cousine Mélodie. Elle cliqua sur son profil.

— J'ai remarqué qu'elle et ses copines portaient la même chaîne.

Henrik se souvint du bout de chaînette retrouvé dans son fouillis par la femme de ménage. D'un simple clic, Élodie agrandit la photo. Elle tapa de l'ongle sur l'image du bijou en question.

— C'est le pendentif «pistolet en or» signé Ron Herman, qui est très populaire chez les vedettes hollywoodiennes. Ça vaut quand même six cent quarante-huit dollars américains. Je me suis dit que les filles qui le portaient ici, au Québec, avaient sûrement pas mal d'argent à flamber. C'est peut-être important, ou peut-être pas, mais je tenais à vous le montrer.

— Vous avez bien fait, mademoiselle, affirma Fafard. Tout peut passer de banal à très important en un quart de seconde, dans une enquête. Je vous remercie. Maintenant, faut que je vous vole Hansen. J'ai à faire avec lui pis je risque d'être moins affectueux que vous.

Le rire caustique de Fafard agaça l'homme concerné. Celui-ci tâcha d'oublier l'humour douteux de son chef et le suivit jusqu'à ses quartiers. La révélation d'Élodie allait être utile à Henrik, qui expliqua à son patron qu'il dresserait la liste de tous les sites de magasinage en ligne offrant le collier au pistolet d'or. Par la suite, il rétrécirait sa recherche en ciblant les compagnies ayant livré le pendentif à des adresses québécoises. Fafard enregistrait les informations en frottant le verre de ses lunettes contre la soie de sa cravate.

— T'es bon, Hansen. C'est ce qui est frustrant. Très frustrant.

Henrik était perplexe. Il déboutonna tranquillement ses manchettes et remonta ses manches aux coudes. Dans la lune, il fixait le mur beige-rosé. Pourquoi un lieutenant se plaindrait-il de la perspicacité de son second?

— Je vais te le dire, moi, ce qui est si frustrant. C'est ça, sacrament!

Fafard lui envoya un dossier sur les avant-bras. Le nom qui figurait sur le document acheva de l'abasourdir : « Laboratoire de sciences judiciaires et de médecine légale du Québec ». C'était l'analyse des fibres, tissus et fluides trouvés sur le jeune vendeur de drogue. Le fameux rapport tant redouté. Henrik se sentit vidé de toute sa vaillance. Il n'avait même pas la volonté de le feuilleter. Ce n'est que lorsque son patron aboya : « As-tu besoin de te prendre un avocat ? » qu'Henrik déchira le coin de l'enveloppe. Il lut l'expertise en diagonale. L'essentiel à retirer de ce rapport était ceci : des échantillons de sang et de salive d'un certain Henrik Hansen avaient été prélevés à divers endroits sur le corps de la victime.

— Qu'est-ce que je suis censé penser ? s'emporta le lieutenant. Peux-tu m'expliquer pourquoi ton ADN se trouve sur un de nos cadavres ? Peux-tu me jurer, drette là, que tu t'es pas fait vengeance ?

L'étau ne pouvait se resserrer davantage sur Henrik. Il se sentait pétrifié. Un élancement aigu lui faisait battre les tempes. Il était évident que son supérieur espérait une explication miracle qui, tel un courant d'air, balayerait la potentielle tourmente judiciaire. Y avait-il une autre option que la vérité en pareilles circonstances ? Henrik y réfléchit en se mordant l'intérieur de la joue. Le lieutenant revint à la charge. Il voulait en avoir le cœur net.

TREIZE

L'affolement s'était emparé des membres de La Pieuvre. Quatre des leurs s'apprêtaient à comparaître en cour de justice et avaient peu de chances de s'en tirer avec moins de dix années d'emprisonnement. Étant des criminelles précautionneuses, elles avaient cru à leur infaillibilité pendant un certain temps. À présent, toutes se sentaient vulnérables. Même leur leader semblait avoir perdu une plume ou deux après la descente policière. Elle se faisait plus effacée. Ses allers-retours entre la Côte et la métropole étaient plus brefs qu'à l'accoutumée. Pendant ses absences, les motards en profitaient pour se faire voir. Ils tentaient d'intimider les femmes tout en renouant avec de vieilles relations peu recommandables. Ils n'avaient qu'une intention : déloger leurs rivales ou les écraser. Cette grande rencontre au sommet que fomentaient les motards était-elle en réalité une embuscade ? Devait-on s'attendre à un deuxième massacre de la Saint-Valentin à la Al Capone ? Avec des motards avides de reprendre le pouvoir, tout était envisageable. Dans cette optique, Eva préférait rester mobile. Mais avant de jouer les fugitives, elle avait ordonné à ses filles de ralentir le commerce de narcotiques et de s'en tenir à de petites arnaques passant plus facilement sous le radar des autorités policières. Il y avait le clonage de cartes de crédit, la vente de faux Viagra sur internet et les fraudes téléphoniques en tous genres, comme la vente d'anti-virus informatiques contrefaits ou encore l'offre de programmes d'assistance routière bidon. Au moins, l'argent continuait à entrer avant l'imminente entente de « partage forcé » avec les motards.

À l'opposé de la sulfureuse Eva, Astrid gagnait sa vie de manière honorable, avec ses bricolages créatifs et ses compotes sans sucre ajouté dont ses poupons raffolaient. Sa maisonnée n'avait jamais été aussi animée ! Seule ombre au tableau en cette fin d'après-midi : le manque d'affection masculine une fois le dernier bambin parti. Astrid y remédierait. Sa discussion avec le concierge de l'immeuble de la rue du Réverbère l'avait convaincue de l'innocence de Marc, tant pour la bousculade en scooter que pour les viols à Québec. Mais la honte s'était installée. La honte d'avoir soupçonné Marc. Cela avait assez duré ! Elle devait passer outre à l'humiliation et trouver les mots justes pour repartir à neuf. Au terme de deux heures d'appels ponctuels infructueux, elle parvint enfin à joindre Marc. La simple mélodie de sa voix suffit à convaincre l'homme de s'amener à sa jolie demeure. Ce dernier passa à l'intérieur sans frapper, en bûcheron conquérant revenu du camp. Il abandonna sa chemise de flanelle sur le parquet et fonça sur la jeune femme époustouflée. À travers un millier de baisers précipités, Astrid tenta quelques excuses. Celles-ci n'étaient guère nécessaires. Marc lui avait déjà accordé l'absolution.

— Une semaine complète sans toi, j'ai trouvé ça impossible à vivre.

À la suite de ces murmures, il lui enserra délicatement la mâchoire de sa grande main pour mieux souder sa bouche à la sienne. Astrid se mit à fondre. On aurait juré une chandelle ramollissant sous l'ardeur de sa flamme. Marc la soutint puis la souleva à sa hauteur afin que ses jambes lui ceinturent les hanches. Il la transporta ainsi jusqu'à la chambre et sa chaleureuse douillette.

— Je veux être là pour rester, susurra-t-il en déboutonnant son cardigan. Mais ça dépend de toi.

Pensif, il lui effleura l'épaule et le bras. Il dessina des lignes courbes qui s'évanouirent sur sa poitrine. Ses gestes étaient lents, attentionnés. Astrid en ressentait de doux frissons. Elle se dénuda tranquillement et se donna à lui avec l'émoi de retrouvailles heureuses. Puis ils s'endormirent, la tête sur le même oreiller. Leurs corps blottis l'un contre l'autre dégageaient une chaleur quasi étouffante, mais aucun d'eux n'osait s'en plaindre. Ils étaient si sereins.

Mercredi. Henrik était toujours sur la corde raide. Le cou figé et les doigts engourdis par le stress, il dégaina son arme tant bien que mal. Il avait suivi les jumeaux Dupuis au club de tir de Sainte-Flavie afin d'échapper à ses soucis. Bien que furibond, le lieutenant ne l'avait pas suspendu, mais l'avait mis devant une évidence : s'il ne trouvait pas l'assassin des deux Marilyn, il serait l'unique individu dans le box des accusés et devrait se battre contre une preuve scientifique irréfutable. Déjà affligé de cauchemars nocturnes, Henrik était à présent tourmenté par un cauchemar diurne. Et il était bien réel, celui-là. Il le pourchasserait sans relâche.

— On met les cibles à combien de pieds, aujourd'hui ?

Denis attendait un chiffre de sa part. Il ne l'obtint pas. Henrik était complètement perdu dans ses pensées. Danny distribua les coquilles protectrices pour les oreilles et se choisit une allée de tir. Ensuite, il se permit d'établir lui-même la distance des cibles. Henrik était trop absorbé par les munitions qu'il enfilait les unes après les autres dans son chargeur. Les jumeaux n'en firent aucun cas. Ils voyaient bien que leur supérieur – et ami de longue date – était préoccupé. Ils le laisseraient tranquille, sans insister. Henrik se glissa les coquilles sur les oreilles, par-dessus sa casquette noire, adopta sa meilleure posture pour tirer et fit feu sur la silhouette imprimée. Cinq projectiles partirent, coup sur coup. Ils pénétrèrent tous au même endroit de la cible, déchirant ainsi la section atteinte. Henrik s'arrêta et retira la protection à ses oreilles. Des bruits sourds d'explosion éclataient sur sa gauche comme sur sa droite. Les jumeaux étaient assidus à l'entraînement. Henrik les observa, songeur. Avaient-ils perdu du poids? De cet angle, ils lui paraissaient moins ventrus. Ils se prenaient en main. C'était bien. Denis remarqua qu'Henrik l'observait. Il ôta le chargeur de son pistolet, le coucha sur la tablette et en profita pour lancer la conversation.

— C'est pas la grande forme, hein?

Henrik se désarma à son tour en suivant la procédure. Il déballa une pastille pour la gorge et la laissa fondre sous sa langue pour apaiser son début de rhume. Danny, quant à lui, était toujours aussi concentré sur sa sombre silhouette de papier.

— J'ai peut-être une nouvelle source, mais je l'ai pas obtenue par les moyens qu'on apprend sur les bancs d'école. Je veux voir si ça mène quelque part avant d'ébruiter ça auprès des autres gars, avoua Henrik en pensant entre autres à l'agent du SPVM. Je serai pas disponible pour l'arrestation de notre vendeuse de thé. Si ça te va, je te refilerai ça.

Honoré, Denis accepta le mandat. Il le questionna toutefois sur ses démarches en solitaire. À titre amical, il le pria de ne pas faire le cow-boy. Henrik lui assura qu'il ne prendrait part à aucun jeu dangereux, promesse difficilement vérifiable pour Denis! Il devrait donc se fier à sa parole.

— C'est juste ça qui te donne un air distant? renchérit Denis. Y'a pas d'autres raisons qui expliquent pourquoi t'as arrêté de tirer pour me contempler comme si j'étais le foutu David tout nu de Michel-Ange?

Fatigué, Henrik succomba à un fou rire grandiose. Il en pleura même et faillit s'étouffer avec sa pastille au menthol. Ses derniers éclats se changèrent en toussotement. Puis, sans rien ajouter, il remit ses coquilles antibruit, inséra les munitions dans son arme de poing, visa avec précision et tira avec tout autant de justesse. Les policiers se pratiquèrent jusqu'à l'heure du lunch. Ils mangèrent ensemble au village, où ils se firent reconnaître et féliciter par plusieurs habitants. L'intervention à la taverne Chez Toutoune avait défrayé la chronique. Les félicitations n'étaient pas désagréables et ils les reçurent avec joie, mais aussi avec une modestie de mise dans l'exercice de leurs fonctions.

Après avoir regagné leur patelin, les trois hommes se divisèrent la tâche. Danny avança dans la rédaction du rapport pendant que son frère planifiait l'arrestation qui lui était confiée. Filant de son propre côté, Henrik alla rendre visite à sa source clandestine. Il avait prévu le faire plus tôt, mais sa confrontation avec le lieutenant l'avait terrassé quelques jours. Il était grand temps de se reprendre. L'individu qu'on surnommait l'Armurier résidait au sous-sol d'un toiletteur félin et canin. Les jappements entremêlés au bourdonnement des tondeuses créaient une cacophonie propre à cet immeuble d'aspect industriel. Henrik descendit une volée de marches en béton peinturées d'un bleu roi. Il frappa au carreau sale de la porte. Un visage aux lunettes épaisses apparut aussitôt. L'homme d'âge mûr entrebâilla sa porte, la chaîne de sûreté l'empêchant de l'ouvrir pleinement. Il grogna un « C'est qui ? » digne d'un vieux soûlon importuné. Ce qu'il était.

— Une police en congé, riposta Henrik du tac au tac. T'as le choix de m'ouvrir ou de me voir redevenir une police en fonction.

L'homme s'imposa une minute de réflexion. Henrik sortit sa petite boîte de losanges médicamenteux. C'est à cet instant qu'il entendit le déclic d'un loquet. La chaîne de sûreté retomba contre le cadre de la porte. Henrik se faufila dans le logement éclairé avec des néons et des lampes marron passées de mode. Hormis le téléviseur dans le meuble en coin, rien n'indiquait au visiteur qu'il s'agissait d'un salon. Pas de canapé à coussins, mais des chaises de patio désassorties et... des armes de collection.

217

Des dizaines et des dizaines, accrochées aux murs tels les candides portraits d'une nombreuse descendance. Henrik observa les sabres japonais, massues médiévales et revolvers anciens. Ils reluisaient.

— On se connaît pas, grinça l'homme. Pourquoi t'es là ?

— On a un point en commun, dit Henrik en désignant de l'index l'arsenal de l'homme.

L'Armurier se doutait bien que sa passion particulière avait attiré le policier. Il exigea plus de précisions. Henrik les lui fournit sans tourner autour du pot.

— Je cherche une ou des filles qui auraient acheté des 9 mm un peu avant l'Halloween. Est-ce que ça te sonne une cloche ?

— Tu m'as dit que t'étais en congé. Je t'ai laissé entrer. Essaie pas de me couillonner.

Henrik refusait de repartir les mains vides. Il le couillonnerait. Il en allait de son avenir.

— N'importe quel imbécile peut comprendre que tu possèdes des modèles sans permis. Peut-être des semi-automatiques. Tu les gardes où ? Dans un coffre à outils ? Dans un garde-robe ?

Henrik commença à fouiner à droite à gauche afin de découvrir la cachette de l'homme. L'Armurier perdit vite patience. À travers ses affreuses lunettes, ses yeux parurent soudain globuleux. Ses traits se froncèrent pour ne former qu'un rictus haineux. Il referma ses serres sur l'avant-bras du policier et le bouscula pour passer devant lui. Il claqua toutes les portes de l'appartement, l'une à la suite de l'autre, afin d'en bloquer l'accès.

— Voyons ! bougonna une fille désormais captive derrière l'une d'entre elles.

Henrik tiqua en entendant l'exclamation. Voilà un imprévu qui le plaçait dans une fâcheuse position. En raison de la présence d'un tiers, il se voyait contraint d'abandonner son marchandage. Il devrait dorénavant s'en tenir aux traditionnelles questions-réponses qui, avec un personnage de la trempe de l'Armurier, ne déboucheraient sur rien de valable. Henrik rageait. Une occasion en or venait de se transformer en un navrant gaspillage. À moins que son acharnement caractéristique ne prenne le dessus et ne lui fasse oser une dernière requête avant de partir?

— T'as vraiment rien pour moi? Rien dans le sens de rien du tout? *Nada?*

L'Armurier se montra peu volubile et lui recommanda fortement de dégager de sa vue. Henrik lui promit de revenir tous les jours, jusqu'à ce qu'il lui cède l'information désirée... ce qui, bien sûr, irrita l'autre au plus haut point.

— Je t'ai dit de sacrer ton camp! C'est à la limite du harcèlement, ton affaire. Réalises-tu que je pourrais aller voir un reporter avec ça?

Trop intriguée pour rester à l'écart, la fille émergea de sa pièce. Lorsqu'il se retourna vers ce «tiers», Henrik fut estomaqué: il reconnut la danseuse mineure qu'il avait arrêtée au Coureur de Jupons, celle-là même qui était censée être sous la stricte surveillance du Centre Horizon. Que faisait-elle là? Il y avait fort à parier que la mineure avait dérogé à ses conditions judiciaires. En surface, rien ne semblait avoir changé chez Henrik, mais dans son for intérieur, il jubilait: il était maintenant en possession d'un excellent moyen de pression. N'eût été son rhume qui le courbaturait, il aurait dansé le merengue dans le logement délabré! Souhaitant mettre à l'épreuve l'hospitalité du vieil homme, Henrik retira posément son parka, choisit une chaise de parterre en résine blanche et s'y cala en allongeant les jambes. Il ne manquait que la pelouse verte, les oiseaux qui font cui-cui et le fumet de grillades juteuses pour que le barbecue soit réussi! Devant la hardiesse du policier, la fille parut d'abord outrée. Son visage changea de teinte. Ces signes trahissaient son manque d'aplomb. Sans plus attendre, Henrik attaqua:

— C'est ton père? Ton maquilleur? Ton professeur de danse-poteau?

— Je suis son oncle, gronda le vieil homme.

— C'est vrai ? Tu dois être au courant des interdictions de son centre d'hébergement, dit-il en faisant mine de pianoter le numéro de l'établissement sur son cellulaire.

Les yeux de la fille n'étaient plus que des fentes. Henrik porta l'appareil – éteint – à son oreille. L'Armurier jeta un coup d'œil interrogateur à sa nièce. Elle était prête à bondir, comme une chatte effarouchée. Cette fille craignait le courroux des intervenants qui encadraient son séjour. Le Centre Horizon ne devait pas être de tout repos. Là-bas, pas de chocolats belges sur l'oreiller ni de serviettes pliées en forme de cygne sur le jeté. Henrik venait de trouver son talon d'Achille. Il l'attaqua verbalement, jusqu'à ce que la mineure montre des signes de faiblesse.

— OK, c'est beau ! Mais je veux que mon oncle s'en aille, exigea-t-elle en se mordillant l'ongle du pouce.

L'Armurier tenta de la dissuader. Oh, il la savait très capable d'endurer la pression, puisque c'était pratiquement la rue qui l'avait élevée. Ce qu'il redoutait, c'est que le policier impétueux n'use de sa musculature pour la faire obtempérer. Pour faire pencher la balance de son côté, Henrik fit remarquer au vieillard qu'en restant seul avec une mineure c'était lui qui prenait des risques… Qu'est-ce qui empêchait cette fille de l'accuser d'intimidation ou même d'abus pour lui rendre la monnaie de sa pièce ? Comme espéré, l'Armurier goba tout. Il se vêtit pour l'extérieur et alla se promener dans le quartier. La jeune danseuse se posta devant Henrik, perchée sur de grandes bottes lacées. Son short effiloché et son haut argenté n'étaient pas de saison. Toujours confortablement assis, Henrik ne pipait mot. Il attendait qu'elle se livre d'elle-même. Au lieu de cela, la fille s'accroupit.

— Moi, je pense que t'es pas une vraie police.

— Ah non ? fit-il, surpris.

— Non, dit-elle en lui parcourant les cuisses de ses doigts en éventail. T'es beaucoup trop sexy.

Henrik réagit vivement à cette piètre tentative pour l'amadouer.

— Ça me surprend que tu me trouves pas crédible même après que je t'ai foutue en taule.

Elle se dressa d'un bond, mue par la colère.

— Remarque que si c'était pas suffisant pour te convaincre que je suis de la SQ, je peux te sortir un talon de paie.

— Ça va être correct ! cracha-t-elle.

— Je cherche une ou deux femmes qui se sont approvisionnées en armes au mois d'octobre pis j'ai l'impression que t'en sais plus long que ton oncle. Vrai ?

— Quelle conne répondrait à ça ?

— Celle qui a essayé de séduire un sergent-détective presque assez vieux pour être son père.

Trépignant sur place, la fille s'alluma une cigarette à l'aide d'un briquet à la flamme faible et vacillante. Tandis qu'elle en tirait de grandes bouffées, Henrik décida d'aller au bout de sa démarche.

— Je t'enregistre pas. Tu seras pas citée. Tu recevras pas de *subpoena*. Ce que tu me dis aujourd'hui pourra jamais être reçu comme preuve dans un procès.

Henrik tourna la tête vers la porte d'entrée. Il vit une ombre descendre les marches bleues. L'Armurier revenait de sa très brève promenade. Il se précipita vers la danseuse.

— Qui s'est procuré les armes ?

— C'est moi, maugréa-t-elle, mais c'était un service rendu.

— Pour qui ?

C'est alors qu'on entendit le bruit de bottes frappées contre un mur afin d'en déloger la neige. Henrik s'empressa de répéter ses dernières paroles.

— Je les ai achetées pour quelqu'un, bon !

— Qui ? tonna-t-il.

Au moment où l'Armurier s'introduisait dans son logement, sa nièce chuchota : « Pour la chef de La Pieuvre. » L'arrogance de l'adolescente avait fondu comme neige au soleil. Le trémolo dans sa voix implorait Henrik de ne pas utiliser cet aveu contre elle. Elle en avait assez bavé dans la vie. Si elle pouvait s'éviter la revanche potentiellement mortelle d'une association criminelle, il y aurait au moins cela de positif dans sa petite vie de misère. Mais elle n'avait pas à se faire de mauvais sang. Henrik n'utiliserait pas son aveu. La raison en était simple : il menait tout droit à Eva. Son unique piste d'investigation, sa sortie de secours, venait d'aboutir dans un cul-de-sac. Jamais il ne pourrait rapporter les armes du crime à son lieutenant… À présent, il ne voyait plus comment cette impasse pourrait se dénouer en sa faveur. Il lui faudrait un avocat exceptionnel. Une sommité, rien de moins.

Tandis que les scènes moroses d'un avenir pathétique défilaient dans sa tête, Henrik restait cloué sur place comme un invité qui abuse de son droit de visite. Le vieil homme et sa nièce commençaient à trouver le temps long. Ils n'avaient plus rien à lui dévoiler. Pourquoi restait-il planté là ? Au moment même où l'Armurier ouvrait la bouche pour lui dire de décamper, on entendit le vrombissement synchronisé des cinq tondeuses du toiletteur à l'étage. C'est à cet instant qu'Henrik eut une hallucination auditive semblable à celle provoquée par la scie mécanique dans la forêt deux semaines plus tôt. Les palpitations et sueurs froides ne tardèrent pas à l'envahir. Sans remercier ses hôtes, il se précipita au grand air. Une fois sur le trottoir, il s'inclina vers l'avant, les mains posées sur les genoux, et s'obligea à inspirer et expirer en suivant un rythme lent mais constant. Il regarda autour de lui. Les rayons de soleil, réfractés par le remblai de neige, contribuèrent à l'apaiser. Il se mit en marche lentement mais sûrement. Il entra dans une station-service pour se procurer un décaféiné. Il fut un tantinet gêné lorsqu'il reconnut, dans la vitrine, son portrait sur une feuille photocopiée par une villageoise désireuse d'aider les forces policières à lutter contre La Pieuvre. Au bas de l'affichette, on pouvait lire : « Appuyez Hansen et sa gang. » Heureusement, le ton amical du texte parvint à le détendre.

Il traversa l'avenue en souriant tristement derrière son gobelet d'arabica. En approchant de sa jeep, il eut le réflexe de couvrir le secteur d'un regard analytique. Tout lui sembla habituel. Excepté que… Au carrefour, il crut apercevoir le véhicule gris de son partenaire du SPVM. Lorsqu'il le vit démarrer en douce et se fondre dans la circulation, il comprit qu'il avait été suivi. Était-il surveillé par le lieutenant ? Rien que d'y penser, la révolte montait en lui. Furieux était un qualificatif faible pour décrire son état d'âme actuel. Était-ce en lien avec son ADN sur le cadavre ? Sans doute. Sinon, quoi d'autre ? Henrik démarra à son tour en se promettant de ne jamais, au grand jamais, suivre un autre agent. Il préférait se faire réprimander devant tout le monde plutôt que d'espionner un collègue. Le respect de son prochain avait plus de valeur à ses yeux que son dévouement. Henrik fonça à la centrale en mode pilote automatique, les yeux sur la route mais les pensées complètement ailleurs. Il avait deux mots à dire à son supérieur.

Élodie n'arrivait pas à y croire. Pourtant, il n'y avait pas plus tangible comme expérience. Elle revenait d'une courte mais marquante visite au centre de détention Tanguay. Quel endroit morne, dépourvu de cette ambiance de camaraderie observée dans les prisons pour hommes ! Celle-ci découlait du respect et de la solidarité qui prévalaient entre membres d'un même groupe de prisonniers. Chez les détenues de Tanguay, c'était du chacun pour soi. Sa cousine Mélodie lui avait expliqué que les filles n'avaient aucun contact direct avec l'extérieur. Elles étaient séparées de leurs visiteurs par une vitre et ne jouissaient pas des mêmes privilèges que les hommes concernant la roulotte conjugale, qui permettait des moments d'intimité. La solitude était pesante.

Tout en écoutant ce témoignage, Élodie avait éprouvé de l'empathie pour les toxicomanes et prostituées confinées à cet isolement. Mais pas pour Mélodie. Envers sa cousine, elle n'avait ressenti que de l'amertume. Et, à un certain point dans leur échange, une tristesse rageuse. Cette cousine qu'elle affectionnait depuis sa tendre enfance l'avait trahie. Ses mensonges, maintenant démasqués, enlaidissaient ses agréables souvenirs d'enfance. Et que dire de son attaque violente contre Henrik? Élodie en était encore révoltée. Elle lui avait crié: «T'aurais pu le tuer! T'as plus de cœur ou quoi? C'était mon chum. Une vie humaine, ça compte pas pour toi? La poudre, l'argent, ça vaut plus que mes sentiments?» Le plus désolant avait été de constater son indifférence et d'encaisser son silence. Mélodie était vite passée du rôle de cousine chaleureuse à celui de bandit sans remords. Comment une personne pouvait-elle ainsi mener une double vie? Et surtout, comment pouvait-elle faire face aux horribles conséquences avec autant de sang-froid? Quand Élodie lui avait rappelé qu'elle resterait enfermée jusqu'à la cinquantaine avancée, Mélodie n'avait pas perdu une once de son impassibilité. Elle s'était contentée de rétorquer: «Comme disent les Anglais: *If you can't do the time, don't do the crime.*» Ahurissant. Élodie en était chavirée.

— Es-tu de garde cette nuit? lui demanda un infirmier, l'extirpant de ses mauvais souvenirs.

— Oui, je fais un douze heures. Es-tu dans mon équipe? J'ai pas eu le temps de regarder les horaires.

— J'espère que oui. On va pouvoir potiner à propos de nos vedettes préférées ou de nos pires patients, selon notre humeur, rigola le jeune homme en lui adressant un clin d'œil exagéré, à la limite de l'efféminé.

Élodie sourit à retardement. Elle n'avait pas la tête aux ragots. Une pensée ne cessait de la hanter. En fait, c'était plutôt une phrase que sa cousine avait insérée quelque part dans leur conversation: «Je serais pas surprise si certaines filles manigançaient un gros coup pour impressionner notre dirigeante... et pour montrer aux motards qu'on a du muscle.» Élodie ne voulait surtout pas avoir l'air de se jeter sur le premier prétexte lui permettant de reprendre contact avec l'homme qui l'avait laissée, mais... N'était-ce pas là une information précieuse, bien que vague, que tout inspecteur de police aurait voulu connaître ? D'un autre côté, elle ne voulait pas passer pour une âme esseulée, même si elle avait effectivement le cœur brisé et qu'elle se languissait d'Henrik.

— Tout va bien, Élodie ?

Une grosse main gantée s'était posée à la base de sa nuque.

— J'ai terminé mes rendez-vous. Je voulais te souhaiter un bon restant de semaine. Je pars en congrès à Munich. Est-ce que ça va ? réitéra le Dr Trépanier.

Il se faisait du souci pour l'infirmière. Celle-ci balbutia un semblant de réponse. Peu convaincu, le médecin ajouta :

— Je te trouve blême. Grisâtre, même.

— C'est juste un p'tit coup de barre.

— As-tu appris pour l'incendie ? dit l'allergologue, pensant que c'est ce qui donnait à Élodie cette mine soucieuse. Pauvres pompiers volontaires. Tout un brasier ! J'espère que c'est pas la maison de mon patient, le policier de Cap-à-Nipi. Ma secrétaire avait l'impression que c'était sur sa rue.

Élodie bondit sur ses pieds. Sa chaise à roulettes s'en alla valser jusqu'à un classeur métallique. Elle alluma la radio et joua avec le bouton. Un très mauvais pressentiment la tenaillait. Elle syntonisa le premier poste qu'elle put capter. La voix lointaine de l'animateur lui confirma le pire. Elle s'excusa auprès du médecin et partit en catastrophe.

QUATORZE

L'une des façades était calcinée. Les trois autres, zébrées de flammes. On aurait juré voir de voraces langues de vipère léchant une grosse proie sans défense. C'est du moins l'affreuse analogie qui s'était collée à l'esprit d'Henrik au premier coup d'œil. En se rapprochant des flammes déchaînées, il se dit qu'il avait certainement touché le fond du baril. Son unique point d'ancrage était en train de griller. Henrik se sentait dépossédé de sa propre vie. Il est toujours possible de reconstruire la charpente d'une habitation. Mais comment espérer en rebâtir l'âme ?

En s'approchant davantage, il fut assailli par une boucane âcre qui le prit à la gorge et le fit larmoyer. Il marcha dans la neige, faisant attention de ne pas caler, la chaleur radiante l'ayant ramollie par endroits. La fumée, noire, dense, sinistre s'élevait entre les résineux pour congestionner le ciel pourpre. En arrière-plan, une quinzaine de pompiers poursuivaient leur manège infernal. Ils faisaient tout en leur pouvoir pour maîtriser le cœur de l'incendie. Les voisins assistaient au tragique événement un peu à l'écart, sous le contrôle du service de police. Henrik était attendu par les jumeaux blonds. L'un secouait la tête. L'autre avait les épaules affaissées. Leur consternation était authentique.

— T'avais pas besoin de ça, souffla Danny.

— Avais-tu beaucoup d'objets de valeur ? ajouta Denis.

— Non, à part des vieux papiers d'adoption, des vieilles photos de...

Il n'allait surtout pas prononcer ce prénom.

— On va te prêter notre chalet de bois rond, hein, Denis ? Y'est pas encore loué. On va poser les nouveaux lavabos en vitesse pis tu vas te sentir comme chez toi.

Henrik les remercia de leur soutien. Il se sentait épaulé. Ou du moins, freiné dans sa dégringolade. Chaque marque d'amitié de la part des jumeaux lui était précieuse. Leur avait-il déjà exprimé toute sa gratitude ? Sans doute pas directement. C'était délicat à faire, quand on évoluait dans un monde strict, viril, où l'action primait. L'attention des trois amis fut à nouveau captée par le brasier. Un bruit sourd leur était parvenu. Ils avancèrent de biais en se protégeant le visage de leur avant-bras. Ils n'eurent aucun mal à trouver la provenance de ce bruit. Les vitres de la maison, déjà craquelées sous l'effet de la chaleur, venaient d'éclater. Les rideaux du salon ressemblaient à des drapeaux enflammés et les stores horizontaux avaient perdu leur horizontalité. Ils pendaient, asymétriques, aux cadres des châssis. Soudain, l'avertisseur de fumée cessa de hurler. Un pompier en action à l'intérieur avait bien vu l'appareil se liquéfier et se décrocher du plafond. Il s'en était fallu de peu pour qu'il le reçoive sur le casque.

C'est alors qu'Astrid fendit la cohue au pas de charge. Elle débaula à la hauteur de son frère et, sans attendre, se jeta dans ses bras, lui assurant qu'il serait le bienvenu chez elle aussi longtemps que nécessaire. Ému, il la serra encore plus fort contre son cœur. Puis il essuya ses larmes à l'aide de la douce fourrure qui garnissait son capuchon. Henrik avait autant de peine et de ressentiment qu'elle, mais préférait refouler ses sentiments devant ses confrères. Pour ne pas s'effondrer, il se répétait que ce n'était que des biens matériels. Reste qu'il s'ennuierait de sa chambre sur la mezzanine, avec ses poutres équarries à la hache et ses chevilles de bois. Quel gâchis ! Astrid se cramponna à lui, hypnotisée par le spectacle qui avait des allures de feu de la Saint-Jean, sourires et hymnes patriotiques en moins. Le triste sifflement des gaz de combustion s'échappant des surfaces surchauffées composait l'unique trame sonore de l'événement.

Quand Élodie arriva dans l'allée bondée de voisins et de curieux et qu'elle vit Henrik enlacer une femme avec grande émotion, elle ne put faire autrement que de ralentir. Elle distinguait à peine le profil de l'heureuse élue qui se lovait dans son étreinte affectueuse, car il était en partie voilé par une épaisse écharpe de laine angora. Élodie tenait à offrir son appui à Henrik, mais ne supporterait pas d'être une roue de secours dont on ne se sert qu'en de rares occasions. C'est pourquoi elle préféra garder ses distances. Elle regarda les pompiers se démener.

— Penses-tu que le feu a commencé dans la boîte électrique ? demanda Danny.

— Non, le feu a pris ailleurs.

— Où ça ?

— Dans notre enquête.

Les jumeaux le dévisagèrent. À force d'argumenter, Henrik parvint à convaincre sa pauvre sœur inquiète de rentrer souper et de le laisser à ses tâches d'enquêteur, tâches qui empiétaient une fois de plus – et de trop – sur sa vie privée. Astrid s'en alla après une dernière étreinte.

— Es-tu en train d'insinuer que nos femmes voulaient te brûler vif ? chuchota Denis.

— C'est sûr que c'est un affront. Vous avez embarqué la propriétaire de Chez Chang y'a à peine quatre heures. Leur temps de réaction est juste plus court qu'avant.

— J'en reviens pas que tu nous lances ça avec autant de calme !

— Je suis pas calme, dit Henrik. Je suis sidéré. J'ai plus de maison, plus de meubles, plus rien !

Dès qu'elle vit que les trois hommes ne discutaient plus, Élodie jugea les circonstances opportunes pour s'approcher. Cependant, elle fut devancée par un pompier exténué et dégoulinant de transpiration sous sa lourde combinaison. Ses joues étaient tachées de suie. Élodie, persuadée que son tour ne viendrait jamais, tourna les talons. Elle reviendrait une fois le sinistre maîtrisé.

— Je suis désolé, Henrik, on pourra rien sauver. Y'a plusieurs foyers à éteindre.

— Qu'est-ce que je vous disais ? ragea-t-il en pivotant vers les jumeaux pour les inclure dans le caucus.

— On a détecté des odeurs d'accélérant, renchérit le pompier. Ta collègue a aussi vu des traces dans la neige qui s'éloignaient de ta porte arrière.

Il ne faisait aucun doute que cet incendie était d'origine criminelle. Il reviendrait donc au Bureau régional d'enquête d'analyser les débris et de pourchasser la ou les coupables. Henrik était rassuré, car il savait que le Bureau traiterait son dossier comme une urgence prioritaire parmi la tonne d'urgences. Une autre heure s'écoula. Le combat des pompiers contre leur adversaire coriace tirait à sa fin. Que pouvait faire Henrik à part se désoler devant les quelques murs béant à la manière de plaies ouvertes ? Et que ressentir devant l'amas de débris fumants ? Le vide. Que le vide. Pour se sentir accompagné, il écouta le murmure des voisins. Les bribes entendues se voulaient empathiques. Elles l'habitèrent jusqu'à ce que le brasier soit complètement étouffé. Ne restaient plus que des filets de fumée à travers les morceaux de laine isolante à moitié consumée, la tuyauterie tordue et les appareils sanitaires noircis. Face au néant, Henrik ne pensait à rien. Et en ne pensant à rien, il se souvint de tout. Il prit la parole.

— Avec tout ça, j'ai oublié de vous dire quelque chose de majeur.

Danny et Denis lui firent face, en synchro, pour mieux l'écouter. Ils étaient tout ouïe.

— Saviez-vous que c'est direct au comité de déontologie si vous osez utiliser une filature d'un autre corps policier pour espionner votre supérieur ?

Les jumeaux perdirent tous leurs moyens. Livides, ils se fixèrent, cherchant les mots adéquats pour formuler leur plaidoyer. Il leur fallait remettre les pendules à l'heure, et vite, s'ils ne voulaient pas voir l'amitié qui les liait à Henrik compromise.

— On va t'expliquer. Pas besoin de déonto pour ça.

— L'ordre venait d'en haut, c'est ça? s'agita Henrik. C'est le nouveau capitaine? À cause de mon ADN?

— Comment? s'exclama Denis, perdu. Es-tu en train de délirer ou quoi?

Henrik fit le choix judicieux de se taire. Il s'était déjà trop avancé. Inutile de s'embourber davantage.

— C'est moi qui t'ai fait suivre, *buddy*. C'était de ma propre initiative. En passant, j'aime pas le mot «suivre». C'était du renfort. Je m'en serais voulu à mort si ta visite chez l'Armurier avait mal tourné. Faut pas que tu le prennes comme un manque de confiance. Je voulais juste que quelqu'un joue les anges gardiens, pendant que j'étais pris ailleurs.

C'était les meilleures paroles qu'il avait entendues depuis des lunes. Henrik ravala son émotion. Sa gorge commençait à être meurtrie à force de refouler et refouler. Il serra la main de son ami, chaleureusement, jusqu'à ce que la sonnerie de son téléphone les sépare. C'était son homologue de la Gendarmerie royale. Surprenant. Henrik s'éloigna pour s'isoler, tout en coinçant son portable entre l'oreille et l'épaule. Dès qu'on s'éloignait de l'énorme cendrier qu'était devenue sa maison, la température chutait radicalement. Le vent était glacial. Les branches d'arbres dénudées dansaient furieusement. Une fine neige fouettait les remblais glacés. Henrik se souffla dans les mains pour les réchauffer tandis que son interlocuteur lui expliquait la raison de son appel. Elle se résumait à ceci: l'écoute électronique, dans un cas connexe, leur laissait croire que des motards seraient de passage au Cap en ce moment même ou dans les heures à venir. Pouvait-il garder l'œil ouvert? Henrik ne fit ni une ni deux. Il conclut l'appel sur une réponse positive et se mit à réfléchir. Si les motards rôdaient dans les parages, Eva ne devait pas être bien loin. Après tout, n'était-elle pas leur plus récent «projet»? S'il voulait la retrouver, il lui fallait réfléchir, et vite. Lorsqu'on se nomme Patrick the Bullmastiff, garde-t-on le profil bas ou se pavane-t-on en public ? On se pavane. Henrik se rua vers le Pub Nipi.

Astrid était heureuse de ne pas devoir se replier dans son ancienne solitude. Chamboulée par l'incendie, elle appréciait le fait de pouvoir puiser du réconfort dans le sourire radieux de Marc. Cet homme était si vrai. Il parvenait à la raccrocher à l'essentiel, à lui faire apprécier deux choses qu'elle avait trop souvent négligées : la sérénité et la simplicité volontaire. Alors qu'elle incarnait la spontanéité, voire l'impulsivité, Marc dégageait une infinie sagesse. Pas tant dans ses propos que dans ses gestes. Loin d'être un grand intellectuel, il avait su développer une approche terre-à-terre face à la vie. Sans compter qu'il avait de superbes mains. Et un fichu beau port de tête. Astrid ne pouvait plus se passer de lui.

— Une chance que t'es là, toi.

— Fait plaisir. Tu sens le feu de camp, dit-il en lui respirant le cou.

Il l'aida à retirer ses vêtements enfumés.

— Qu'est-ce qui s'est passé exactement ?

— Je sais pas, mais c'est louche tout ça. Si t'avais vu la hauteur des flammes !

Maintenant en sous-vêtements, elle tourna les robinets de la baignoire sur pattes. Marc lui déplia une serviette propre.

— Penses-tu qu'il s'agit de la même personne que celle qui avait mis le fouillis dans sa maison ? lui demanda-t-elle.

— Pourquoi je le saurais, moi ? s'énerva-t-il.

Il lâcha le drap de bain et se pencha pour ouvrir l'armoire sous le lavabo. Tout en s'immergeant dans l'eau chaude, Astrid le regarda rassembler son nécessaire à rasage qu'il avait déposé chez elle. L'homme retira ensuite son chandail d'une seule main et s'en servit pour essuyer la vapeur sur le miroir. Il trempa son blaireau dans un pot de crème à raser au parfum de brise marine. Le bas de son visage se couvrit d'une onctueuse mousse blanche.

— Peut-être que mon frère va s'installer ici le temps que les assurances le dédommagent.

Marc ne broncha pas. Il termina de se raser la moustache et s'attarda à son favori droit. Il se recula, s'observa dans la glace, s'assurant que les deux favoris étaient de longueur égale. De son côté, Astrid se savonnait à l'aide d'une éponge naturelle. Les clapotis de l'eau l'apaisaient et chassaient une infime part de l'inquiétude qu'elle avait l'habitude d'éprouver pour son frère. Mais quoi qu'elle fît, il y avait toujours un reste de préoccupation qui tapissait son subconscient. Si un jour elle le perdait, elle n'aurait plus aucune parenté, mis à part un oncle rébarbatif qui n'avait jamais quitté son île scandinave. Pourquoi Henrik n'avait-il pas choisi un métier plus conventionnel, aussi? Par exemple, programmeur informatique ou dessinateur en bâtiment? Pour contrer le tourbillon de questions, Astrid récupéra l'éponge au fond de l'eau et l'enduisit de gel à la mangue. Elle se frotta les bras en remontant vers les épaules. Marc avait cessé de se raser pour la contempler.

— T'es tellement belle.

— Merci, souffla-t-elle, se sentant toute menue dans sa baignoire.

— Tu sais quoi? Je pense que je suis en train de tomber amoureux. Déjà.

Astrid était subjuguée. Marc épongea le restant de crème qui ornait son menton afin de pouvoir l'embrasser. Il s'agenouilla sur le tapis et s'adonna à sa guise à cette plaisante activité. À tel point qu'Astrid ne tarda pas à le supplier de la rejoindre afin qu'ils puissent se livrer à un corps à corps. Marc la fit sourire en lui expliquant pourquoi il ne pouvait pas accepter son invitation; le savon fruité lui causerait à coup sûr une poussée d'eczéma. Astrid s'empressa de tirer sur le bouchon du bain, de s'enrouler dans sa serviette et de courir l'attendre sous les couvertures. Marc finit de se préparer pour un «coucher» hâtif. Alors qu'il se rendait à la chambre, quelqu'un frappa à la porte. Il ouvrit à une fille qu'il ne connaissait pas, une dénommée Élodie.

— Est-ce que la sœur d'Henrik est ici?

— Ici, oui, mais pas en mesure de répondre.

La demoiselle comprit pourquoi il était torse nu. Elle bafouilla une excuse polie.

— Pas de trouble, dit-il en riant et en s'appuyant sur le chambranle. Je peux lui dire que t'es passée?

Élodie redevint nerveuse. Elle se rongea les cuticules.

— Dis-lui que c'est la faute des filles. Qu'elles planifient d'autres choses importantes. Mais surtout, que je le tiens de ma cousine, qui vient de se faire arrêter. Astrid devrait être en mesure de comprendre.

L'infirmière se sauva. Marc referma la porte et tira le verrou. Il semblait soudain songeur. Il se dirigea vers la chambre où l'attendait Astrid. Son corps luisait sous l'éclairage doré. Elle agita une bouteille ambrée.

— Huile d'amande douce, sourit-elle. Pour votre belle peau sensible, monsieur.

Marc lui retourna un haussement de sourcils séducteur.

— Au fait, c'était qui à la porte? susurra-t-elle en s'agrippant au corps de l'homme.

Ce dernier se laissa envelopper dans son étreinte. Il lui répondit que c'était un livreur de restaurant qui avait confondu son adresse avec celle du voisin.

Difficile de passer inaperçu. Le pub au grand complet avait entendu parler de l'incendie. Ce n'est qu'après avoir accepté toutes les marques de sympathie qu'Henrik put s'asseoir tranquillement dans son coin et entamer le pichet de bière que lui avaient gracieusement offert les serveuses. Sa gorge appréciait le breuvage froid, mais son regard enflammé ne pouvait s'empêcher de fouiller les lieux pour repérer les motards en cavale. Et son cerveau lui renvoyait les lettres E-V-A à répétition. Malgré l'effet tranquillisant de l'alcool, Henrik était loin d'être calme. Eva était-elle l'une des deux meurtrières qu'il devrait coffrer pour sauver sa peau? Rien que d'évoquer cette possibilité, il en avait froid dans le dos. Il priait pour qu'elle soit celle qui finançait les assassinats de sa bande criminelle plutôt que d'en être l'exécutrice. Il n'avait pas besoin d'une autre raison de lui en vouloir. Pour ça, il était servi.

— Est-ce que je peux t'offrir autre chose? demanda la serveuse, compatissant à ses déboires. J'ai des olives farcies, des bonnes amandes fumées, des...

La jeune femme s'interrompit. Elle réentendit sa voix prononcer l'adjectif « fumées » et sentit la honte l'empourprer. Elle se dépêcha de corriger sa bourde en tapotant la main du policier avec une affection digne de la plus réconfortante des mamans. Avant de courir servir d'autres clients, elle lui apporta un plein bol d'amandes savoureuses. Elle insista sur le fait qu'il n'y avait aucun humour noir sous-jacent, juste la bonne vieille amabilité nipoise. Henrik se demanda s'il n'aurait pas préféré la première raison à la seconde. Après tout, il était assez bon public pour l'humour incisif. Sur ce, il dégusta une poignée d'amandes boucanées tout en s'esclaffant. Il rigola de fatigue jusqu'à ce que ses nerfs le lâchent. Il revit les décombres carbonisés de sa maison et son dépit l'emporta sur l'ironie. Henrik freina ses larmes en inclinant la tête pour mieux s'arroser le gosier de bière blonde.

C'est en reposant son verre qu'il les aperçut enfin. Ils étaient trois. Trois motards baraqués, accoudés au bar, prêts à profiter des « charmes » des environs. Des rapaces, Henrik en avait vu parader un nombre respectable depuis son embauche à la Sûreté. Il était donc apte à les juger et ceux-ci lui apparaissaient d'emblée comme des rapaces de première classe. Malgré son expérience, il savait qu'il devait éviter de se retrouver face aux trois colosses dans une ruelle mal éclairée. Il approcherait plutôt ces pièces d'hommes par la bande. Au fond, il ne voulait que les observer. Et surtout, rester incognito. Qu'avait-il à gagner en abordant les motards ? Rien de bon, puisqu'il s'agissait d'une affaire menée par la GRC et qu'il était improbable que La Pieuvre change soudain son fusil d'épaule et souhaite traficoter avec Patrick the Bullmastiff. Parlant de la bête, il constata que son incarcération ne l'avait transformé qu'en deux points : plus de hargne et plus de masse musculaire. Il faudrait repasser pour la réforme spirituelle.

Henrik passa un quart d'heure à « s'hydrater » le gosier, à scruter le trio de bandits occupé à socialiser et à jeter un coup d'œil amusé aux parties de fléchettes en marge de l'action principale. Un peu après les 11 heures, Henrik fit preuve de discernement en repoussant le pichet de boisson tiède afin que la serveuse l'en débarrasse. Si les motards décidaient de s'en aller, il voulait être en état de conduire. C'est alors que ceux-ci laissèrent une liasse de billets sur le comptoir d'érable vernis. Ils se préparaient à bouger. Henrik se félicita de sa modération lorsque les hommes se levèrent, car ses facultés étaient peu affaiblies. Il se pencha pour ramasser son parka tombé du dossier de sa chaise. Lorsqu'il se redressa, il vit une gigantesque silhouette face à lui. Ses articulations se figèrent. Cela ne faisait pas partie du plan.

— C'est toi, le cochon grillé à la broche ? lança Patrick en éclatant d'un rire gras. On a pogné ça à la radio en s'amenant ici.

— Content que le scoop t'ait diverti, répliqua Henrik. Si ton gros château de Brossard flambait avec ta blonde pis Kelly-Anne couchées dans leur lit, est-ce que ça t'amuserait autant ?

Le motard cessa d'aboyer. Henrik l'avait muselé : dire qu'il était heureux d'avoir fait des recherches internet sur la famille du Bullmastiff aurait été un euphémisme !

— Mon estie ! maugréa le bandit. Je vais oublier ce que tu viens de dire à propos de ma p'tite fille, parce que sans le savoir, t'es en train de me rendre un crisse de service.

— Un service ? Moi ?

Patrick the Bullmastiff lui asséna une formidable tape sur l'omoplate.

— Continue de faire le ménage dans nos pétasses. Tu nous fais de la place.

Fanfarons, les motards s'acheminèrent vers le pont qui reliait le resto-pub à la rive, non sans se faire dévisager en passant. Ils s'engouffrèrent dans leur titanesque Hummer. Dans son coin, Henrik n'avait pas bougé d'un poil. Il n'avait même pas cligné des paupières. L'insolence du motard et de ses fiers-à-bras l'avait figé sur place. Il détestait ces brefs mais insupportables moments dans une investigation où les rapports de pouvoir basculaient. Il se sentait en position d'infériorité. Or, il n'y avait pas quatorze moyens de s'en sortir : soit il attendait qu'un nouvel indice se manifeste de lui-même, soit il cherchait à provoquer des rebondissements. Bien qu'Henrik ait un penchant naturel pour la seconde option, il savait qu'il n'était pas toujours idéal d'imiter le caractère téméraire de ses héros de jeunesse. À bien y penser, être seulement Henrik Hansen, sans-abri solitaire échoué chez sa jeune sœur, suffirait amplement pour ce soir. Il abandonna donc l'idée de poursuivre les motards.

Pendant qu'il fouillait ses poches pour trouver de quoi remercier la serveuse, il vit Marie Mongeau se faufiler parmi les joueurs de billard. Malaise. Elle lui retourna son coup d'œil. Malaise additionné de culpabilité. Henrik avait quitté sa thérapie à la sauvette, au moment même où elle commençait à être bénéfique. Il en ressentait des remords. Un jour, il devrait faire un homme de lui et reprendre la session où il l'avait laissée. Henrik salua Marie d'un signe de tête. Plutôt que de le toiser avec sévérité, elle lui fit cadeau de son sourire le plus compréhensif. Henrik était surpris. Cette femme était assurément la seule qui ne l'avait pas jugé après qu'il l'eut abandonnée. Bien sûr, elle était formée et payée pour ne pas juger. Malgré cela, il appréciait le fait de ne pas décevoir la gent féminine, pour une fois. C'était rafraîchissant. À distance, la psychologue semblait lui demander comment il se portait. Il s'efforça de dégager une certaine placidité. Il ne voulait pas montrer son désarroi devant la perte totale de sa maison, son amour impossible avec Eva et, pire que tout, le fait qu'il puisse être bientôt inculpé de meurtre. Il lui fit plutôt un au revoir sympathique de la main et rentra chez Astrid.

— Bon, je t'attendais, soupira-t-elle en verrouillant derrière lui lorsqu'il arriva enfin. Ton lieutenant est désolé pour l'incendie. En fait, il a employé le mot «enragé». Il revient de la ville demain, ajouta Astrid en récupérant une note griffonnée. Il dit que si t'as pas le moral pour prendre part au souper de retraite de votre capitaine la semaine prochaine, il s'arrangera pour faire rédiger un discours par quelqu'un d'autre.

Le souper honorifique! Depuis la fin août, il était inscrit dans l'agenda d'Henrik, mais celui-ci avait été emporté dans des montagnes russes qui lui avaient vite fait oublier ces mondanités. Qui plus est, l'incendie avait ravagé son ordinateur. Pas d'ordinateur, pas de discours pour le capitaine. Fafard avait ouvert la porte à un possible remplacement. Henrik en profiterait-il? Restait à voir. Pour l'instant, il n'avait pas le cœur aux festivités, mais puisqu'il était un homme d'engagement...

— Je t'ai installé dans ma chambre de bricolage, dit Astrid en lui montrant le matelas gonflé recouvert de draps, d'oreillers et d'un édredon indigo.

Henrik la remercia. Il aperçut la multitude de crayons de cire, bâtons de colle, ciseaux à bouts ronds, cure-pipes et autres articles d'artisanat. Il vit les créations des enfants épinglées aux murs. Tout était si naïf et ludique. Lorsque Astrid le laissa pour la nuit, il s'étendit sur le matelas, fixa le plafonnier en forme de canard, réalisa qu'il avait tout perdu et pleura un bon coup, le plus discrètement qu'il put.

À pareille heure, de l'autre côté de la rivière, une autre personne versait sa part de larmes. C'était sa coiffeuse. La femme n'avait pas fait la paix avec le geste ignoble qu'elle avait posé pour procurer une veste médicale à son fils atteint de fibrose kystique. Comment son découragement de mère monoparentale peu fortunée avait-il pu la mener jusqu'au meurtre? Elle était hantée par l'odeur du crime qu'elle avait commis à l'arrière du casse-croûte : un mélange de sang chaud et de friture. Les nausées montaient en elle au même rythme que les souvenirs. Cette nuit d'Halloween, elle avait pressé la détente d'un pistolet qui n'était pas le sien et, effrayée, avait oublié de le laisser tomber dans la neige avant de détaler, comme le lui avait spécifié sa supérieure. Les instructions étaient pourtant très claires. Son affolement l'ayant privée de discernement, la coiffeuse s'était réfugiée dans son sous-sol après son méfait, avait enroulé l'arme dans un sac de plastique et l'avait cachée dans son poêle à bois.

Avec la suite d'arrestations et d'incarcérations qui frappaient La Pieuvre, la femme se sentait traquée. Sa peur était devenue trop forte. Accoutrée d'un pyjama de flanelle, d'un manteau, de bottes de motoneige et d'une tuque appartenant à son adolescent, elle traversa les bois en s'enfonçant dans la poudreuse. Le souffle court, elle poursuivit sa course jusqu'au bord du cours d'eau. Elle trébucha et se retint juste à temps pour ne pas glisser dans la rivière en mouvement. Larmoyante, elle ouvrit son manteau et en extirpa le sac de plastique sali. Dans l'espoir de se laver de son péché mortel, la coiffeuse balança le sac à l'eau. Elle le regarda partir, déroutée. Il ne calait pas! Vite, un bout de bois. Il lui fallait récupérer le sac et le vider de son air. Elle se précipita vers une souche, mais celle-ci ne céda pas. Elle était bien enracinée au sol. Prise d'effroi, elle farfouilla dans la neige à la recherche de quelque chose, n'importe quoi d'assez lourd pour couler l'horrible sac d'un jaune criard. Sur la berge, la femme trouva une pierre. Elle la prit un peu maladroitement dans ses larges mitaines et se mit à claudiquer le long du cours d'eau pour se rapprocher de l'objet à faire disparaître. Elle lança la pierre, qui fit un gros «plouf» sonore, alors que le sac continuait sa descente. Secouée de sanglots, la femme était prostrée par terre et cherchait une autre roche. Elle finit par en trouver une et la lança. Cette fois, elle eut plus de chance. Le sac pénétra enfin sous la surface de l'eau. Il n'y avait plus de jaune sur la rivière noire. La femme se laissa choir sur la couche de vase et de fine glace qui tapissait la berge pour sangloter tout son soûl.

QUINZE

— Réveillez-vous, mes chéries! cria Fafard, sans tendresse véritable.

Il y eut peu de réactions, vu l'heure matinale. À première vue, il n'y avait que le gardien de sécurité à l'accueil et les quelques patrouilleurs qui venaient de terminer leur quart. Le lieutenant parcourut le labyrinthe de bureaux avec la détermination d'un missile à tête chercheuse. Sur son trajet, il intercepta Henrik et les jumeaux blonds, qui arrivaient au poste. Le patron les invita à le suivre. Henrik s'apprêtait à prendre sa toute première gorgée d'espresso. Dommage, celui-ci aurait le temps de refroidir dix fois avant d'être goûté. Rien de tel qu'un mauvais café pour démoraliser les troupes. Pour s'éviter de boire la médiocrité en plus de la vivre, il donna son gobelet isolant à la première secrétaire croisée.

— Premièrement, Hansen, je voulais te dire que j'ai tiré des ficelles. Quelqu'un du Bureau régional d'enquête devrait se pointer d'ici deux ou trois heures. Ça va pas pourrir longtemps, cet incendie-là. Fie-toi à moi.

Un homme d'action, ce Fafard. Le fait d'avoir à gérer des dossiers plus lourds qu'à l'accoutumée avait fait ressortir ses plus belles qualités. Il était passé d'un niveau de compétence appréciable à un calibre nettement supérieur en un rien de temps. Comme si, par la force des choses, son potentiel d'excellence avait été en dormance et qu'il s'était réveillé dès que le premier tentacule de La Pieuvre s'était étendu jusqu'à son patelin.

— Deuxièmement, enchaîna-t-il avec gravité, on a reçu un appel déterminant sur notre ligne anonyme. De deux jeunes amoureux.

Les trois policiers plissèrent le front devant ce discours étrange de leur supérieur. Celui-ci approfondit :

— Les adolescents s'embrassaient en cachette dans le bois quand y'ont aperçu une femme qui courait dans tous les sens en pleurant à chaudes larmes. Évidemment, ça les a intrigués.

Le lieutenant fit rouler sa chaise jusqu'à une table. Il attrapa une large pochette transparente qui servait pour les pièces à conviction. À l'intérieur : un autre sac, mais de plus petite taille et de teinte jaune serin. Henrik s'appliqua à en déchiffrer le logo. Il était perplexe. Était-ce la première pousse d'une plante en train de germer ou plutôt un spermatozoïde au sommet de sa forme ? Henrik garda ses divagations visuelles pour lui. Inutile de s'humilier. Quant à l'inscription « Marrakech » tracée à l'aide d'une calligraphie orientale, elle ne l'éclaira pas plus.

— C'est le garçon qui a réussi à le repêcher. Assez impressionnant de sa part. En passant, je vais t'éviter une autre ride sur le front, mon Hansen. L'image que tu vois sur le sac, c'est une graine de chanvre. On l'utilise dans une panoplie de produits, comme dans cette huile capillaire à l'argan et au chanvre importée du Maroc.

Un traitement nourrissant qui procure lustre et résistance à la chevelure ?! Henrik en resta coi. Son patron enfila des gants de fouille en kevlar, n'en ayant pas en latex à proximité. Il ouvrit le premier sac, puis le second dans le premier, à la façon des poupées gigognes. Au lieu de dévoiler une minuscule matriochka[1], le lieutenant exhiba un pistolet argenté de marque Colt. On aurait dit que tout

---

1. Poupée gigogne russe.

l'oxygène dans la pièce venait d'être aspiré. La bouche entrouverte, les policiers semblaient chercher leur air. Henrik était le plus fébrile des trois. Assistait-il au grand miracle tant espéré ?

— Va falloir faire le tour des coiffeuses, annonça le lieutenant.

— Je vais être obligé de te contredire, dit Henrik. Si on commence à visiter des coiffeuses, le mot va se passer comme une foutue traînée de poudre. J'aurais une alternative, par contre.

Fafard ouvrit grand les bras, signe qu'il était disposé à accueillir toute proposition. Plus que jamais, il voulait se montrer ouvert aux opinions divergentes. Alors qu'il était jeune pensionnaire, il avait lu cette phrase quelque part : « Le succès fut toujours un enfant de l'audace. » Il ignorait pourquoi cette maxime ressortait des boules à mites, cinq décennies plus tard, mais elle lui apparaissait enfin juste.

— Avec le sac « Marrakech », on devrait pouvoir remonter aux fournisseurs qui livrent dans des salons de la Côte, expliqua Henrik. La technique de l'entonnoir va nous mener rapidement à la bonne coiffeuse sans que les filles aient la chance de se couvrir entre elles.

Convaincu, le lieutenant les libéra afin qu'ils enclenchent le processus. Les hommes se partagèrent les nombreux fournisseurs de produits capillaires. S'ensuivirent une enfilade de clics sur internet et du pianotage sur des claviers téléphoniques. Et quelques brèves rencontres avec des coiffeuses ayant déjà commandé de l'huile marocaine pour leurs clientes. Denis était déjà revenu au bercail lorsque son frère et Henrik refirent surface.

— Les *boys*, je vous annonce que notre grande favorite est en cellule ! s'exclama Denis.

Lorsque Henrik entendit le nom de sa propre coiffeuse, il dut combattre son envie de se précipiter sur elle afin de la cribler de questions. Par chance, son professionnalisme reprit le dessus.

— Je la connais trop bien. J'ai pas le choix de passer mon tour…

— Danny, t'as une approche douce, dit Fafard en attrapant la balle au bond. C'est toi qui vas l'interroger.

Danny accepta la tâche que lui confiait le grand patron. Son jumeau n'en fit pas de cas, même si c'est lui qui avait arrêté la dame : le travail d'équipe primait sur les caprices personnels. Danny sortit du bureau et emprunta le corridor menant aux cellules, talonné par un Henrik surexcité. Ce dernier en bégayait presque et tenait son ami par l'avant-bras.

— Là, mon Danny, faut pas que tu rates ton coup. C'est tout le succès de notre escouade qui dépend de toi.

— Merci à toi, fabuleux coach, bougonna l'autre. Mon ulcère d'estomac était justement trop tranquille. Oh, attends, je le sens qui reprend du service, dit-il en se tâtant le ventre.

Henrik ne le lâchait pas d'une semelle. Danny semblait échapper des fragments de sa confiance en chemin.

— Pourquoi Fafard dit que j'ai une approche douce ? demanda-t-il. C'est censé être un atout ? Pense pas, moi. Ça doit être à cause de ça que les filles rappellent pas après une première sortie. Coudonc, est-ce que je suis en train de devenir « le meilleur ami », comme dans toutes les comédies romantiques ?

Henrik avait bien d'autres préoccupations ! Il saisit son ami par les épaules. Résistant à un puissant désir de le secouer, il le fixa dans le blanc des yeux.

— Sors tout ce que tu peux de ma coiffeuse. Presse le citron. À fond. Si tu savais à quel point c'est crucial pour moi !

— Je te promets de faire le maximum.

— Je veux pas que tu penses que je suis un sans-cœur, mais oublie pas l'état de santé précaire de son fils unique. Avec une mère, tu pourrais pas viser plus juste.

Danny le regarda sans parler. Était-il prêt à s'abaisser jusque-là ? Tête basse, il s'aventura dans le couloir des cel-

244

lules. Henrik retourna à son bureau, bouillonnant. Il se sentait sur le point d'exploser. Il joua avec un stylo pendant d'incalculables minutes, puis pianota sur son clavier pendant une période de temps indéterminée. Le temps n'existait plus pour lui. Il n'attendait que la réapparition de Danny à l'entrée du corridor. Henrik regarda le babillard décoré de déshabillés affriolants. Le fameux mur des trophées de chasse! Son impatience se mua en irritabilité. Il s'élança vers le babillard pour arracher les sous-vêtements un à un. Il les mit à la poubelle et retourna s'asseoir à son poste de travail. C'est alors que la silhouette de son ami se détacha de l'ombre pour émerger du couloir. Henrik bondit vers lui.

— Elle est plus hermétique que je pensais, l'avisa Danny. Elle m'a seulement avoué que l'arme lui avait été donnée le matin de l'Halloween.

— Par qui? dit Henrik, très inquiet pour Eva.

— Es-tu bien assis? C'est une grosse pointure de La Pieuvre… j'ai nommé la gérante de la boutique Vahiné. Bam! Lien direct établi.

Henrik soupira. Eva s'était bien protégée, son organisation possédait plusieurs strates hiérarchiques. Dans un sens, il était rassuré d'apprendre qu'un tel organigramme existait. Mais cela n'exemptait pas Henrik des redoutées suspensions et investigations à l'interne. C'est pourquoi il revint à la charge, plus opiniâtre que jamais.

— Écoute-moi bien, Dan. Tu vas retourner la voir. Tu vas lui rappeler que le reste de sa famille est à l'autre bout des Îles-de-la-Madeleine. Que la santé de son fils va se détériorer dangereusement s'il perd sa mère pour de bon. Fais-lui un *deal*: la perpétuité contre une peine allégée si elle nous avoue qui elle a tué et sous l'ordre de qui. La gérante du Vahiné lui a peut-être placé le Colt dans la main, mais ça prouvera pas au jury qu'elle lui a commandé l'assassinat. Je veux pas de présomptions. Tu l'as vue, notre procureure? Elle va nous ramasser si on lui arrive avec des preuves circonstancielles. C'est affreux à entendre, mais… faut que tu joues la carte de la maladie.

Ce n'était pas uniquement pour sauver sa peau. Henrik savait que c'était l'unique façon de faire tomber les défenses de la coiffeuse et de lui éviter l'emprisonnement à vie. Pour pouvoir voir son garçon devenir un homme, cette femme devait absolument conclure un marché avec eux. Danny retourna au front et Henrik, à son espace de travail. Il contempla le vide. Croqua pastille après pastille. Avala des comprimés d'ibuprofène. Regarda la trotteuse faire ses bonds calculés sur le cadran mural. L'attente était éreintante. Pour exacerber le tout, Fafard se présenta à lui avec un air frondeur, vibrant d'émoi. Henrik le freina avant même qu'il n'ouvre la bouche.

— Laisse-moi deviner : tu viens de parler avec le nouveau capitaine pis ma période de grâce est terminée ?

Le lieutenant mâchouilla son cure-dent, le faisant ensuite passer de gauche à droite de sa bouche. Le mouvement du cure-dent semblait activer son centre de la parole. Une fois prêt, il le retira pour le lancer à la corbeille.

— J'ai plaidé en ta faveur, Hansen, comme j'ai jamais plaidé pour un de mes hommes auparavant.

— Merci, boss. J'apprécie tout ce que tu as fait pour moi, mais avouons-le, c'était inévitable.

Les extrémités de sa moustache grisonnante se retroussèrent gaiement.

— Oui, c'était évitable. Je t'annonce que tu seras pas suspendu.

Pardon ?! Henrik se répéta la phrase du lieutenant. Puis il la lui fit répéter, pour obtenir une certitude ferme. Henrik s'étonna de ce revirement du capitaine nouvellement promu, car il était convaincu que celui-ci allait le suspendre pour mieux asseoir son autorité. Il n'y voyait plus clair. Fafard se chargea de dissiper le brouillard.

— Je lui ai fait comprendre que t'étais victime de ton acharnement. Que les filles voulaient te faire payer pour tous les agents qui s'attaquent présentement à leur gang. Je lui ai parlé de ton dossier médical volé pis de l'incendie criminel. J'ai réussi à tuer la suspension dans l'œuf. Par contre...

Bien sûr, ce n'était pas terminé. Il y avait autre chose. Rien n'est jamais tout blanc ou tout noir dans la sécurité publique.

— Tu restes en fonction, mais faut que tu cèdes ta place.

— Qui va me remplacer ? marmonna-t-il, résigné.

— J'ai pensé à Denis, mais après coup, je me suis dit que ça ferait des flammèches avec notre gars du SPVM. Je pense plutôt choisir Danny. Y'a une personnalité passe-partout. Qu'est-ce que t'en penses, toi ? Eh, maudite affaire ! Je suis pas censé te demander ton avis, mais je sais plus quoi faire ! Pourquoi fallait que t'ailles foutre ton sang sur un revendeur de drogue, aussi ? s'enflamma le lieutenant.

Henrik se garda de répondre. Les frustrations foisonnaient en lui. Pour les réprimer et éviter qu'elles ne sortent de travers, il serra le poing et l'appuya contre ses lèvres. Fafard desserra sa cravate, découragé par une forme d'impuissance semblable à celle de son sergent. Ils égrenèrent les minutes sans dire un mot.

— Je l'ai eue, sacréfice, je l'ai eue ! scanda Danny en accourant.

S'il avait pu voler au-dessus des bureaux, nul doute qu'il l'aurait fait. Henrik fut pris de vertiges en le voyant aussi pressé de répandre la bonne nouvelle. Et si sa coiffeuse avait tout avoué ? Si la Providence lui souriait enfin ?

— Ses aveux, dit Danny en brandissant le document. C'est bien la gérante du magasin qui l'a engagée pour le meurtre. C'était son premier crime majeur. Elle s'était toujours contentée de blanchir des p'tites sommes d'argent dans son salon de coiffure. Elle a avoué avoir tué la plus vieille de nos deux Marilyn, dit-il avec un sourire en coin. Par contre, elle sait pas qui s'est chargé de l'autre. Selon elle, le corps aurait été transporté derrière le casse-croûte post mortem. Vous en reviendrez pas quand je vais vous dire pourquoi elle a accepté le contrat. Elle pleurait tellement en me l'expliquant que le papier de déposition s'est mis à gondoler. Je pense qu'on va être obligés de le défriper entre deux dictionnaires…

Henrik avait cessé d'écouter après « elle sait pas qui s'est chargé de l'autre ». Il n'était toujours pas lavé de tout soupçon. D'une seule combinaison décevante de mots, la coiffeuse l'avait ramené à la case départ. Brutal atterrissage. Sans même un petit coussin de clémence. À contrecœur, Fafard se pencha vers lui pour lui demander toute la paperasse accumulée sur La Pieuvre. N'étant plus le chef de l'unité spéciale, il ne devait rien garder en sa possession qui traitait de près ou de loin de ce sujet. Ce fut une étape navrante à franchir, mais Henrik s'y conforma avec docilité. En échange, le lieutenant lui assigna un cas de vols de guichets automatiques sur la Côte. Ce n'était pas une palpitante chasse aux indices, mais pas une ennuyeuse plainte pour jappements de chiens non plus. Henrik tâcha de se concentrer là-dessus, du moins jusqu'à l'arrivée de la spécialiste du Bureau régional d'enquête. Alors, il dut se diriger vers la zone sinistrée qu'était devenue sa maison et collaborer avec l'investigatrice afin qu'elle entame le boulot.

Quatre journées avaient filé. Cap-à-Nipi avait encore eu droit à un battage médiatique. Les points de presse étaient devenus monnaie courante. Du moment que les nouvelles étaient bonnes, le maire Borduas demeurait heureux. Après Aline Sanschagrin, l'adjointe de la Caisse pop également en charge du salon de thé, ainsi que Mélodie, voilà qu'on avait aussi arrêté la propriétaire du salon de coiffure du Belvédère, de même que la gérante de chez Vahiné. Du côté de La Pieuvre, c'était la désolation. Du côté de la SQ, on sabrait le champagne. Quant aux motards, ils étaient aux premières loges, regardant tout ce joli monde se livrer une bataille épique en faisant des paris sur son issue. Henrik Hansen, lui, détestait être spectateur. Il n'y prenait aucun plaisir. Mais il se pliait aux exigences de son patron. C'est d'ailleurs dans ce but qu'il se rendit à une mercerie. N'avait-il pas besoin d'un nouvel habit pour le souper de retraite de son ancien capitaine ? Après s'être soumis à divers essayages, il arrêta son choix sur un complet gris ardoise à trois boutons qu'il enfila illico afin de se rendre au banquet.

Profitant du fait que son frère était à la salle communautaire du village pour cette célébration, Astrid avait mis un pinot gris au frais, inséré une compilation blues dans le lecteur CD et déposé un attirant plateau de sushis au centre de la table. Il ne manquait que l'éclairage tamisé lorsque Marc fit son entrée en scène. Celui-ci eut du mal à contenir son appréciation en constatant l'atmosphère que s'était efforcée de créer la jeune femme. Il dénoua son foulard et s'en servit comme d'un lasso pour l'attraper. Elle rigola. Marc attira sa joyeuse capture à lui pour lui subtiliser un savoureux baiser.

— Sais-tu ce que tu pourrais faire pour moi ?

Il lui murmura un « Quoi donc ? » de son timbre le plus enjôleur.

— Tu pourrais mettre une autre bûche dans le petit poêle, à la cave, pendant que je verse le vin ?

Comment, et surtout, pourquoi refuser ? Pendant qu'Astrid sortait le tire-bouchon, Marc se rendit donc au sous-sol. La jeune femme retira le papier métallisé de la bouteille de vin tout en fredonnant. Avant de la déboucher, elle se pencha au-dessus de la table pour voler un morceau de maki. C'était sa sorte préférée, farcie au saumon fumé et au fromage à la crème puis roulée dans du riz et du sésame grillé. Alors qu'elle le dégustait, elle vit un visage flou l'observer à travers le carreau de la porte. Surprise, elle fit un bond en arrière. La poignée tourna et la porte s'ouvrit dans un claquement. La visiteuse s'avança dans le courant d'air créé par l'ouverture de la porte. Astrid étouffa un cri. Deux décennies s'étaient écoulées depuis qu'Eva Beck avait joué le rôle de gardienne auprès d'elle. Que faisait-elle au Cap ? Que faisait-elle à sa porte ?

— J'ai besoin de toi, s'exclama Eva. C'est pour ton frère !

— Henrik fait un discours à une soirée honorifique.

— C'est ce que je craignais. As-tu des lunettes, un élastique à cheveux, des ciseaux ?

Eva s'excusa de la bousculer, mais lui dit que c'était d'une importance capitale. Astrid courut chercher les objets demandés. Eva mit les lunettes en corne et saisit ensuite les ciseaux pointus. Astrid eut la gorge serrée en regardant son image sur la surface réfléchissante du réfrigérateur en inox. Elle écarta les lames des ciseaux et se tailla une frange de cheveux en oblique. Elle prit ensuite l'élastique et lissa le reste de sa chevelure dans un chignon serré.

— Tiens, prends mon eye-liner. Fais-moi un grain de beauté.

Elle lui tendit un traceur marron et lui désigna un endroit précis au-dessus de sa lèvre supérieure. Ses doigts tremblaient beaucoup trop pour qu'elle puisse accomplir cette simple tâche. Astrid s'exécuta avec le plus de talent possible. Quand la métamorphose fut complète, Eva lui fit promettre de ne pas ébruiter sa présence au village, de n'en parler à personne ! Mais au même instant, Marc remontait de la cave. Arrivé sur la dernière marche, l'homme toisa Eva qui le fixa à son tour. Leurs yeux s'agrandirent. Ils brillaient d'une lueur singulière. Astrid regarda Eva s'enfuir, encore plus éberluée qu'elle ne l'avait été ces dernières minutes, et ce n'était pas peu dire. Un étrange phénomène venait de se produire entre l'homme qui était entré dans sa vie récemment et la « revenante » de son passé.

La salle communautaire avait pris des airs de fête mondaine. Enfin, presque. Disons que les organisateurs avaient fait beaucoup avec peu. Ils avaient retiré des murs les panaches de chevreuils et les laminages des présidents du club de l'âge d'or. Ils avaient habillé les chaises de housses et décoré la scène d'arrangements floraux. Une large banderole annonçant le départ à la retraite du capitaine Masson traversait l'avant de la scène, surplombant la table de banquet. Les organisateurs n'avaient pas fait preuve de grande originalité dans les teintes pour la décoration. Ils s'étaient contentés d'une palette de verts, de beiges et de jaunes. Comme si les membres de la Sûreté n'aimaient que ces couleurs, les matelots, que le bleu et les filles, que le rose chiffon. De toute manière, qui s'en souciait? Le capitaine faisait l'objet d'un bien-cuit et ses fiers collègues à tempes grises riaient à s'en tenir la panse pendant que les jeunes blancs-becs se réjouissaient du bar ouvert. Henrik n'appartenait à aucune de ces deux catégories, et même s'il se sentait à part, il s'en accommodait. En toute honnêteté, après avoir perdu son toit et son escouade, il se fichait un peu du sentiment d'appartenance. Il profitait d'un repas cinq services, point. Assis à ses côtés, le lieutenant Fafard appréciait l'humour railleur du présentateur tout en se beurrant un croûton. Il assaisonna son potage et souffla sur le liquide fumant.

— Pommes, bière et cheddar fort. J'ai hâte de voir.

Il goûta. Aromatique et velouté. Il encouragea son sergent à entamer son bol. Ce que fit celui-ci, avec appétit mais sans réelle curiosité. Henrik n'était qu'un homme affamé. Il appréciait l'onctuosité du potage, sans pour autant jouer les critiques culinaires. Il laissa son lieutenant jouer les gastronomes à sa place et à sa guise. Après avoir dévoré son entrée de carpaccio, Fafard dut cependant se rendre à l'évidence qu'il était le seul à apprécier son repas.

— Je voudrais pas faire de mauvais jeu de mots, mais c'est clair que t'es pas dans ton assiette.

Henrik posa ses ustensiles, signe que la remarque l'avait atteint. Afin d'en limiter les répercussions, il devait formuler sa répartie avec doigté. C'est pourquoi il prit une lente inspiration. Très lente. Il voulait réfléchir à sa réplique et ne rien regretter par la suite. Mais son lieutenant le devança, prenant une fois de plus l'initiative.

— T'as pas à me répondre. Si y'a quelqu'un qui sait pourquoi t'es plus renfermé que d'habitude, c'est bien moi. Je minimise rien. J'essaie juste de te changer les idées. Je veux pas que tu penses que je fais comme si de rien n'était, bâtard.

Henrik soupira.

— C'est correct, dit-il. Continue à me parler de soupe. Il me reste juste de l'enthousiasme pour les foutues soupes.

Fafard le comprenait. Il était compatissant. Henrik le remercia sans dire un mot. Tout passa par le ressenti. Après quoi, Fafard mangea un autre croûton au parmesan et Henrik déplia le discours qu'il avait rédigé à l'encre sur une simple feuille de papier. Son tour derrière le micro viendrait bientôt. La nervosité le gagnait peu à peu. Il lissa la feuille pour en aplatir les plis. Il pensa aussi à reboutonner son veston. Il avait hâte qu'on prononce son nom pour l'inviter à l'avant. Il voulait en finir avec cet hommage, quitter les feux de la rampe et revenir à sa table. Quel ne fut pas son désenchantement lorsque le maître de cérémonie vint lui apprendre que les plats principaux seraient servis avant son allocution. Il replia son papier et se servit à boire tout en tâchant de ne pas maugréer.

Une dizaine de serveurs défilèrent avec les assiettes, devancés de peu par les sommeliers. Ce fut un ballet efficace de plateaux, pantalons noirs et serviettes blanches à l'avant-bras. La salle était animée de voix tonitruantes, d'éclats de rire et de couverts qui s'entrechoquent. Henrik se sentait de plus en plus agressé par la cacophonie. Il y a de ces sons qui vous emballent lorsque vous êtes d'humeur et qui vous étouffent lorsque les nerfs sont à bout. Henrik songea à sortir sur le perron pour faire provision d'oxygène, mais le serveur changea ses plans en déposant devant lui son assiette de steak au roquefort. Henrik se mit à tailler la pièce de viande nappée de sauce. Il en fit autant avec les légumes racines sautés au beurre de sauge. C'était un menu exquis. Rien de trop beau pour le capitaine.

Tandis qu'Henrik piquait sa fourchette dans son premier morceau de bœuf, une femme s'élança vers sa table. Elle avait tout d'une serveuse : jupe droite, chemisier blanc boutonné, cruche d'eau à la main. Seulement, il ne s'agissait pas d'une serveuse. Son déguisement était suffisant pour convaincre les convives, mais quelque chose en elle troublait Henrik. Ce dernier la lorgnait, bouche bée. Eva ! Elle se contenait, mais avec grande difficulté. Ses grands yeux de biche derrière ses lunettes étaient effarouchés. Comment pouvait-elle risquer sa liberté ainsi ? Henrik en était chaviré. Fafard la reconnaîtrait sans doute. Il s'était pâmé devant son portrait, lors d'une réunion. Son visage lui était donc plus que familier. Il y avait bien la nouvelle frange, les lunettes et le grain de beauté, mais…

Perdant peu à peu sa contenance, Eva renversa un peu d'eau sur la nappe pendant qu'elle remplissait le verre d'Henrik. Sa poigne était molle. Elle s'excusa de sa maladresse et fit mine d'empêcher son client d'éponger le dégât en lui attrapant la main et en l'éloignant de son assiette. Puis, dans un murmure précipité, elle lui ordonna :

— *Spis ikke alt ! Nogen prøver at slå dig ihjel med din mad allergi*[2] *!*

Henrik repoussa son couvert. Eva disparut sur-le-champ. Désarçonné, il fixait l'enseigne rouge lumineuse indiquant le mot « Sortie », au loin. Il comprit qu'Eva avait pris un risque énorme pour le sauver d'une mort certaine. Son auto-injecteur d'adrénaline avait brûlé dans l'incendie, et il n'aurait jamais pu se sortir indemne de la constriction de ses bronches, puis de la fermeture totale de ses voies respiratoires. Le Dr Trépanier l'avait suffisamment prévenu de la virulence d'un second choc anaphylactique.

---

2. Ne mange rien ! Quelqu'un essaie de te tuer avec ton allergie alimentaire !

— Je suis incapable, bredouilla-t-il à son lieutenant. Je peux pas faire le discours.

Il jeta la feuille pliée au centre de la table et quitta la cérémonie. Comment retracer Eva, à présent ? Il voulait l'embrasser, sentir sa chaleur, la retenir avant qu'elle ne disparaisse à nouveau. De tout son corps, il tenait à la remercier. Il voulait se perdre en elle, oublier le temps et le monde extérieur. Il arpenta le stationnement, examinant les véhicules à sa gauche puis à sa droite. Mis à part la présence de la lune, Henrik était seul dans la froidure. Vaincu, il avança jusqu'à sa jeep. Les paupières closes, il s'adossa à sa portière. C'est alors qu'une femme surgit de nulle part et pressa son corps sensuel contre le sien. Henrik ouvrit les yeux pour mieux voir la bouche exquise qu'il s'apprêtait à embrasser. En se concentrant sur ce profond baiser, il sentit un désir fulgurant, quasi douloureux, lui prendre le bas-ventre.

— Je veux passer la nuit avec toi, l'implora Eva. Tu me manques tellement. Je veux être la seule, comme avant.

Cette supplication, Henrik l'avait longtemps espérée. Il caressa ses joues, puis sa chevelure soyeuse. Les compliments déferlaient dans son cœur mais y restaient prisonniers. Il ne savait pas lequel exprimer en premier pour s'ouvrir à elle et ainsi laisser libre cours à des confidences poignantes. Eva se colla davantage à lui pour glisser ses mains sous son manteau et se les réchauffer un peu. Elle alla blottir sa tête au creux de son épaule. Ce rapprochement acheva d'émouvoir Henrik. Il lui ouvrit sa portière. Elle se hissa sur le siège.

Ils roulèrent en aval de la rivière, parcourant la longue avenue bordée de cyprès et d'arbustes tout de blanc vêtus. À la hauteur du belvédère, la jeep bifurqua sur une route non asphaltée mais bien damée qui leur permit de s'enfoncer dans la forêt. Eva ignorait où Henrik désirait l'amener, celui-ci ayant gardé le silence depuis le stationnement de la salle communautaire. Il était si flegmatique derrière son volant. Il changeait les vitesses sans même laisser sa main s'égarer vers sa magnifique passagère. Il regardait fixement devant lui, en conducteur responsable, ce qui était peut-être mieux puisque aucune lueur ne les guidait pour trouver leur chemin à travers les troncs d'arbre et les aspérités de la route. Par bonheur, Henrik connaissait le trajet. Il se fiait à son radar intérieur. Au bout de ce qui sembla une éternité, un chalet de rondins de bois apparut dans toute sa rusticité. Il appartenait aux jumeaux. Henrik sortit son double de la clé, tandis qu'Eva s'appuyait contre son bras. Ils s'introduisirent dans la noirceur du chalet. On n'y voyait strictement rien.

Puisque sa vue tardait à s'ajuster, Henrik frôla les murs de part et d'autre de l'entrée à la recherche de l'interrupteur. Il n'eut pas le temps de le trouver qu'il sentit des lèvres pulpeuses et pleines d'envie lui caresser la nuque et l'arrière de l'oreille. Il cessa de chercher. Il se laissa effleurer et toucher. Il appréciait… Malgré le noir absolu, il savait qu'Eva s'était dénudée. Le sexe doux contre sa paume le lui avait confirmé. Henrik adorait la sentir frémir sous son toucher ferme mais fluide. Il aimait savoir qu'elle avait prémédité sa conquête, qu'il était toujours l'objet de son désir. À tâtons, Eva entreprit de retirer les couches de vêtements qui formaient une barrière entre leurs corps enflammés. La ceinture se défit sans trop de difficulté, mais la boutonnière du pantalon neuf opposa une certaine résistance. Henrik s'adossa au chambranle d'un foyer en pierres pour achever de se dévêtir sans perdre pied. Il ne fut pas longuement séparé d'Eva, puisque une fois nu dans l'obscurité, il sentit à nouveau le contact de sa bouche sur sa peau. Eva termina l'ascension de son abdomen et de son torse pour renouer avec ses lèvres.

— Je t'aime, susurra-t-elle. Plus qu'à nos débuts, même.

Cet aveu fit à Henrik l'effet d'une gifle. Il coupa court au baiser et entraîna sa partenaire vers la fenêtre : il voulait lire ses sentiments réels au fond de son regard. Il ne décela que de l'incertitude dans le clair de lune.

— Je voulais voir…

— Quoi ? dit-elle en tentant d'élucider sa volte-face.
Il hésita.

— Je voulais voir si c'était juste des paroles en l'air.

Eva en fut vexée. Doutait-il de ses intentions ?

— Si je suis ici, c'est pour être sincère avec toi. Pour rien d'autre ! Sinon, crois-tu que je prendrais tous ces risques ? Si le danger que je cours ne suffit pas à te convaincre…

Henrik avait du mal à entendre ce plaidoyer, malgré toute son authenticité. Il n'avait d'yeux que pour le scintillement à son cou. Il venait de reconnaître la chaîne en or et son pendentif en forme de pistolet évoqué par son infirmière. Ce bijou était-il donc pour les membres de La Pieuvre ce qu'un tatouage symbolique ou une veste à écussons pouvaient être aux motards ? Henrik aurait pu se passer de ce dur retour à la réalité. Pour lui, le pendentif doré était une preuve tangible d'infamie. La colère l'envahit. Eva voulut l'apaiser.

— Mon amour a toujours été vrai, avoua-t-elle. Malgré tout ce qui s'est passé ! Je te l'ai déjà écrit…

— Tu veux parler de la seule carte postale que tu m'as envoyée de Copenhague ?

— Pourquoi tu t'entêtes à me remettre sous le nez mon erreur de jeunesse ? Je sais pas comment m'excuser.

— Tu pourrais peut-être commencer par m'expliquer ça !

Et il lui arracha la fine chaîne qu'elle portait au cou et la lança par terre. Le bijou glissa dans un bruissement métallique, pour ensuite se perdre entre deux lattes du parquet. Eva ressentait la brûlure à son cou tout autant qu'à son orgueil. Elle s'éloigna de l'homme pour plonger dans la pénombre. Elle cueillit ses vêtements au sol. Elle s'apprêtait à se rhabiller quand la voix grondeuse d'Henrik retentit.

— Dis-moi qui a voulu me faire mourir avec mon allergie, ce soir. Jure-moi que t'as rien à voir avec l'incendie, cria-t-il. Dis-moi qui a tué le deuxième vendeur de drogue. J'ai le droit à des réponses ! J'ai plus d'escouade à cause de cet homicide-là. J'ai plus envie de me lever le matin à cause des dégâts causés par ta câlice d'organisation !

Au bord de la crise de nerfs, Henrik se noua les doigts dans la nuque tout en trouvant appui contre le cadre de la fenêtre. La fatigue le submergeant, il fut incapable de refouler son dépit. Quelques larmes muettes sinuèrent le long de sa mâchoire. Eva fut touchée par son abandon total. Elle revint à lui.

— Je suis bien des choses sauf une traîtresse, affirmat-elle. Si tu me demandes de vendre une de mes filles, je le ferai pas. Mais je peux te dire que certaines ont décidé d'en faire à leur tête sans savoir que je t'aime, sans même se douter que je te connais ! Le contrôle m'échappe. J'essaie de te sauver comme je peux. Bientôt, c'est moi qui vais écoper. Je suis trop visible au village. Je me suis même présentée chez ta sœur. Au fait, qu'est-ce que Marco Bertollini fait dans son sous-sol ?

Henrik redevint alerte. Il la saisit par les hanches.

— Répète un peu.

— Marco Bertollini. Dans son sous-sol.

— Bertollini ? s'emporta-t-il. C'est un gars de la mafia italienne ? Dis-moi pas qu'un mafioso s'est installé chez ma sœur, bordel !

Eva lui encercla le cou avec tendresse. Elle le calma.

— Au contraire. Les Siciliens ont tellement siphonné sa compagnie de construction qu'il a été obligé de faire faillite, quitter Granby pis refaire sa vie. Il a sûrement habité à quelques places avant de s'accrocher les pieds ici. Sois pas inquiet pour Astrid. Même si son nom a circulé dans le milieu, c'était vraiment malgré lui. Je te confirme que c'est un gars droit.

Elle le sentit soulagé. L'unique chance de se repentir se présenta alors. Elle abaissa ses gardes.

— Je t'ai quitté sur un coup de tête, trop tentée par les interdits d'une vie aventureuse. J'en suis pas fière. Les remords auraient dû être suffisants pour me faire revenir, mais… Crois-moi, ils étaient pesants.

Henrik ne fit qu'expirer.

— J'étais prise, là-bas. Tu veux pas savoir tout ce que j'ai dû traverser ! Tu veux surtout pas savoir ce qui est arrivé à cet… cet homme-là. Tout ce que je peux faire, maintenant, c'est te répéter les mêmes mots : je m'excuse sincèrement.

Elle se haussa pour poser un baiser sur le grain de beauté à sa joue. Puis elle le regarda amoureusement. Henrik lui encadra le visage de ses grandes mains et l'embrassa à lui en faire perdre la raison. Un seul toucher avait suffi à les entraîner dans une frénésie lascive. Eva se retrouva assise sur le rebord de la fenêtre. Ses longues jambes basanées s'écartèrent. Henrik alla s'y loger, pressant ainsi la femme contre la vitre givrée. C'est alors qu'il s'inséra en elle. Du coup, elle cambra le dos, paraissant déjà près de l'extase. Il appuya une main sur le frimas du carreau et resserra l'autre sur la gorge chaude de la femme. Cette dernière croisa les jambes derrière ses cuisses. Encore plus près d'elle, il parcourut son visage, puis son corps, d'un regard profond. La pointe de ses seins s'était dressée. Henrik les caressa et put les savourer jusqu'à la toute fin. L'instant fut divin. Ils s'enlacèrent jusqu'à ce que se fussent évanouis leurs derniers soupirs.

Ils se rhabillèrent ensuite, l'un haletant et l'autre encore frissonnante de plaisir. En bouclant sa ceinture, Henrik fut surpris par la vibration de son cellulaire au fond de sa poche. Il posa son index sur ses lèvres pour commander le silence à Eva. Cette dernière obéit.

— Hansen ?

— Oui ?

— C'est moi.

Son homologue du SPVM.

— Je sais que t'es plus dans l'unité, mais la GRC vient de nous aviser que Patrick the Bullmastiff est en train de courir après la dirigeante de La Pieuvre. Ça me fatiguait de t'exclure du fun.

Henrik rit jaune.

— Attends une seconde, fit Derek en interceptant une communication parallèle. Oui ? T'es sûr et certain ? Parfait, bye. Henrik, es-tu toujours là ?

Il acquiesça.

— C'était Steve de la Gendarmerie. Il vient de capter le gros motard en train de se vanter d'avoir localisé notre criminelle. Faut que j'alerte l'équipe.

L'agent mit fin au dialogue. Henrik était estomaqué. Il bégaya la terrible nouvelle à Eva. Ni l'un ni l'autre ne voulait quitter ce bas monde en Bonnie et Clyde. Et il ne se pardonnerait jamais d'avoir failli à la protection de son Eva. Tous deux étaient au beau milieu d'un cul-de-sac. Eva s'élança vers lui. Elle lui soutira un dernier baiser enivrant. Henrik l'étouffa presque sous son étreinte. Puis, elle lui échappa. Stupéfait, il resta une demi-seconde immobile dans la pénombre et il comprit qu'Eva avait détalé.

Au dehors, le froid était cinglant. Dépourvu de manteau, Henrik sentait ses articulations se raidir et ses épaules se voûter. Il mit son coffre à gants sens dessus dessous et trouva enfin la petite lampe de poche qu'il cherchait. Il fallait absolument qu'il la rattrape avant le motard. Grâce au faisceau de lumière, il put retracer les empreintes d'Eva dans la neige fraîche. Il hésitait à crier son nom, ne sachant pas si les motards étaient aux aguets. Il se retint et suivit plutôt les empreintes. Mais il dut bientôt ralentir, car à chaque pas, il s'enfonçait un peu plus profondément. À l'aide de sa lampe, il essaya de trouver un chemin plus sûr dans la neige. C'est alors qu'un amoncellement de roches massives lui apparut. Il s'y jucha. Il était frigorifié.

Du haut de son poste d'observation, il examina la clairière. Une ombre bougea. Henrik sauta en bas de sa large pierre. Il courut et rattrapa enfin Eva, là où la rivière prenait sa source. Il l'éblouit de sa lampe-torche. Elle était plus chaudement vêtue que lui et semblait prête à traverser le cours d'eau pour fuir la mort certaine que lui promettait Patrick the Bullmastiff. Elle était penchée au-dessus de l'eau pour évaluer la force du torrent.

— Approche-toi pas, lui ordonna Henrik.

Elle ne pouvait fuir par la route. Le cours d'eau glacial était donc sa seule issue. Elle allongea la jambe vers une grosse branche d'arbre sectionnée qui plongeait dans la rivière.

— C'est insensé. Arrête tout de suite !

Henrik sentit son cœur s'emballer. Il eut soudain le souvenir fulgurant du corps d'une jeune Amérindienne qu'il avait repêché, figé dans une masse de glace, les yeux écarquillés et les lèvres bleutées entrouvertes. C'était à Québec, au nord de la réserve de Wendake. Il ne se rappelait plus l'année exacte, mais il en était encore complètement retourné. Eva posa une botte sur la branche tombée et l'autre sur une roche. Elle patina légèrement sur la surface glacée avant de se stabiliser. Henrik ne pourrait plus contenir sa peur bien longtemps.

— Débarque de là !

Elle refusa. De sa lampe, il se gratta le crâne à s'en faire quasiment mal.

— Ostie, si tu tombes, je pourrai pas t'aider. Comprends-tu ça, Eva ? Je serai pas capable de te repêcher, cria-t-il.

Il maudissait cette peur qui le maintenait sur place sans pouvoir bouger. Même s'il y mettait tout son être, il était incapable de surmonter cette épreuve, de s'engager lui aussi sur cet embâcle pour se rapprocher d'elle. Eva avançait plus loin sur la rivière, passant de roche en roche en se tenant toujours à la branche, mais sa situation devenait plus périlleuse à chaque pas. Elle faiblissait à force d'essayer de se maintenir en équilibre. Les flots noirs lui paraissaient hostiles. Baissant les paupières, elle essaya de reprendre courage. Henrik ne devait pas baisser les bras. Il devait la convaincre de revenir vers lui.

— Il te reste juste une chose à faire, Eva. Allez !

— Je peux pas croire que tu veux que je me rende, lança-t-elle en se redressant avec précaution.

— C'est ça ou tu meurs noyée ou descendue par un gang ennemi. Pose-toi la question : veux-tu être enterrée ou emprisonnée ? Je la saurais en sacrement, moi, la réponse.

— Tu m'écœures quand tu me parles en flic !

Eva desserra la poigne de sa branche sécurisante afin d'avancer encore. Elle était déterminée à franchir ce cours d'eau. Henrik sortit aussitôt son cellulaire pour appeler les gars de son ancienne escouade. Il était plus résolu qu'Eva. Il avait mûri sa décision. Son deuil était déjà entamé. Mais quand elle l'entendit appeler du renfort, Eva se sentit encore plus déterminée à échapper à la prison. Elle avait une peur viscérale de finir sa vie entre quatre murs. Mais avait-elle le loisir de choisir ? Elle regarda Henrik, qui la suppliait du regard. Elle regarda le chemin qui la séparait de lui, puis elle coula un regard vers la rivière en mouvement et reprit sa progression vers l'avant.

ÉPILOGUE

Le soleil était au zénith. Le ciel, d'un bleu limpide. Pour certains, la journée s'annonçait idyllique. Pour d'autres, fatidique. Astrid et Marc se présentèrent à la mairie. Ils s'assirent parmi les curieux, derrière les journalistes. À l'avant, quatre individus rayonnaient de bonheur : Danny Dupuis, le lieutenant Fafard, le directeur des communications de la Sûreté et le maire Borduas. Astrid essaya d'intercepter le regard d'Henrik qui avait placé sa chaise en retrait de la foule effervescente. Bien que son frère s'efforçât d'avoir un air détaché, Astrid le savait profondément meurtri. La conférence débuta. Après une introduction expédiée, on annonça en grande pompe que La Pieuvre avait subi tout un revers sur la Côte et que l'effort concerté des trois corps policiers se poursuivrait jusqu'à son démantèlement complet. Les deux auteures d'homicides, soit la coiffeuse et la gérante de Vahiné, attendaient leur comparution. Mais surtout, celle qui était à la tête de La Pieuvre venait d'être arrêtée pour divers chefs d'accusation allant de la simple arnaque au gangstérisme. Les journalistes ne purent cacher leur surprise lorsqu'ils virent les photos de la coupable présentées par le directeur des communications. La stupéfiante Eva Beck marquerait les archives journalistiques à tout jamais. Elle marquerait aussi un homme qui devrait se résoudre à l'oublier, une fois pour toutes.

Cet ouvrage composé en Adobe Caslon Pro corps 12 a été achevé d'imprimer au Québec
sur les presses de Marquis Imprimeur le vingt et un mai deux mille treize
pour le compte de VLB éditeur.